La Splendeur
dans l'herbe

Patrick Lapeyre

La Splendeur dans l'herbe

Roman

P.O.L
33, rue Saint-André-des-Arts, Paris 6e

© P.O.L éditeur, 2016
ISBN : 978-2-8180-3819-2
www.pol-editeur.com

"What though the radiance which was once
    so bright
Be now forever taken from my sight,
Though nothing can bring back the hour
Of splendor in the grass, of glory in the flower;
We will grieve not..."

William Wordsworth

1

Homer, qui possédait entre autres facultés celle d'apparaître quand on ne l'attendait plus, se présenta à cinq heures devant le portail du jardin, avec son parapluie, sa cravate au vent et ses chaussures boueuses. Comme il était affreusement en retard, la femme avec laquelle il avait rendez-vous était déjà sortie plusieurs fois sur le perron et l'observait à présent, l'air décontenancée.

Tandis qu'il faisait de grands gestes au bas des marches à cause de son parapluie récalcitrant – qu'il brandissait bêtement vers le ciel –, il crut d'ailleurs remarquer que son mètre quatre-vingt-treize et la maladresse de ses gestes contribuaient presque autant à son étonnement que son retard injustifiable.

Une fois son parapluie enfin maîtrisé, ils se retrouvèrent devant la porte d'entrée, à quelques centimètres l'un de l'autre, à la manière de deux personnes sur le point de s'embrasser, sauf qu'ils ne se connaissaient pas... Le moment était donc délicat.

– Je suis sincèrement désolé, s'excusa-t-il, encore tout essoufflé d'avoir couru depuis la gare. J'imagine que vous êtes bien Mme Mangani.

– Exactement, Sybil Mangani... Maintenant, entrez, je vous en prie, lui dit-elle avec un sourire, en ajoutant que s'il le souhaitait, il pouvait laisser ses chaussures et son parapluie dans le couloir.

Rassuré de la trouver si accueillante (même s'il la sentait quelque part aussi tendue qu'il l'était lui-même), Homer la suivit en chaussettes à l'intérieur d'une grande pièce, haute de plafond, dont l'un des murs était percé d'une baie vitrée côté jardin... À l'état des peintures et des parquets, on devinait que la maison avait connu des jours meilleurs, mais elle avait en même temps une sorte de charme anglais, dû à ses murs festonnés de vigne vierge et à ses fenêtres en saillie.

– Vous êtes vraiment immense, remarqua-t-elle tout à coup, en se haussant sur la pointe des pieds à côté de lui.

– Vous trouvez? dit-il, songeant que sa timidité devait contraster avec son physique de plantigrade.

Comme elle proposait de faire du café, il lui fit signe de ne surtout pas se mettre en peine pour lui. De toute façon, il avait déjà pris un café à la gare. Mais elle y tenait.

Pendant qu'elle allait et venait entre la cuisine et le salon en lui parlant de ses difficultés à entretenir toute seule une telle bâtisse, il était resté debout, un peu incertain, frappé par le chaud de sa voix... C'était une voix sourde, agréablement voilée... Il nota également que ses cheveux relevés en chignon mettaient en valeur son long cou, tout en lui donnant un air très sage.

– J'apporte le sucre, lui dit Sybil Mangani, sans rien soupçonner apparemment de cet examen.

Ils s'assirent l'un en face de l'autre, elle sur une chaise, lui sur le canapé, aussi peu à l'aise que si elle l'avait convoqué pour un entretien exploratoire, dont allait dépendre son sort... Comme elle semblait balancer entre plusieurs questions, ils burent d'abord leur café et restèrent ensuite un long moment, leur tasse à la main, sans dire un mot, chacun attendant peut-être que l'autre fasse le premier pas.

Plusieurs fois, Homer la surprit qui l'observait discrètement, et à ses coups d'œil spéculatifs, il eut l'impression qu'elle cherchait à lui assigner une place dans sa grille d'évaluation des hommes. Mais elle ne fit aucun commentaire... La maison, du même coup, était tellement silencieuse qu'on entendait le crépitement étouffé de la pluie sur les dalles du jardin.

– Vous avez de leurs nouvelles ? demanda-t-elle enfin.

– Aucune, répondit-il, en se tortillant sur son siège. Je n'ai absolument aucune nouvelle d'eux.

– Emmanuelle ne vous a jamais écrit ou téléphoné ?

– Emmanuelle ? répéta-t-il en faisant malgré lui une grimace, comme si elle lui avait pincé un nerf sans le faire exprès. Je vous donne ma parole que je n'ai plus aucun contact avec elle depuis un an et demi et que je ne sais pas du tout ce qu'elle est devenue.

– Je suppose, dit-elle après avoir réfléchi, que vous tenez encore un tout petit peu à elle et qu'au fond de vous, sans oser vous l'avouer, vous espérez toujours avoir de ses nouvelles. Est-ce que je me trompe?

Il hésita... À cause du malentendu qui semblait s'installer entre eux deux, il y avait maintenant un intervalle croissant (un intervalle de plusieurs secondes) entre leurs questions et leurs réponses.

– Je vous assure que je n'attends plus rien d'elle et que je n'y pense presque plus... Et vous, lui demanda-t-il, par politesse, ils vous donnent de leurs nouvelles?

– Teresa, la sœur de Giovanni, m'envoie un mot de temps en temps. Je sais qu'ils vivent à Chypre depuis quelques mois.

– À Chypre?

– Vous n'étiez pas au courant? s'étonna-t-elle en allumant une cigarette.

– Absolument pas, lui assura Homer, qui sortit à son tour une cigarette comme s'il s'agissait d'un signe de ralliement.

Ils gardèrent à nouveau un long intervalle de silence, tâchant de remettre de l'ordre dans leurs émotions respectives. Quand le téléphone sonna, il sursauta presque.

– Excusez-moi, dit-elle précipitamment, en posant sa tasse et en disparaissant dans la pièce du fond.

Il entrebâilla la porte-fenêtre pour respirer l'odeur de la pelouse détrempée et souffla sa fumée vers le jardin. Perché sur un muret, un chat noir était en train de l'observer avec de grands yeux fixes, manifestement persuadé de l'avoir déjà croisé dans une autre vie... Où avait-il lu, à ce propos, que les chats portent chacun un nom secret, qu'eux seuls connaissent?

– J'arrive tout de suite, cria Sybil.

Homer, se dépêcha d'écraser sa cigarette et retourna s'asseoir sur le canapé, en s'obligeant à respirer profondément... Puis il attendit la suite, les mains posées à plat sur ses genoux, tout raidi d'inquiétude.

– J'avoue que j'étais très impatiente de vous connaître, lui dit Sybil, dont la voix était redevenue chaleureuse. Vous savez que nous aurions très bien pu ne jamais nous rencontrer. Il a fallu pour vous retrouver que je découvre votre nom et votre adresse complètement par hasard, dans les papiers de mon mari. C'est quand même incroyable, vous ne trouvez pas?

Il dut admettre qu'il n'en revenait pas non plus.

– Quand j'ai vu écrit Hilmann Homer, je me suis demandé pendant quelques secondes si Homer était votre nom ou votre prénom. Avouez que ça ne court pas les rues. On dirait que vous êtes deux en un... Je présume que vous êtes allemand.

– Je suis suisse, suisse alémanique, dit Homer. Vous trouvez que j'ai un accent très fort?

– Non, on l'entend à peine. En tout cas, je regrette beaucoup de ne pas avoir pu vous contacter plus tôt, lorsque j'ai appris ce que les deux autres tramaient dans notre dos.

– Peut-être qu'il existe une raison mystérieuse à ce retard et qu'il ne faut pas le regretter… On va dire que les choses arrivent quand elles doivent arriver, philosopha-t-il avec un sourire, en s'apercevant qu'il était plus tard que prévu.

Mais il ne bougea pas tout de suite, parce qu'il cherchait à épuiser une sensation qu'il n'arrivait pas à définir. Un mélange bizarre de surprise, de plaisir et d'appréhension.

Finalement, il se leva et elle l'accompagna jusqu'à la porte, où il remit ses chaussures. Dehors, comme un signal augural, les nuages noirs s'étaient déchirés et une grande lumière de printemps baignait la cour.

– J'ai bien fait d'attendre, remarqua-t-il en lui serrant la main.

– Maintenant vous connaissez le chemin. Et vous savez que nous avons beaucoup de choses à nous dire.

– Je reviendrai bientôt, lui promit Homer, étonné lui-même par sa propre réactivité.

En descendant la rue, il fut saisi d'une sensation de bien-être comme si d'un seul coup son esprit était apaisé, sa vision clarifiée… Il était presque sept heures et, tout en balançant son parapluie, il marchait sous un nuage très long, très lumineux, qui l'accompagna jusqu'à la gare.

2

Au moment de sortir de l'hôtel pour aller déjeuner, Arno lui a demandé, comme sous le coup d'une inspiration, si elle ne voulait pas qu'ils prennent d'abord un taxi pour se promener le long de la côte. Et elle lui a répondu : « Si, bien sûr. On a tout le temps devant nous. »

Ce devait être il y a une dizaine d'années... Au plus tard, en 1970, puisque Homer n'était pas né. Ce qui est certain, c'est que c'était au début du printemps.

Sur les images du film, on voit qu'il y a déjà des parasols sur les plages et des baigneurs qui tombent comme des quilles, fauchés par une vague imprévue. On dirait qu'il fait tout le temps beau dans les rues... Les garçons qui déambulent sur la promenade des Anglais ont les cheveux très longs et les filles en mini-jupe portent de grosses lunettes de soleil... Elle aussi, du reste.

Elle se souvient très bien qu'elle était assise à l'avant du taxi, donc à côté du chauffeur, tandis qu'Arno était installé sur la banquette arrière pour la filmer avec la petite caméra Bolex Paillard, que l'oncle Adam leur avait offerte pour leur mariage.

Sans doute parce qu'elle n'avait jamais vu la Méditerranée et qu'on est encore facilement lyrique à son âge, elle trouvait fabuleux de se promener dans un taxi qui roulait au bord de la mer, entre des rangées de palmiers et des maisons aux couleurs de sorbets... On le voit à son sourire pendant que des rafales de lumière verte passent régulièrement sur les vitres de la voiture... Et lorsqu'elle ne sourit pas, elle fait des grimaces ou bien rit aux éclats devant la caméra.

Par moments, elle a d'ailleurs un peu de mal à se reconnaître... Il faut dire qu'avec son petit visage pâle, semé de taches de rousseur, et ses seins minuscules, elle ressemble plus à une adolescente qu'à une jeune femme mariée, bientôt mère de famille (mais ça, elle ne pouvait pas le savoir).

Comme dans la plupart des petits films de ces années-là, il y a déjà tout, les mouvements de caméra, les gros plans, la couleur, sauf le son. Par conséquent, on n'entend pas ce qu'ils se disent. Ana se rappelle seulement qu'Arno n'arrêtait pas de lui demander de tourner la tête, comme ci ou comme ça, et de prendre si possible des poses un peu suggestives. S'il n'y avait pas eu le chauffeur, elle parie qu'il lui aurait demandé de soulever sa jupe. Et elle l'aurait certainement fait. Elle n'avait peur de rien.

En revanche, elle ne s'imagine pas aujourd'hui lui rendre pareil service... Mais à cet âge-là, elle était si insouciante, si peu blasée, que le seul fait de pouvoir se dire qu'il l'aimait et qu'ils voyageaient tous les deux pour la première fois suffisait à la combler et à lui faire tout accepter... Elle voulait tout ce qu'il voulait, comme si elle lui avait confié la direction de sa vie.

Ce n'était pas vraiment leur voyage de noces, puisqu'ils étaient mariés depuis un peu moins d'un an, mais c'était tout comme. Arno avait encore des prévenances et des maladresses de jeune marié. Un rien l'excitait. Et elle, par pudeur, se sentait à chaque fois obligée de se déshabiller dans la salle de bains... Et puis il était tendre, amusant, curieux des autres.

Il l'avait épousée malgré l'avis de ses parents et de toute sa parentèle suisse, qui s'était apparemment tout de suite liguée contre elle, parce qu'elle était une belle-fille d'extraction plus que modeste, et qui plus est une frontalière, une étrangère, une *Ausländer*... Ils étaient tous restés figés dans leurs représentations d'avant-guerre. Et, bien entendu, ils ne donnaient pas trois sous de leur avenir. Les parents d'Arno en tête.

C'est tellement émouvant aujourd'hui de se revoir ainsi, espiègle et toute jeunette, criblée de taches de lumière, à l'intérieur de ce taxi silencieux qui roule sous des palmiers... De se revoir telle qu'Arno la voyait à cet instant et telle qu'il l'aimait, pliée de rire, au moment

17

où ils passent devant cet hippodrome dont elle a oublié le nom, avec des mouettes perchées sur le toit des tribunes.

Il l'a même filmée (il n'arrêtait pas de la filmer) allongée dans son bain, à l'hôtel, sa nudité à moitié cachée par la mousse, sous prétexte que Bonnard faisait la même chose avec sa femme... Ils avaient visité la villa du peintre, au Cannet, tout en haut de la ville, avec son balcon et son jardin planté de citronniers et d'orangers.

Ana a arrêté un instant le film sur cette image de bain, où elle sort la tête de l'eau mousseuse pour fixer la caméra. Puis – en obéissant peut-être à une pulsion de vanité ou à un besoin obscur de se mettre à l'épreuve – elle s'est approchée tout près de l'écran et s'est regardée : elle a des yeux incroyablement clairs et confiants sur l'image... Des yeux qui lui font presque mal à présent.

Alors qu'est-ce qui n'a pas marché ? À quelle station elle aurait dû descendre ? se demande-t-elle.

Il paraît que Bonnard refusait de voir vieillir sa femme et que, même après sa mort, il continuait de la représenter jeune et nue dans sa salle de bains, telle qu'il l'avait gravée dans son esprit... Elle aussi est toujours jeune et virginale dans son esprit, mais qui le devine ? Qui s'en soucie ?

Ce n'est pas qu'en dix ans elle soit devenue vieille et moche, c'est que maintenant elle se sent quelconque, presque invisible.

C'est pour cela sans doute qu'elle tient autant à ce film. Elle le regarde toujours en cachette, étendue sur son canapé, quand il n'y a personne à la maison. Elle pourrait le repasser des dizaines de fois. Parce que c'est le film de leur bonheur perdu... Le film du temps où ils étaient innocents, comme on l'est sans doute une seule fois dans sa vie.

Bien entendu, si elle n'avait pas ces images, elle pourrait penser que sa mémoire lui joue des tours et que, comme tout le monde, elle se raconte des histoires en enjolivant le passé... Mais là, elle en a la preuve (on voit même, à un moment donné, le reflet d'Arno sur la vitre de la voiture, en train de lui tirer la langue)... Et si elle lui montre un jour les images qu'il a tournées, avant de les oublier au fond d'une boîte, il ne pourra rien contester, et elle non plus.

Oui, ils étaient là. Oui, ils étaient aussi drôles et amoureux qu'elle se le rappelle. Ils étaient bien dans ce taxi et sur cette plage et dans cette chambre d'hôtel de la rue Gabriel-Fauré, où ils ont probablement conçu Homer... C'est indéniable et irrévocable.

3

Homer n'avait a priori aucun délit sur la conscience, aucun dossier à charge, aucun souvenir dont il aurait eu à rougir, et, cependant, il aimait s'envelopper de secret et rechignait aux confidences... Mais s'agissant d'une situation qui les concernait tous les deux, Sybil Mangani et lui, il voulut bien ce jour-là forcer sa nature et lui révéler sans ambages l'état lamentable dans lequel l'avait laissé sa relation avec Emmanuelle... Il prit simplement la précaution de l'avertir que, ce qu'il allait lui dire, il n'en avait jamais parlé à personne d'autre.

– Moi non plus. Je n'ai jamais dit un mot de mon histoire avec Giovanni. Et je trouve ça très bien et très consolant de pouvoir en parler ensemble, alors qu'en réalité nous nous connaissons à peine, remarqua-t-elle en croisant les jambes, la gauche sur la droite.

À cet instant, Homer se demanda incidemment quel âge elle pouvait bien avoir... Il décida au jugé qu'elle avait deux ou trois ans de plus que lui, peut-être quatre. En tout cas, une bonne quarantaine. Mais bizarrement, si quelqu'un lui avait rétorqué qu'elle en avait à peine trente-cinq ou trente-six, il l'aurait sans doute cru les yeux fermés.

Ces considérations au demeurant n'étaient pas aussi oiseuses qu'elles en avaient l'air, car il appartenait à cette catégorie de personnes (il n'en était pas spécialement fier) pour lesquelles la séduction physique conditionnait les sentiments... D'ailleurs, pendant qu'il essayait de lui faire le bilan de ces cinq années passées avec Emmanuelle, le désir de plaire à sa confidente, multiplié par un certain coefficient d'incertitude, lui faisait par moments avaler des mots et sauter des transitions.

Sybil ne l'en écoutait pas moins avec attention, le front plissé par l'étonnement, mais sans aucune curiosité déplacée et sans vouloir à tout prix lui faire dire ce qu'il préférait garder pour lui... Cette délicatesse corroborant ses impressions de la première fois. Comme si, sans s'en rendre compte, il était revenu la voir trois semaines plus tard pour vérifier qu'il ne s'était pas trompé.

Et si leur conversation se révélait finalement moins difficile qu'il ne l'avait imaginé – parce qu'il était un peu plus détendu –, tout le mérite en revenait d'abord à la simplicité et à la bienveillance de son interlocutrice.

– Vous savez, lui dit Homer, les mains vertueusement posées sur ses genoux, la vie que nous avons eue ensemble avec Emma était incroyablement déprimante... Pour ma part, je crois que ce qui me rongeait le plus au quotidien – plus que la déception ou la rancœur –, c'était l'incompréhension : le fait de ne pas comprendre ce qui nous arrivait... Aujourd'hui, heureusement, je me suis calmé parce que c'est de l'histoire ancienne et que je sais qu'il n'y avait rien à comprendre... Absolument rien, répéta-t-il, pendant qu'il notait l'expression préoccupée de son visage. Sans savoir s'il devait l'interpréter favorablement ou défavorablement.

– Continuez, lui dit Sybil, qui le voyait hésiter.

– Quand on est aussi constamment malheureux pendant des années, le plus étonnant après coup ce n'est pas d'être restés ensemble – puisque, de fait, il y a toujours une foule de raisons pour rester ensemble –, non, le plus étonnant c'est d'être sorti vivant d'une telle épreuve.

– C'était donc à ce point ! dit-elle, en posant sur lui un regard où l'incrédulité le disputait à la compassion.

Sa réaction eut le don de le rassurer, mais pas seulement... Homer fut aussi convaincu que, au-delà de la similitude de leurs situations et de la solidarité qui en découlait naturellement, il existait entre eux deux un courant de sympathie, presque une connivence émotionnelle... Et puis il sentait également que la gentillesse et la patience avec laquelle elle l'écoutait avaient sur lui une sorte de vertu réparatrice.

– Nous sommes à présent plus que de simples connaissances, lui dit-il alors, nous sommes quasi des alliés.

– On peut formuler ça de cette manière, admit-elle en rentrant ses jambes sous elle, mais à condition d'ajouter que nous ne sommes pas du tout alliés contre eux… Ils sont partis, ils ont voulu refaire leur vie et nous devons leur laisser une chance.

Cette déclaration le laissa muet un bon moment.

Ils se tenaient tous les deux bien droits sur leurs chaises, souriant comme pour une photo officielle. La maison était silencieuse et le soleil voilé par des nuages de pluie donnait par instants une sorte d'éclat assourdi à la scène. Autour d'eux les tentures, les rideaux, les vases de fleurs, ainsi que le service en porcelaine ou la lampe Tiffany posée sur la console (tous ces objets qu'il avait l'habitude de mépriser), prenaient à cet instant quelque chose d'épuré et de contemplatif.

– Ils ont certainement beaucoup de torts, reprit Sybil – nous sommes bien placés pour le savoir –, mais je sais aussi d'expérience que la rancune nous fait plus de mal qu'autre chose.

– Attendez, dit Homer, en levant le doigt comme à l'école, vous avez certainement raison, mais je dois tout de même vous avertir gentiment, afin d'éviter tout malentendu, que si nous partageons la même épreuve, nous n'en tirons pas tout à fait les mêmes conclusions… Vous êtes indulgente, je reconnais que c'est une grande qualité, mais être indulgente ne veut pas dire non plus être complaisante.

– Je ne suis pas complaisante, répondit-elle après un long silence… Vous ne pouvez pas me dire ça.

La note implorante de sa voix le fit immédiatement s'arrêter. Convaincu ou pas, Homer préféra battre en retraite et faire la paix avec elle. Car quelque chose lui disait en l'observant qu'il était sans doute plus précieux de rester amis que d'avoir raison.

Sybil parut en tenir compte et lui proposa, en signe de réconciliation, d'aller se promener jusqu'au pont du Loing et de profiter un peu de la campagne environnante. Ils sortirent. L'air était doux, orageux, imprégné d'une humidité qui ressemblait à de la bruine, et de grands lambeaux de brume, près de la rivière, restaient accrochés aux arbres.

– Il me semble, lui dit-elle, en revenant à son sujet, que vous devriez maintenant tourner la page et oublier ces années malheureuses... Même quand une histoire s'est très mal terminée et qu'on a le sentiment de s'être fait avoir du début à la fin, on a pourtant gagné quelque chose, mais on ne sait pas encore quoi.

– Là, vous devez parler pour vous, lui répondit-il prudemment, car en ce qui me concerne, je ne vois vraiment pas ce que j'ai pu gagner.

– Non, je parle pour tout le monde.

Homer, qui avançait lentement comme s'il méditait sous son parapluie, lui raconta alors qu'un soir, à Metz, en suivant un couple dans la rue, il s'était tout à coup rendu compte qu'Emma lui était complètement sortie de l'esprit depuis des jours et des jours, et il s'était soudain senti guéri.

– C'était peut-être juste une impression, s'amusa-t-elle, parce qu'elle devinait probablement son caractère irrésolu.

Ils s'étaient accoudés à la rambarde du pont et regardaient tourbillonner l'eau sombre. La rivière grossie par les pluies avait inondé les berges et les prés, si bien qu'en se retournant ils aperçurent deux magnifiques faisans argentés qui passaient incognito avant d'aller se réfugier derrière une haie.

– Je sais en tout cas que je n'en suis pas sorti indemne... Je crois même que ces cinq années horribles m'ont enlevé ma jeunesse et mon enthousiasme, et qu'à cause de cela je suis devenu quelqu'un d'un peu sinistre, lui avoua-t-il, pendant qu'ils marchaient à nouveau sous leurs parapluies, sans remarquer qu'il avait cessé de pleuvoir.

Ils longèrent des jardins de résidences secondaires et des courts de tennis désertés, jusqu'à un pont métallique qui enjambait un canal, le long duquel une dizaine de vieilles péniches étaient amarrées, avant de s'engager dans un chemin forestier, puis dans un autre, guidés par le chant étouffé d'un coucou.

– Vous êtes sûr que vous n'êtes pas fatigué et que vous ne voulez pas rentrer? lui dit Sybil au bout d'un moment, en le dévisageant.

– Non, non, pas du tout, lui promit-il, parce qu'il aimait bien entendre les chants d'oiseaux dans les bois, qui lui donnaient la sensation de dormir les yeux ouverts.

– C'est comme vous voulez.

4

Apparemment, il n'a pas dû l'entendre... « Monsieur, c'est à vous que je m'adresse », dit Ana, en allemand, sans oser parler trop fort, car la salle est pleine de monde.

– À moi ? s'étonne l'inconnu, en se retournant.

– J'avais envie de prendre un café avec vous. J'espère que ça ne vous ennuie pas et que vous n'attendez personne.

– Pas du tout. C'est très aimable à vous, la remercie-t-il en transportant sa chaise jusqu'à la table où elle est assise.

L'homme, qui lui paraît soudain plus âgé qu'elle ne le voyait, retire alors son écharpe de laine et la pose, en même temps que son blouson, sur le dossier de la chaise... Ce qui plaît à Ana, c'est qu'il fait tout lentement, calmement, avec une grande concentration, comme s'il se donnait le temps de réfléchir à ce qui lui arrive.

– En fait, je voulais simplement savoir qui vous étiez… J'ai remarqué que vous avez une très jolie façon de fumer. Je ne sais pas comment vous réussissez à tenir votre cigarette comme ça, entre le majeur et l'annulaire, lui dit Ana en essayant de l'imiter.

– Mon père fumait ainsi et son geste m'est resté.

– Vous avez peut-être remarqué que certaines personnes, qui semblent complètement au bout du rouleau, à cause de leur travail ou de leurs ennuis personnels, redeviennent vivantes au moment exact où elles font le geste d'allumer une cigarette… On les croyait vidées, finies, et d'un seul coup, on se rend compte qu'elles ont encore des émotions… ça ne vous a pas frappé?

Non, fait-il de la tête. Plutôt que d'insister, Ana commande deux cafés, dont l'un avec un tout petit peu de lait. Il la regarde, les bras croisés, l'air toujours aussi concentré, sans savoir visiblement ce qu'il doit penser de cette conversation.

– Vous vivez ici depuis longtemps? se risque-t-elle à lui demander, malgré sa crainte de paraître indiscrète.

Après un temps d'hésitation, parce que sa question l'a pris de court, il finit par lui confier qu'il est arrivé en Suisse il y a une quinzaine d'années, venant de Hongrie, et qu'il a d'abord été homme de peine dans des hôtels, s'occupant aussi bien de la maintenance des ascenseurs que de la plomberie. Quand on ne l'obligeait pas à faire le portier… Maintenant il est à la réception, à cause de ses ennuis de santé, et bénéficie d'une petite

27

chambre sous les toits, où il a tout juste la place de mettre un lit et une table.

– Mon seul luxe, ce sont les livres que j'achète par lots dans des brocantes.

– Vous lisez quoi?

– De tout, absolument de tout, dit-il en fixant sur elle des yeux d'oiseau.

Pendant une demi-seconde, Ana a la sensation étrange d'être une mouche à sa portée.

Sans doute parce qu'elle est sensible, trop sensible à sa présence physique, la puissance et le calme qui se dégagent de cet homme lui font petit à petit éprouver un vague sentiment d'oppression, comme s'il allait tout à l'heure lui proposer tranquillement de monter dans sa chambrette.

– Vous ne m'avez pas dit pourquoi vous avez quitté la Hongrie, dit-elle alors pour faire diversion.

– Pourquoi les gens des pays de l'Est viennent-ils en Suisse, d'après vous? Ce n'est pas très mystérieux : la liberté et l'argent... C'est-à-dire, tout ce qui leur manque.

– Moi, je me sens plutôt communiste, dit Ana, étourdiment. Je trouve que c'est la plus belle idée du siècle.

– Une jeune bourgeoise communiste, s'amuse-t-il. J'aurais dû m'en douter. Votre manière de vous habiller, de vous exprimer, votre accent français...

– C'est ce que prétend mon mari : que je suis une petite-bourgeoise idéaliste.

28

– Je suppose que vous allez voter pour l'Union de la gauche et François Mitterrand. Vrai ou faux?

– Vrai.

– Vous voyez... Mais laissons ça, je n'ai pas très envie de parler politique. Maintenant, c'est à votre tour de me dire ce que vous faites dans la vie. Vous êtes d'accord? insiste-t-il, en posant sa main sur la sienne.

– Eh bien, dit Ana, qui remarque malgré elle ses doigts épais et ses ongles cassés, je ne suis ni une ouvrière ni une employée de bureau, si c'est ce que vous voulez me faire dire. D'ailleurs je ne travaille pas... Je suis devenue une jeune mère au foyer, qui passe sa vie entre un mari absentéiste et un enfant de neuf ans, très accaparant, lui résume-t-elle, avant de se souvenir qu'elle a oublié de dire à Sonia de récupérer Homer chez la voisine, Mme Rhom.

C'est la troisième ou quatrième fois que cela se produit. Connaissant Mme Rhom et ses grands principes, elle sait déjà qu'elle est habillée pour l'hiver.

– Je suis désolée, il faut à tout prix que j'y aille. Mais je dois d'abord passer un coup de fil, lui annonce-t-elle, en retirant sa main.

– Je crois que le téléphone est au premier.

– J'espère que vous n'êtes pas fâché, au moins. On a à peine eu le temps de bavarder ensemble.

– Fâché? vous avez quel âge pour parler ainsi?

Dans sa naïveté, elle a failli le lui dire.

La communication terminée (et Mme Rhom momentanément apaisée), elle s'aperçoit en poussant la porte de la cabine que son inconnu a disparu. Il n'est plus dans la salle, ni même dans la rue... Il est parti comme ça, sans un mot, probablement blessé... Mais qu'est-ce qu'elle pouvait faire ?

5

Au onzième étage, tout en haut de l'immeuble, Homer avait l'impression troublante en attendant l'ascenseur – la plupart de ses collègues étaient déjà partis – qu'une journée venait encore de s'effacer et qu'elle ne laisserait pas plus de traces que les autres... Ainsi en allait-il probablement de toutes les heures qu'il passait à travailler.

Le nez collé à la vitre, perdu dans l'atmosphère du ciel, il était en train de regarder le jour décliner quand, de manière absolument fortuite, le visage de Sybil Mangani apparut sur un autre écran de sa conscience, en se superposant au paysage... L'apparition ne dura pas plus de quelques secondes, mais il en resta saisi.

Il entrevit alors, sans doute pour la première fois, combien il avait été impressionné par cette femme et combien elle lui manquait subitement. Sa dernière visite remontait pourtant à une dizaine de jours à peine.

Quelques instants après, en se rendant à la station de métro, Homer décida donc, comme si l'apparition de Sybil avait changé les priorités de sa vie, d'annuler son match de tennis avec Darmon et d'aller la retrouver samedi, grâce au train de quinze heures dix... Il avait trop besoin de sa conversation, trop besoin de sa douceur et de son influence régulatrice.

En même temps, Homer était suffisamment habitué à surveiller ses émotions pour ne pas s'étonner qu'après seulement deux rencontres, alors qu'il ne s'était rien passé de capital entre eux, il puisse être touché par une telle révélation... Avec la meilleure des volontés, il était de fait incapable d'établir la moindre relation de cause à effet entre le sentiment lui-même – cet attachement soudain à la personne de Sybil – et un événement quelconque, qui avait dû de toute évidence se dérouler à son insu.

Dehors, la nuit avait pris possession des rues. Il faisait déjà noir à l'intérieur des appartements, dont les fenêtres ouvertes aspiraient l'obscurité. Le vent était tiède, des couples alignés sur le trottoir attendaient paisiblement un taxi, et Homer se sentait maintenant si léger qu'il aurait pu enjamber les voitures... Il se souvenait pourtant précisément qu'il avait plusieurs courses à faire, mais préféra suspendre sur-le-champ toute autre activité et rentrer chez lui, de peur que son émotion disparaisse aussi vite qu'elle était venue.

Il habitait un vieil immeuble de la rue Beauregard, non loin de la station Strasbourg-Saint-Denis, parce qu'à son arrivée à Paris il s'était pris de tendresse pour ce quartier, avec ses foules composites... De la fenêtre de sa cuisine, il aimait apercevoir, en se penchant un peu, la frondaison des arbres et les terrasses éclairées sur le boulevard. Mais ce soir-là, il ne s'attarda pas à la fenêtre.

Il se contenta d'allumer une cigarette et de faire les cent pas dans son appartement, avec lenteur et précaution, comme quelqu'un qui essaie de contenir son bonheur.

Homer mesurait en effet la chance qu'il avait, dans une vie aussi pauvre en événements que la sienne (surtout en événements de cette sorte), d'avoir rencontré cette femme... Car il fallait aussi prendre en compte le caractère hasardeux de cette rencontre, ses circonstances spéciales et la probabilité infime a priori que quelque chose se produise.

Un peu plus tard, pendant qu'il fumait étendu de tout son long sur le lit, il se surprit à répéter son nom complet, *Sybil Mangani*, parce qu'il l'enchantait et qu'il ne se lassait pas de le faire défiler devant son esprit, avec le son de ses trois voyelles limpides en guise de perles.

Homer se savait facilement impressionnable et trop souvent porté à se dévaloriser afin de surestimer les autres, mais dans le cas de Sybil, qu'il connaissait pourtant à peine, il était convaincu qu'il n'y avait rien d'exagéré ni de déplacé à l'admirer ainsi... Il avait tout de suite senti que c'était quelqu'un d'infiniment précieux et qu'il y avait chez elle une sorte d'équilibre, de force morale, que tous ceux qui la connaissaient devaient lui envier, et qui était sans doute le fruit d'une enfance heureuse et d'un entraînement précoce à la réflexion.

Il était resté frappé en particulier par la conversation qu'ils avaient eue au sujet de son échec avec Emma, où Sybil s'était révélée si magnanime et lui si rancunier, tout en s'en voulant évidemment de se montrer ainsi devant elle, au plus bas de lui-même... Elle ne lui avait cependant pas fait la leçon, ni n'avait cherché à lui donner mauvaise conscience, comme si sa supériorité était totalement désintéressée et qu'elle ne voulait en tirer aucune autorité.

De deux choses l'une, se disait Homer, ou bien il n'avait pas le niveau, moralement parlant, ou bien elle était d'une trempe très, très supérieure à la normale... En toute hypothèse, sa rencontre était une offre faite par la vie. Mais une offre de quoi ? Il n'en savait absolument rien... Tout ce qu'il comprenait, c'est qu'il était obligé de l'accepter.

Il s'était relevé un instant pour boire un verre d'eau au robinet de la cuisine, observant au passage les deux bâtiments en travaux en face du sien, dont les bâches ondulaient au vent, tandis que les fenêtres éclairées des autres immeubles se succédaient d'étage en étage comme les photogrammes d'un film. Ensuite, il avait éteint et rampé sur son lit jusqu'à l'oreiller.

Homer s'aperçut alors que son agitation, sa mobilité d'esprit, allaient l'empêcher de fermer l'œil et qu'il était parti pour voir se succéder toutes les heures de la nuit... À cause de son pessimisme habituel, il avait oublié que les insomnies ne sont pas toutes angoissées et qu'il existe aussi des insomnies de bonheur, des vagues d'excitation qui nous interdisent de dormir, autant que de lire ou de rester devant un écran... À sa décharge, un tel bonheur, conscient et palpable, ne lui était pas arrivé depuis très longtemps.

Dans cet état d'éveil paranormal, il commença, pour se calmer, à classer méthodiquement ses différents sentiments concernant Sybil. Et il dut convenir que, plus encore que de l'amitié, de l'admiration ou même d'une certaine attirance, qu'il préférait momentanément ne pas trop éclaircir (il avait l'impression de cocher des cases), il éprouvait à son endroit une gratitude éperdue... Notamment pour avoir tenté de le libérer de cette honte et de cette aigreur que lui inspirait à chaque fois le souvenir de sa débâcle avec Emmanuelle.

On aurait dit à l'écouter qu'elle avait pris son bonheur sous sa sauvegarde et qu'il lui fallait coûte que coûte lui démontrer, non seulement qu'il n'était pas coupable d'avoir de telles réactions de colère, mais que du côté d'Emmanuelle comme du sien, il n'y avait certainement eu aucune bassesse, en réalité... juste un immense malentendu. Et qu'il pouvait donc vivre tout à fait en paix.

S'il n'y croyait pas beaucoup, Homer trouvait quand même cela très beau de sa part.

Ce qui l'amena à se demander, puisqu'il ne dormait toujours pas, quelle qualité, quelle vertu, Sybil avait qu'il n'avait pas et que la plupart des gens qu'il avait côtoyés ne possédaient pas non plus. Malgré sa défiance à l'égard des grands mots, il se décida en fin de compte pour la bonté.

Il avait bien sûr rencontré chez d'autres personnes – plus ou moins fréquemment – la gentillesse, la loyauté, la disponibilité, mais pratiquement jamais la bonté. La bonté pure… C'était même un mot qui semblait avoir disparu du vocabulaire.

Il y avait cependant une conséquence à tout cela, réalisa-t-il alors, c'est que s'il voulait développer leur relation (il n'aspirait naturellement à rien d'autre) et traiter un jour d'égal à égal avec elle, il allait à coup sûr devoir hausser son niveau d'indulgence.

Car ce serait ça ou rien, se dit Homer, qui était ainsi constitué qu'il s'inquiétait déjà de la fin d'une relation qui venait à peine de commencer.

Mais pendant qu'il réfléchissait sur son lit, les mains derrière la tête, absorbé par l'image de cette femme hors série, les ondes lentes du sommeil avaient commencé à se répandre doucement à l'intérieur de son cortex, jusqu'à l'extinction tant désirée – il était presque trois heures – des activités de sa conscience.

6

Elle devine exactement ce qui va se passer. Arno n'a pas encore enlevé sa veste – juste son duffle-coat qu'il a accroché à la patère de l'entrée – que la scène a déjà commencé... Après une petite toux préliminaire, qui annonce en général qu'il a quelque chose d'embarrassant à lui dire, il débute ainsi : « Je ne sais pas ce que je dois penser de toi » (Arno ne sait jamais, pour x raisons, ce qu'il doit penser d'elle), puis il marque un long silence.

Ana imagine qu'il va être question de Homer oublié chez Mme Rhom ou de quelque chose de ce genre. Mais, à cet instant, elle maîtrise suffisamment ses émotions pour ne donner aucun signe de trouble ou d'appréhension. Elle l'écoute, son verre à la main, les pieds croisés devant la cheminée.

– Sincèrement, je ne comprends pas quelle impulsion te pousse à perdre ton temps dans des cafés et à faire ami-ami avec des gens que tu es destinée à ne jamais revoir, lui déclare-t-il enfin, dans son implacable allemand.

Les premières années de leur mariage, ils parlaient ensemble tantôt le français, tantôt l'allemand, suivant leur humeur, puis, les tensions aidant, et Arno voulant probablement asseoir une autorité incontestée sur sa famille, Homi et elle n'ont plus eu le droit d'utiliser le français en sa présence. L'allemand uniquement, et si possible débarrassé des scories de l'alsacien, qui l'agacent.

– Je sais, lui répond-elle patiemment, que tu préférerais me savoir dans des musées ou dans des salons de thé, en compagnie d'autres épouses désœuvrées, mais figure-toi que je me sens plus à l'aise avec des gens simples, qui me racontent leur vie... Tu admettras, je l'espère, que ce n'est pas un délit : ça ne relève pas du droit pénal.

– Ton comportement, en soi, n'est peut-être pas répréhensible, mais c'est un comportement complètement insensé, Ana, un comportement de fugueuse... Comment peux-tu passer des après-midi entiers – au risque d'oublier ton fils – à bavarder avec des inconnus qui n'ont strictement rien à t'apporter?

– C'est toi qui le dis.

– Alors dis-moi ce qu'ils t'apportent.

– Je suppose qu'ils me font rêver ou qu'ils me donnent à penser... Et puis, je ne parle pas à n'importe qui. Ce sont souvent des gens intéressants que je détecte comme ça, avec ma petite baguette de sourcier. Des gens qui ont des vies inattendues, un peu hétéroclites.

– Ce sont presque toujours des hommes, observe-t-il, en enlevant finalement sa veste et en se servant un verre à son tour. J'avoue que j'ai du mal à croire qu'ils bavardent durant des heures pour le seul plaisir de refaire le monde avec toi. Ils ont forcément une idée derrière la tête.

L'idée derrière la tête la fait doucement rire… Présenté ainsi, on dirait qu'il la soupçonne à présent d'être devenue une vamp ou une racoleuse. Alors que s'il y a quelqu'un qui n'est manifestement pas porté sur ce genre d'aventures, c'est bien elle. Et il est bien placé pour le savoir.

– Tu te trompes du tout au tout, mon pauvre Arno. D'abord, je m'adresse autant aux femmes qu'aux hommes. Et puis ce n'est pas le problème… S'il m'arrive d'approcher des gens que je ne connais pas, c'est que je suis curieuse et généralement bienveillante, et que je reste persuadée – tu ne me l'enlèveras pas de l'esprit – que l'amitié, l'attention, parfois la compassion, sont les seuls moyens d'augmenter notre petite part d'existence, lui dit-elle, en essayant de maîtriser sa voix, parce qu'elle a tout à coup l'impression de parler de manière un peu trop exaltée.

Quand ils se disputent, Arno adore généralement lui couper ses effets en se moquant de ses accents de pasionaria et de ses fautes d'allemand. Ce qui est encore plus mesquin.

– Tel que je te connais, tu dois penser que c'est du communisme chrétien.

– Je pense surtout que c'est n'importe quoi... On croirait, à ton zèle de propagandiste, que tu te sens investie d'une mission et qu'il te faut à tout prix aller au-devant des gens pour leur apporter je ne sais quelle révélation... En fait, en t'écoutant, je me rends compte que tu vis en dehors de la réalité, dans une sorte de monde imaginaire, sorti de ta cervelle... Comment veux-tu d'ailleurs changer le monde, si tu ne le vois pas?

– Mais justement, réagit-elle, en se levant pour être à sa hauteur, je vois très bien les gens autour de moi.

– Non, pas du tout, tu te vois TOI au milieu des gens. Ce n'est pas la même chose. Tu te vois TOI au centre du monde. En réalité, tu ne vois rien ni personne, pas même ton fils et ton mari.

L'instant d'après, Ana a le sentiment d'être acculée dans un angle, les bras collés au mur, pendant qu'elle retient ses larmes... Arno est si violent, si sûr de lui, qu'elle se sent devenir inconsistante. Elle ne sait même pas quoi lui répondre. De toute manière, elle imagine que cela ne changerait rien.

– Écoute-moi, dit-il, en lui prenant soudain les mains, je sais que tu me trouves injuste. C'est vrai que je m'énerve facilement. Mais je ne te demande pas grand-chose, je te laisse libre de faire ce que tu veux de tes journées, je te demande seulement d'être raisonnable. Tu comprends?

40

Raisonnable. C'est son maître mot... Même au lit, la tête sur l'oreiller, il trouve le moyen d'avoir l'air raisonnable. Elle, elle sera sage et raisonnable quand elle sera vieille. C'est-à-dire après, après-demain : il peut donc être patient.

Remarquait. C'est son triste mot... Même au lit, il rêve et il ordure. J'méfie je n'ose je d'avoir un ruisonnable. Et là, elle sera sage et raisonnable quand elle sera vieille. C'est difficile de ne pas demander, à voir demain si peut donc être gérant.

7

Ils étaient en voiture. Pieds nus sur les pédales, Sybil conduisait nerveusement une petite Audi bleue, qui n'était plus de la première jeunesse, pendant que lui, qui n'avait jamais appris à conduire et n'aimait rien tant que d'être transporté par des femmes (c'était son côté adolescent attardé), profitait par la vitre ouverte de l'influence bienfaisante du soleil et du vent le long de la Seine.

Les rues Paul-Éluard, succédant immanquablement aux avenues du Général-Leclerc, Homer avait en roulant le sentiment agréable de se fondre dans le paysage récursif et monotone de la banlieue, et de devenir n'importe qui, allant n'importe où... Derrière les fenêtres des immeubles défilaient des lits superposés, des jouets suspendus, des télévisions allumées ou des vieilles dames médusées sur leur chaise... Et il devenait momentanément une vieille dame médusée.

– Je n'ai toujours aucune nouvelle d'eux, déclara tout à coup sa conductrice préférée, en débrayant. Je commence à trouver cela pesant et un peu inquiétant. Je ne peux pas me retenir de me dire chaque jour : « Où sont-ils ? Que font-ils en ce moment ? ». Il ne vous arrive jamais de vous poser ce genre de questions ?

Ramené à une réalité qu'il avait préféré oublier, Homer dut avouer que cela lui arrivait assez rarement. Il n'avait pas encore un degré d'intimité suffisant avec elle pour oser lui confier qu'il faisait même tout pour ne pas y penser.

– J'imagine qu'ils prennent du bon temps tous les deux et qu'ils sont trop accaparés par leur nouvelle vie pour se soucier de nous, répondit-il, en s'efforçant de paraître détendu et de rester gentiment à la surface des choses, un peu comme s'il nageait en tenant une planche à bout de bras.

Sybil dut d'ailleurs lire dans ses pensées car elle n'insista pas. Pendant un long moment ils fixèrent donc la route, chacun perdu dans sa rêverie, appréciant l'heureuse conjonction de leurs silences... Ils s'aperçurent après coup qu'ils s'étaient égarés dans les rues d'un lotissement : la Cité des Vignes, où il n'y avait de toute évidence aucune vigne, mais approximativement trois cents maisons mitoyennes disposées autour d'une école et d'un centre commercial.

– Soit environ, calcula-t-il à haute voix, six cents adultes répartis dans des habitations tellement identiques que les plus distraits, en rentrant chez eux, se tromperont obligatoirement au moins une fois de domicile. Et par conséquent de femme.

– Ou de mari, dit la conductrice.

– Ou de mari, convint-il. En tout cas, les promoteurs en seront les seuls responsables.

À l'entrain qu'il mettait à parler avec elle, une personne non prévenue aurait pu tout à fait croire qu'il était resté muet pendant des semaines.

Quelques kilomètres plus loin, ils se retrouvèrent en pleine campagne, émus par les animaux, les cultures, le silence et l'émeute des fleurs derrière les haies. Ils virent même une colonne de soldats qui s'enfonçaient en file indienne à l'intérieur d'un bois, comme s'ils allaient cueillir des jonquilles.

Passé Montargis, ils s'arrêtèrent à une vieille station-service, ombragée par une allée de tilleuls, qu'ils eurent tout loisir d'admirer en attendant l'arrivée du pompiste. Et comme il n'était pas pressé, ils eurent également le temps d'observer la femme du pompiste, qui se tenait à la fenêtre et soufflait sa fumée dans le vide de l'après-midi.

– Vous voyez, dit Sybil en se tournant vers lui, je n'arrive pas à croire que vous êtes quelqu'un de cynique et qu'Emmanuelle ne compte plus du tout pour vous. Vous avez forcément eu des moments de bonheur avec elle.

– Peut-être la première année, concéda-t-il, pendant qu'il cherchait deux billets pour régler le pompiste.

44

– J'avoue que j'aimerais bien savoir comment tout a commencé entre vous... À moins que ça ne vous embête, bien entendu.

– Cela ne m'embête pas, mais c'est loin, soupira Homer, qui s'assombrissait déjà à l'idée qu'Emmanuelle allait lui gâcher la journée.

En même temps, il avait pris tout récemment de bonnes résolutions et il entendait s'y tenir, même si ça lui coûtait énormément.

Tout ce dont il se souvenait, dit-il, en apercevant soudain quelques silhouettes gesticuler sur la scène de sa mémoire, c'est qu'il était allé à une soirée chez des amis d'amis, des gens qu'il connaissait à peine et chez lesquels il n'avait aucune raison de se rendre, à part qu'il était désœuvré... En sorte que ces gens, croyant bien faire, lui avaient présenté une grande fille en pantalon rouge, qui lui avait annoncé d'entrée qu'elle adorait le cinéma allemand.

« Lequel ? » lui avait-il demandé, sur ses gardes. « Le muet », avait-elle dit... C'est à peu près tout ce qu'il avait retenu de leur rencontre.

– Présenté ainsi, on a l'impression que tout s'est passé par hasard. Mais le hasard a forcément un sens, sinon vous ne seriez pas restés ensemble pendant cinq années.

Homer était pour sa part convaincu que le hasard n'avait aucune signification particulière. Toutefois, il devait admettre que cette fille avait dû frapper son esprit, puisque, malgré son scepticisme foncier, il lui avait proposé de la revoir.

Sauf erreur de sa part, dit-il, ils avaient commencé à se fréquenter en mars ou avril 2005. Ils se donnaient en général rendez-vous devant un cinéma du Quartier latin et prenaient ensuite un verre à une terrasse, en commentant le film – ce qui n'était pas vraiment compromettant –, avant de rentrer sagement chacun de leur côté... Jusqu'au jour, confessa-t-il, où sans pouvoir s'expliquer lui-même cette mutation bizarre dans la chimie de ses sentiments, il la raccompagna chez elle en toute connaissance de cause.

Là-dessus, Homer s'interrompit, tandis qu'il observait les eaux ridées d'un étang en contrebas de la route, songeant qu'il y avait sans doute des choses qu'on ne pouvait dire qu'en ne les disant pas.

– Je vois très bien le tableau, dit-elle en souriant, mais sans tourner la tête, son profil découpé sur la vitre.

Il ne savait pas ce qu'elle voyait exactement, mais il tint quand même à préciser qu'ils n'avaient pas pris tout de suite la décision de vivre ensemble et qu'il y avait déjà eu entre eux quelques frictions et quelques brouilles, auxquelles il n'avait pas suffisamment prêté attention.

Sinon, une fois installés dans leurs meubles, la vie commune leur avait paru aller de soi... Ils travaillaient tous les deux (Emma était déjà institutrice) et se retrouvaient le soir pour recevoir quelques amis ou regarder une émission. Ils sortaient peu habituellement et, sauf circonstances exceptionnelles, ils se couchaient toujours de bonne heure, sans savoir que leurs beaux jours étaient comptés.

– C'est souvent ce qui arrive aux beaux jours, s'amusa-t-elle, en lui proposant de s'arrêter pour profiter de la campagne.

– Profitons de la campagne, acquiesça Homer, qui commençait à avoir mal au bas du dos.

Encombré par son corps imposant, il dut agripper la portière de la voiture pour se soulever de son siège… Dehors il faisait chaud et le village semblait quasi désert. Après un instant d'indécision, ils se dirigèrent au petit bonheur dans les rues étroites, jusqu'à une cour d'auberge avec quelques tables sous des platanes. La vue sur les collines au-dessus d'eux, avec leurs herbages et leurs moutons accrochés sur les pentes, pareils à des nuages, leur donnait presque une sensation de vacances.

– Vous savez, dit Homer en étendant ses longues jambes devant lui, Emmanuelle m'a rendu tellement malheureux qu'à un moment donné je me suis dit que si cette fille avait été effectivement le déclencheur de ma première véritable émotion amoureuse, elle n'en était pas la vraie destinataire… Et que je m'étais donc trompé de personne.

Sybil le dévisageant avec une expression calme mais légèrement étonnée, il lui expliqua qu'il s'était même longtemps persuadé que n'importe quelle femme rencontrée à l'improviste aurait pu remplir le même rôle, tant il était aveugle à cette époque.

– Et maintenant vous avez changé d'avis ?

– Maintenant oui, concéda-t-il prudemment, sachant que le sujet était périlleux.

En se retournant sur ces années, en recomposant en perspective inversée tous ces moments qu'ils avaient passés ensemble, il était bien forcé de reconnaître que tout ce qu'il venait de lui dire était exagéré et injuste. Car Emmanuelle, avec tous ses défauts, dit-il, n'était pas non plus n'importe quelle femme.

– Bien sûr! s'exclama Sybil, bien sûr qu'elle n'est pas n'importe quelle femme et que nous devons la respecter, en dépit de tout ce qui a pu se passer.

Homer, qui avait abandonné la discussion pour aller commander les boissons, se demanda à nouveau d'où lui venait une telle générosité – car elle avait eu sa part d'humiliation tout autant que lui –, si elle provenait d'un fond chrétien, d'une sensibilité féministe ou d'une empathie spontanée qui le dépassait un peu.

Mais, en cette fin d'après-midi, tout cela ne les empêchait manifestement pas de se sentir proches et heureux, l'un en face de l'autre, malgré leur défaite.

– À notre avenir! fit-il en levant son verre.

8

Arno, qui a toujours un bon conseil à lui donner – de préférence, un conseil autoritaire et bien senti –, lui a paternellement rappelé, au moment du petit déjeuner, qu'il entendait à partir d'aujourd'hui qu'elle se comporte enfin en adulte. Sous-entendant évidemment qu'il la trouvait puérile et horripilante. C'était sans réplique... Sauf, qu'à tout prendre, elle préfère, le matin, les conseils bienveillants et entraînants, les conseils qui viennent réellement du cœur et donnent tout de suite envie de s'amender.

Lorsque Arno lui vante la sagesse, la patience, le souci des autres, elle a surtout l'impression qu'il se sert de mots qu'il a trouvés quelque part dans un livre, sans se douter que pour avoir le droit de se les approprier, il faut peut-être en avoir payé le prix.

De toute façon, rien que sa manière sceptique et professorale de s'adresser à elle, son ironie, sa brusquerie, son manque de psychologie – c'est l'être le moins psychologue qu'elle connaisse – suffisent à la décourager. Elle n'est donc pas près de se corriger.

Et puis, si ça lui fait plaisir à elle de rencontrer des gens, en quoi devrait-il s'en offusquer?

Et qui est-il finalement pour décider de ce qui est bien ou mal pour elle?

À la sortie de la banque, Ana, interrompant son débat, aspire une longue bouffée d'air froid, puis une deuxième, avant de se lancer dans la traversée périlleuse de l'Aeschenplatz, à la recherche d'un tramway qui la déposerait non loin de l'école (Homi termine à cinq heures aujourd'hui)... En attendant, elle décide de descendre prudemment la Freie Strasse, dont les trottoirs ont l'air de glisser comme des pistes de bobsleigh.

Les flocons de neige accourant droit sur elle, Ana est obligée d'avancer tête baissée, sans rien voir des gens autour d'elle... Ce qui ne l'empêche pas, tout en se retenant aux murs, de poursuivre sa dispute avec Arno. Le brillant Arno, ivre de logique et de certitudes, diplômé de la Polytechnique de Zurich – promotion 1967 –, directeur commercial à trente-trois ans... Entre eux deux, naturellement, le combat est inégal et l'issue connue d'avance.

Elle est bien sûr très consciente de ne pas être à son niveau, de ne pas avoir son discours posé, son esprit réfléchi et parfaitement organisé, en partie parce qu'elle s'est mariée trop tôt et qu'elle n'a pas eu le temps de se cultiver sérieusement... Deux ans après le bac, elle était devenue sa secrétaire bénévole. Une secrétaire très moyennement douée, elle doit le reconnaître, mais Arno, à cette époque, paraissait enchanté d'avoir à son service sa jeune épouse incompétente et frivole.

Seulement, se rappelle-t-elle, en apercevant enfin le tramway au bout de la rue, lorsque Homer est né et qu'elle est devenue à la fois mère et femme au foyer – sans rien avoir choisi –, il n'a pas hésité à lui demander de ranger ses livres et de s'occuper exclusivement de l'enfant. Comme si son développement intellectuel s'arrêtait là... Ana sait très bien que c'est un peu exagéré, mais elle en a quand même gardé une impression d'inachèvement et de perte de confiance en elle.

Car elle manque de confiance à un point qu'Arno n'imagine même pas. Parfois, elle s'en veut d'ailleurs de se sentir aussi misérable en face de lui, aussi limitée et insuffisante. Exactement comme elle l'était autrefois devant ses professeurs.

Sur le pont du Rhin, les flocons chassés par le vent viennent se coller par essaims sur les vitres du tram. Autour d'elle, les gens somnolent à moitié ou restent le nez collé à la fenêtre dans l'espoir d'apercevoir les eaux noires du fleuve, avec leurs barges enneigées.

Mais à quoi pensent-ils à cet instant précis ? se demande Ana, debout au milieu de l'allée, une main accrochée à la barre au-dessus de sa tête. Quelles idées, quels courants d'images occupent leur esprit ?... Peut-être qu'eux aussi se repassent en boucle leurs scènes de ménage ou bien leurs prises de bec avec tel ou tel collègue de travail... L'idée que chacun, sans exception, est une petite machine obscure et transitoire, qui radote à longueur de journée, lui donne quelquefois le frisson.

Après la Claraplatz, trois religieuses laotiennes ou vietnamiennes sont montées à l'arrière, toutes jeunes et rieuses, couinant toutes les trois comme des souris... Ana, coincée qu'elle est entre les autres passagers, regrette de ne pas pouvoir s'approcher d'elles afin de leur parler et de leur demander ce qui les rend si gaies. Car ça l'intéresse vraiment... Ce sont ces rencontres, ces accidents du hasard, qui la font respirer, en définitive.

Contrairement à ce que soutient Arno, elle ne cherche pas à avoir une aventure, elle a juste envie d'entrer quelques instants dans des vies d'inconnus... Ou, plutôt, se reprend-elle, elle a envie de transporter sa vie à l'intérieur de celle des autres, des inconnus, et de s'y reposer comme après un déménagement. Mais comment pourra-t-elle jamais lui expliquer cela?

En descendant du tram, elle s'aperçoit que la nuit est déjà tombée. La boue des ornières colle à ses semelles et elle a tout de suite les pieds glacés. Le vent est devenu de plus en plus mordant... Et en même temps (elle n'est visiblement plus très loin de l'école), elle aime bien, en hiver, cette sensation de se contracter sous la pression du froid et de vibrer comme une corde.

Dans quelle chanson, justement, il est question de se *marier avec l'hiver*?

Elle se souvient seulement de l'air et de la voix du chanteur, constate-t-elle, en prenant soin de ne pas se faire remarquer par les mères d'élèves agglutinées devant le portail. (Elle les côtoie depuis au moins quatre ou cinq ans et ne sait toujours pas quoi leur dire.)

9

Le fait qu'elle ait abordé d'elle-même la question de son travail étonna un peu Homer. Ce n'était pas à cause de ce qu'elle faisait – elle travaillait en tant que juriste dans un service social du département – ni des regrets qu'elle semblait avoir d'être à la fois trop timorée avec sa hiérarchie et trop serviable avec ses collègues (qui s'arrangeaient en général pour lui faire cadeau des dossiers dont personne ne voulait)... c'était le fait même d'en parler qu'il trouvait surprenant.

Jusque-là, par une sorte d'accord tacite, de règlement intérieur, ils avaient toujours évité d'évoquer cette vie sociale qui les accaparait durant les intervalles plus ou moins longs où ils ne se voyaient pas... Hormis le fait que lui passait ses journées à rencontrer des personnes, dont il ne pensait rien en réalité, et qu'il ne voyait pas par ailleurs l'intérêt de lui parler de ses soucis professionnels, il était convaincu – et elle aussi, sans doute, même si elle ne le disait pas ouvertement – que mentionner des gens qu'ils connaissaient et que l'autre ne connaîtrait jamais aurait quelque chose de fastidieux, tout en devenant, à l'intérieur de leur relation exclusive, un facteur de dispersion inutile.

Pour son compte personnel, Homer n'avait pas plus envie de parler de son travail que de son quotidien en dehors du travail – qu'il jugeait plutôt affligeant –, de peur qu'elle ne pense exactement la même chose et ne soit tentée de se détourner de lui. L'expérience lui ayant montré que les hommes esseulés finissent habituellement par paraître décourageants.

– Il est presque deux heures, dit-elle tout à coup, vous n'avez pas faim ?

Comme il se sentait trop paresseux pour sortir, ils improvisèrent un déjeuner rapide, composé d'une salade et d'une omelette, dont il battit les œufs dans un souci de parité.

Pendant que Sybil, dans sa petite robe à fleurs, allait et venait entre la cuisine et la terrasse du jardin, Homer ne se lassait pas d'admirer l'oscillation de ses lignes dans ses déplacements glissants sur le parquet... Car elle avançait sans lever les pieds ni tourner la tête, au point qu'il la soupçonnait de s'être entraînée devant sa glace.

– Vous ne m'avez toujours pas dit ce que vous faisiez, remarqua-t-elle en remplissant leurs verres de vin blanc.

– Je suis employé dans un cabinet d'audit, spécialisé dans la grande distribution, dit-il, en se levant de son siège pour porter un toast au printemps.

– Au printemps! répondit-elle en écho, de sa belle voix voilée... Mais c'est un métier qui consiste en quoi, exactement?

– Disons qu'on vérifie des comptabilités et qu'on épluche à longueur de journée des dossiers compliqués, tantôt dans nos bureaux, tantôt dans ceux de nos clients. Ce qui nous oblige à beaucoup voyager... Parfois même en Suisse ou en Allemagne, dans mon cas, puisque je suis le seul à parler l'allemand. On travaille en général par équipes de deux ou trois.

– Ce n'est pas ennuyeux d'être tout le temps dans des trains ou des avions?

Homer, qui n'avait jamais tant parlé de sa vie professionnelle, dut convenir que ces voyages n'étaient pas forcément passionnants... Néanmoins, les missions en province ou à l'étranger avaient d'abord l'avantage de l'éloigner du cabinet, où l'atmosphère était plutôt confinée, dit-il, et ensuite de lui permettre de rencontrer parfois des personnages inattendus, voire de vivre des moments plutôt excitants.

– Excitants?

Oui... Par exemple, en vérifiant une comptabilité, il leur arrivait de temps en temps de lever un lièvre et de devoir se rendre sur place séance tenante, afin d'auditionner les responsables, en menant un interrogatoire un peu plus musclé qu'à l'ordinaire... Mais ce n'était pas non plus, la rassura-t-il, Eliot Ness et les Incorruptibles.

— Excusez-moi, l'interrompit-elle, en entendant son téléphone sonner quelque part dans la maison.

Homer, qui se sentait soudain inutile, s'était resservi en vin blanc, tout en se souvenant que ce n'était pas la première fois qu'ils étaient interrompus par un appel téléphonique.

À cause du silence qu'ils gardaient tous les deux sur leurs activités respectives, il n'avait jamais réfléchi au fait que, leurs vies personnelles ne se limitant pas au temps de leurs rencontres, il pouvait très bien y avoir certaines ramifications obscures dans celle de Sybil, qui était peut-être moins tranquille qu'il ne l'imaginait en fin de compte. Lui qui s'était réjoui d'avoir rencontré une amie sincère, unidimensionnelle, sans embrouilles ni cachotteries, allait devoir en rabattre... Ce n'étaient là bien sûr que conjectures et hypothèses, il le savait, mais leur impression n'en était pas moins prégnante.

Comme Sybil ne revenait toujours pas, il alluma discrètement la télévision dans le salon afin de regarder quelques images de Roland-Garros. Depuis toujours il aimait ces longs après-midi désœuvrés, où le temps est rythmé par le bruit hypnotique des balles de tennis, tandis que dans les gradins des milliers de suricates à lunettes de soleil tournent leurs têtes à l'unisson... Pour sa part, il n'avait d'yeux que pour son compatriote Roger Federer, qui venait de faire le break grâce à deux services canon. Berdych, tout au fond du court, semblait exsangue.

– C'était ma mère, s'excusa-t-elle en réapparaissant. Vous ne voulez pas qu'on s'installe dehors, dans les transats?

Homer décida que de toute façon le match était plié et la suivit dans le jardin, reconnaissant au passage le chat noir qui dormait dans les rosiers. C'était un jardin de banlieue assez profond, planté de quelques arbres fruitiers et fermé par des palissades en bois grisé. Personne ne les voyait, personne ne les entendait.

Ils étaient allongés côte à côte, la tête à l'ombre, et Homer, dont les jambes et les bras débordaient de la chaise, n'était pas peu troublé de sentir si près du sien le corps de cette femme, dont il devinait vaguement les formes.

– On parlait de votre travail, lui rappela Sybil, tandis que le vent printanier relevait légèrement sa robe à son insu.

Le temps de retrouver le fil de son propos, Homer entreprit de lui expliquer qu'avec les années il avait à l'égard du travail – du travail en général – des sentiments mêlés, pour ne pas dire réservés... Pourtant son métier d'expert-comptable ne lui avait jamais paru pénible ni ennuyeux, même s'il s'étonnait quelquefois de sa constance à se lever chaque matin à six heures et demie et à rentrer à pas d'heure le soir... Non, c'était autre chose qui le préoccupait, hésita-t-il, en la regardant.

– Qu'est-ce qui vous préoccupe? lui demanda-t-elle en tirant sur le bas de sa robe.

En fait, ce qui lui pesait de plus en plus, reprit-il après un silence, c'était de mener une vie qui n'était pas la sienne, une vie étrangère, au bout du compte. Surtout lorsqu'il devait voyager et qu'il avait l'impression de voir s'en aller les jours et les mois derrière la vitre du train, un peu à la façon d'une hémorragie… Il lui était d'ailleurs arrivé plusieurs fois de penser que lorsqu'il ferait valoir ses droits à la retraite – dans très longtemps donc – toutes ces années passées à travailler se refermeraient d'un seul coup, telle une parenthèse vide. Il n'en resterait plus rien.

– Tout cela n'est pas très réconfortant, commentat-t-elle, avant de tomber dans un de ses longs silences qui étaient une composante de son charme.

Autour d'eux les bruits étaient devenus si rares, et ils étaient eux-mêmes si discrets, qu'ils pouvaient entendre de temps à autre la rumeur lointaine d'un train, réduite à une onde sonore de quelques secondes.

Au train suivant, elle s'était endormie.

Et, exactement au même instant, sans faire aucun geste, Homer eut la sensation de décoller de quelques dixièmes de millimètre et de léviter au-dessus de sa chaise longue.

10

Un matin d'hiver, comme aujourd'hui, lui raconte-t-elle (elle lui parle toujours en français), alors qu'elle avait ouvert la porte de la maison pour aller faire des courses, elle avait découvert un grand Noir allongé en travers du passage. Complètement endormi... Il était enroulé dans une couverture, la tête posée sur le paillasson, les rabats de sa casquette couvrant ses oreilles, et il respirait calmement, l'air aussi tranquille que s'il dormait sous un arbre.

– Tu l'as réveillé ?

Sur le moment, lui avoue Ana, elle avait été tellement saisie qu'elle avait refermé la porte, en décidant qu'elle ferait ses courses un autre jour... Après, ayant retrouvé son sang-froid, elle s'était dit qu'elle pourrait peut-être lui proposer d'entrer et de manger quelque chose d'un peu consistant. Elle avait même préparé un gant et des serviettes, au cas où il voudrait profiter de la salle de bains. Mais quand elle était ressortie, une demi-heure plus tard, il n'était plus là. Il avait dû entendre du bruit dans la maison et prendre peur.

– Il s'appelait comment?

– Je n'en sais rien. Je ne lui ai pas parlé... Seulement, comme j'étais enceinte de toi, je me suis dit que ce devait être Balthazar, le roi mage, qui arrivait un peu en avance. Malheureusement, il n'est jamais revenu.

– Il s'est peut-être acheté une maison.

– Peut-être, lui répond Ana en embrassant son cou et ses petites oreilles tendres.

Ils sont bien à cet instant, dans cette vaste et vieille maison, blottis tous les deux sur le canapé, contents de se parler et de se serrer comme s'ils étaient encore amalgamés l'un avec l'autre... Dehors, il a dû neiger pendant qu'ils déjeunaient. Il reste juste une petite neige de rien du tout, sur laquelle s'égaillent deux ou trois corneilles.

Si, avec les années, elle a fini par se résigner à son sort, Ana voudrait tellement en revanche que Homi soit heureux plus tard, comme elle n'a pas réussi à l'être et comme tant d'autres personnes – d'après ce qu'elle croit savoir – n'ont pas réussi à l'être non plus.

Mais elle ne sait pas comment on prépare un enfant à être heureux... Surtout un enfant de constitution nerveuse, si dépendant et si craintif... Il y a des jours où elle serait prête à tout lui donner d'elle-même et à passer des heures à côté de lui, sur ce canapé ou sur le lit de sa chambre, et d'autres – elle ne peut pas se le cacher – où elle ferait tout pour l'éloigner d'elle, tant il peut être fatigant et pleurnicheur. Apeuré par tout le monde, incapable de vivre en groupe, sans doute parce qu'il est un enfant unique.

Mme Trauber, son institutrice, lui a rapporté avec son ton mielleux que Homer est un petit garçon presque trop calme, un petit garçon toujours solitaire, qui passe ses récréations sans bouger, adossé au mur du préau... Ce portrait de son fils en martyr des cours de récréation n'a pas contribué à lui remonter le moral.

Elle qui n'attendait que la sonnerie pour pouvoir aller jouer dans la cour, chaussée de ses bottillons rouges.

Elle suppose que ses camarades de classe l'ont mis en quarantaine parce qu'il leur paraît bizarre, qu'il parle de manière un peu affectée, qu'il a un an d'avance et mesure dix centimètres de plus qu'eux... Pour ne rien arranger, il est maladroit comme ce n'est pas permis et ne sait ni courir ni taper dans un ballon. Quand elle le voit jouer au parc, elle en a le cœur serré de pitié.

– Tu as pris ton bain ? s'interrompt-elle. Tu t'es bien lavé partout ?

– Partout... On peut terminer le film d'hier soir ? On en était au moment où Hal apprend qu'il va être attaqué par les deux astronautes.

Par principe, Ana répugne à allumer la télévision ou à lui mettre des cassettes vidéo. Mais, honnêtement, elle n'a rien trouvé de mieux pour meubler les longues fins d'après-midi à la maison. Dehors il fait déjà nuit et il neige à moitié sur la terrasse. Elle va donc lui chercher sa cassette.

– C'est dans combien d'années 2001 ?

– Essaie de compter.

– Vingt années, triomphe-t-il... J'aurai presque trente ans ?

– Exactement, lui dit-elle, en s'efforçant en vain de l'imaginer à trente ans. Mais elle n'en a pas envie non plus... Elle ne sait pas comment il sera, mais elle est absolument sûre qu'elle le préfère tel qu'il est maintenant.

– *Stop, Dave... my mind is going... I can feel it... I can feel it... I'm afraid*, répète la voix de l'ordinateur Hal.

– Qu'est-ce qu'il dit ?

– Homi, mon grand, arrête de parler. Je t'ai mis des sous-titres. Il te suffit de les lire.

– Je les lis, mais je ne comprends pas pourquoi il dit cela. Tu crois que Dave va le tuer ? Hal va mourir ?

Aux battements de ses paupières, Ana devine qu'il ne va pas tarder à fondre en larmes. Elle n'aurait jamais dû céder et lui remettre ce film. Elle avait fait exprès de s'arrêter à cet endroit précis, car elle se doutait de ce qui allait se passer.

De toute façon, avec lui, c'est à chaque fois pareil... À cause de son côté raisonnable et en même temps hyperémotif, on ne sait jamais où placer la barre.

– ...*Daisy... Daisy... give me your answer... do... I'm half crazy...*

Voilà, elle a tout gagné. Maintenant, ils pleurent ensemble.

11

Homer se souvenait d'avoir entendu quelque part que l'attente est un état parfait, à condition qu'on n'espère rien et qu'on ne craigne rien. Ce qui lui semblait correspondre en tout point à son cas personnel à cet instant... Il s'était installé tranquillement à la terrasse d'un café, à deux pas de la sortie du métro, pour être bien sûr de la reconnaître, sans s'exposer à des équivoques.

Plus tard, en consultant discrètement sa montre, il se rendit compte qu'il était là depuis une demi-heure et que le flux ininterrompu des passants pressés qui traversaient son champ visuel commençait à lui donner le tournis.

Rompu à faire attendre les autres, il aurait facilement pris son mal en patience, s'il ne s'était fait la réflexion à un moment donné que c'était la toute première fois que Sybil venait le trouver et qu'elle avait très bien pu se dérober au dernier moment... Cette simple constatation le fit d'un seul coup se sentir désagréablement vulnérable, puisque, qu'il le veuille ou non, il était entièrement à sa merci.

Homer se leva alors de sa chaise et entreprit, pour s'occuper, de tourner plusieurs fois autour de la terrasse, sans regarder sa montre et sans aller plus loin que les quatre pas comptés au-delà desquels elle risquait de ne pas l'apercevoir.

Mais ce fut lui qui la vit le premier, alors que de découragement il était revenu s'asseoir à sa table... Elle sortait du métro, encombrée par une dizaine de sacs et de paquets, et tendait la tête sans parvenir à le distinguer derrière le rideau des passants.

– Sybil! cria-t-il, en se relevant d'un bond.

Après l'avoir embrassée, Homer lui proposa, sans aucune arrière-pensée, de se débarrasser de ses paquets en les déposant chez lui, puisqu'il habitait dans la rue voisine... Si à la vue de sa cage d'escalier, de la peinture écaillée des murs ou du désordre de son appartement, elle fut légèrement désappointée, elle eut la gentillesse de ne pas lui en faire part, et ils redescendirent aussitôt afin de profiter de la lumière.

Il s'aperçut alors qu'elle portait une robe lavande avec une petite étole noire qui lui sembla le comble de la distinction... La foule était toujours aussi dense sur le boulevard et ils marchaient au hasard dans les rues adjacentes colorisées par les derniers rayons du jour, pendant qu'elle lui racontait par le menu toutes les courses qu'elle avait faites dans Paris.

– Rue Vivienne, remarqua-t-elle, en s'arrêtant brusquement… C'est là que Giovanni habitait autrefois. Il occupait au second un tout petit appartement avec son fils, l'année où je l'ai connu.

– Son fils? sursauta-t-il.

Son fils… Giovanni avait en effet réussi l'exploit, lui déclara-t-elle, à presque quarante ans, de faire un enfant à une femme qui en avait dix-huit et de disparaître cinq ou six ans plus tard… Lorsqu'elle avait dû le présenter un jour à ses parents et donc les prévenir qu'il partageait avec sa première femme la garde d'un petit garçon prénommé Benjamin, sa mère lui avait tout de suite signifié qu'elle ne voulait pas entendre parler de ce mariage.

– Aujourd'hui, je me dis quelquefois que je me suis mariée et exilée en Italie uniquement pour couper les ponts avec ma mère.

– Vous avez vécu en Italie?

– Pendant quatre ans. Nous avons acheté la maison à notre retour en France, grâce à l'argent de la grand-mère de Giovanni.

Le ton de sa voix était tellement désenchanté qu'il préféra changer de sujet et l'entraîner plus loin sur le boulevard en lui montrant au passage, devant un cinéma, les dos voûtés et les visages blêmes d'une vingtaine de spectateurs attroupés à la sortie… Conséquence probable, lui expliqua-t-il, sans rire, de leurs années d'érotomanie cinéphilique.

– Mais je croyais que, vous aussi, vous passiez votre vie au cinéma, s'étonna-t-elle.

C'était un peu exagéré, même si, dut-il reconnaître, il était resté un spectateur relativement assidu... D'ailleurs, souvent la nuit quand il ne dormait pas, au lieu de tirer de l'oubli une chanson, une citation latine ou un nom de professeur, il lui arrivait de se remémorer des titres de films.

Il avait ainsi tout récemment ramené à la surface deux titres qui dormaient de toute évidence depuis très longtemps dans sa mémoire : *L'Homme aux colts d'or*, avec Richard Widmark, et *Journal d'un curé de campagne*... Deux films qu'il avait dû voir à la télévision, vers l'âge de quatorze ou quinze ans, supposait-il, et qui l'avaient bien sûr impressionné pour des raisons très différentes. Ce qui prouvait en tout cas que c'étaient des émotions tenaces.

– Je ne connais ni l'un ni l'autre, lui avoua-t-elle.

Étant donné qu'il était déjà presque huit heures, ils décidèrent consensuellement de s'installer à la terrasse d'une brasserie et de commander des fruits de mer et du vin de Moselle... En attendant qu'on leur apporte le plateau, Sybil avait repris le fil de son histoire (sans qu'il ne lui ait rien demandé) au moment où Giovanni l'avait emmenée vivre à Milan, chez ses parents.

– J'étais à la fois une oie blanche et un vilain petit canard, lui dit-elle, tandis qu'à cause du vacarme autour d'eux, ils étaient obligés de se pencher par-dessus la table, à la manière de deux comploteurs.

– *Das muntre Frankreich scheint mir trübe*, commenta Homer, *das leichte Volk wird mir zur Last* : c'est de Heinrich Heine... Pardon pour l'interruption.

– Et ça veut dire?

– ça veut dire, à peu près, que la joyeuse France est parfois sinistre et son peuple léger parfois bien lourd.

– Ce n'est pas tout à fait faux, reconnut-elle, avant de poursuivre son récit à voix basse.

Homer réussit tout de même à entendre que son séjour s'était très mal passé et que dans cette grande famille bourgeoise, fortement conservatrice, elle avait eu immédiatement le sentiment de faire figure d'intruse.

Si au début, lui expliqua-t-elle, ses beaux-parents lui avaient su gré de bien vouloir servir de mère de substitution à Benjamin, ils avaient apparemment très vite considéré que c'était la moindre des choses et n'avaient plus eu aucune prévenance à son égard.

– Dans ce genre de famille, il y a toujours un parent pauvre, dit-il, en reposant son verre, car le vin commençait à lui monter à la tête.

– Alors, j'étais le parent pauvre et humilié... En plus, du fait que Giovanni était presque tout le temps absent, à cause de son travail de musicien (il compose de la musique de scène), je passais mes journées à l'attendre à la maison, livrée à la bonne ou à la mauvaise grâce – ça dépendait des jours – de ma belle-mère, devant laquelle je ne faisais évidemment pas le poids.

– Et Giovanni ne disait rien? Il ne prenait pas votre défense?

Elle resta un long moment sans répondre, les yeux infléchis vers le dedans, comme perdue dans ses souvenirs, pendant qu'il s'efforçait de manger ses huîtres sans faire de bruit.

À son avis, reprit-elle enfin, Giovanni était resté un gamin, trop assujetti au milieu et aux manières de penser de ses parents pour devenir son défenseur... Il la voyait pourtant souvent pleurer, mais on aurait dit qu'il s'auto-persuadait à chaque fois que les choses allaient changer, que c'était juste une question de patience.

Ému par la gravité de son amie, Homer s'était tu à son tour et lui caressait gentiment les doigts en constatant combien tout cela la bouleversait encore, après tant d'années.

Un jour, ses beaux-parents abusifs avaient dû faire la remarque de trop, car elle avait brusquement trouvé le courage de mettre Giovanni au pied du mur : c'était elle ou ses parents... Et ils avaient quitté l'Italie – dont elle n'avait presque rien vu – un mois plus tard.

Sybil lui avoua, une fois dans la rue, qu'elle était bien contente que tout cela soit derrière elle et que, les années passant, elle était de moins en moins tentée de ressasser cette histoire... Ce qui soulagea Homer, qui n'aimait pas trop l'imaginer en jeune mariée.

– J'ai pardonné, et le pardon doit nous servir à oublier, ajouta-t-elle en levant les mains comme pour disperser ses souvenirs dans l'air.

– Il faut que vous récupériez vos paquets chez moi, lui rappela-t-il alors qu'elle cherchait une bouche de métro.

C'est vrai, ses paquets lui étaient complètement sortis de l'esprit...

12

Depuis au moins une heure, Homer nage avec ses palmes et ses lunettes de plongée, sans relever la tête, en suivant scrupuleusement sa ligne, les battements de pieds parfaitement synchrones... Ana, sur le bord, se demande pour son compte comment il peut supporter d'enquiller autant de longueurs de bassin en solitaire.

– Homi! l'appelle-t-elle, en profitant d'un temps d'arrêt pour lui faire signe avec ses doigts qu'il est cinq heures et qu'il est donc temps de sortir de l'eau.

Étonnamment, il obtempère sans rechigner... Elle l'aide alors à s'essuyer et à se débarrasser de son maillot de bain, émue de sentir ses os sous sa peau duveteuse. Mais elle n'a pas le droit de l'embrasser.

– C'est interdit dans les piscines, lui dit-il, avec sérieux.

Voilà un point du règlement qu'elle ignorait, s'excuse-t-elle, avant de lui recommander de se dépêcher d'enfiler ses vêtements, car ils ont encore des courses à faire. Ils doivent acheter ses partitions dans la Marktgasse, récupérer sa raquette de tennis, passer à la boulangerie et à l'épicerie, et ainsi de suite.

À peine dans la rue, il commence bien entendu par se plaindre qu'il est fatigué, tout en traînant ostensiblement les pieds derrière elle, afin de bien marquer sa contrariété. De toute façon, quoi qu'elle lui propose, il ne peut pas s'empêcher de geindre... Au moins, quand il était petit, lui fait-elle remarquer, c'était un bonheur de le promener : il souriait, il observait les choses et les gens depuis sa poussette avec de grands yeux fixes, comme si le monde le médusait.

– Arrête de me répéter sans cesse cette histoire, je n'ai plus trois ans, j'en ai presque dix, lui rappelle-t-il agacé, en la regardant, une main en visière au-dessus des yeux.

Quand elle le voit ainsi, avec sa mèche blonde, ses jambes interminables et ses maniérismes de préadolescent, elle le trouve beau à briser le cœur. Elle aimerait le prendre en photo. Et en même temps, il est tellement frustrant, tellement décevant par moments... Deux minutes plus tard, dans la côte de Blumenrain, il est déjà en train de crier grâce et de la menacer devant tout le monde de s'asseoir par terre si elle n'appelle pas un taxi.

– Samedi, on reviendra en taxi, je te le promets. Je réserverai le taxi de M. Kemme.

– Le taxi de M. Kemme ? répète-t-il, craignant qu'elle ne lui raconte encore des salades.

71

Faute de taxi à l'horizon, il accepte finalement de monter dans le tramway.

S'ensuivent à la maison deux ou trois heures d'un calme trompeur, jusqu'à la fin du dîner, où il lui annonce, en guise de représailles, qu'il se passera de bain, parce qu'il a les jambes ankylosées.

— Et puis je te rappelle que j'ai pris une douche à la piscine.

Comme si c'était la même chose... En plus, il n'a pas pris son bain la veille. Il profite bien sûr de l'absence de son père pour l'éprouver et voir jusqu'où il peut aller trop loin. Aussi Ana réagit-elle prudemment, presque calmement, car elle le sait tout à fait capable de faire une crise et de renverser une chaise... Elle lui enjoint donc d'aller de ce pas chercher son pyjama et de se rendre ensuite dans la salle de bains, s'il ne veut pas s'attirer d'ennuis. Comme il n'a toujours pas l'air décidé, elle l'attrape fermement par un aileron et le traîne ainsi – en évitant de prendre un coup de pied – jusqu'à l'étage.

Une fois la porte fermée, elle préfère ne pas savoir ce qu'il fait exactement dans son bain. Elle imagine qu'il pleure à chaudes larmes.

Le docteur Klein peut bien qualifier de « demande d'amour » cette habitude de se rebiffer dès qu'elle a le malheur de le contredire ou de le commander de manière un peu vive, on ne lui enlèvera pas de l'idée qu'il s'agit d'un comportement inquiétant, qui augure mal de ses rapports avec les autres, en particulier avec les femmes.

Car c'est bien elle qui est visée prioritairement... Lorsque son père, avec sa rigidité martiale, décide de prendre les choses en main, Homer a droit à dix minutes, montre en main, pour se coucher et sécher ses larmes. Après, c'est extinction des feux et silence complet... C'est mot pour mot ce qu'elle vient de lui dire. Sans autre résultat que de le faire crier et pleurer de plus belle.

Comme elle ne bouge pas, qu'elle s'interdit d'aller dans sa chambre, il cesse d'un seul coup ses cris et se met à japper doucement comme un chiot, la tête cachée sous l'oreiller. Il jappe jusqu'à ce qu'elle n'en puisse plus et finisse par céder.

Cela fait maintenant deux ou trois mois qu'Ana passe pratiquement une nuit sur deux au pied de son lit, à lire avec lui des histoires qu'ils ont déjà lues cent fois, en attendant qu'il s'endorme. Tout cela à cause de son anxiété et de sa phobie de l'obscurité. Et si ce n'était pas l'obscurité, ce serait sans doute autre chose... Au moment d'entrer dans sa chambre, elle reconnaît immédiatement l'odeur de sa transpiration, l'odeur un peu maladive de sa peur. Mais de sa peur de quoi, au juste?

– Homi, mon grand, tu ne peux pas de te mettre dans de tels états. Ce n'est pas possible. Laisse-moi me coucher à côté de toi, lui dit-elle, en grimpant sur son lit.

Il ne répond pas... En vérité, elle s'en veut depuis un moment de son accès de mauvaise humeur et ne sait pas comment se rattraper. Alors, n'y tenant plus, sachant qu'en tout état de cause elle ne fermera pas les yeux, Ana se glisse précautionneusement dans ses draps et s'allonge sur le dos, tout contre lui. Il est toujours silencieux... Elle caresse doucement, lentement, son petit visage buté, jusqu'à ce qu'une lueur de reconnaissance apparaisse dans ses yeux noyés de larmes.

– Tu ne voudrais pas qu'on chante comme on le faisait autrefois? lui demande-t-elle, parce qu'elle aime bien entendre leurs deux voix ensemble.

– Qu'on chante quoi?

– Tu vas tout de suite reconnaître le refrain : *Le soleil a rendez-vous avec la lune*, commence-t-elle, *mais la lune n'est pas là...* Allez, vas-y... *ici-bas chacun pour sa chacune...*

– *Doit en faire autant*, continue-t-il de sa voix qui tremblote encore.

– *La lune est là, la lune est là...*

– *Mais le soleil ne la voit pas...*

– *Pour la trouver il faut la nuit...*

– *Il faut la nuit mais le soleil ne le sait pas...*

– Allez, maintenant, tous les deux en chœur, mon chéri : *Le soleil a rendez-vous avec la lune, mais la lune n'est pas là...*

– C'est très, très bien! le félicite-t-elle à la fin, en le serrant contre elle.

Après on n'entend plus rien dans la chambre, juste le bruit du vent contre les volets... Homer dort blotti à ses côtés, un bras passé autour de son ventre, tandis qu'elle s'efforce de régler sa respiration et d'égaliser le rythme de leurs deux cœurs.

13

Homer avait dormi une heure ou deux, puis comme l'après-midi était ensoleillé, le vent plutôt faible, ils avaient pris d'un commun accord le parti de sortir la table de ping-pong du garage et de la rouler jusqu'à un endroit du jardin où la pelouse était plane et l'herbe suffisamment rase pour jouer dans des conditions satisfaisantes... À cet instant, pendant qu'il l'aidait à tendre le filet, Homer songeait qu'il serait quand même plus fair-play de ne pas lifter ses services et de ne surtout pas frapper comme une brute, afin que sa partenaire ne passe pas son temps à aller chercher la balle dans les rosiers.

En échange de quoi, à peine échauffé, il reçut coup sur coup deux balles fusantes qu'il fut incapable de rattraper, malgré sa longueur de bras.

– 2-0, lui annonça-t-elle, alors que le match n'avait même pas commencé.

La troisième balle déposée délicatement dans son angle droit – il était parti à gauche – lui rappela, au cas où il l'aurait oublié, que la suffisance en sport est toujours mauvaise conseillère.

Message reçu... Il décida donc de hausser sérieusement son niveau de jeu et parvint, grâce à ses balles coupées, à grappiller quelques points, jusqu'à ce qu'un amorti et deux balles en feuille morte le ramènent à la réalité.

– Balle de match, le prévint Sybil, dont les éclats de rire devaient s'entendre dans les autres jardins.

La revanche fut une formalité. À cause de son dynamisme et de sa vivacité de geste, elle prit immédiatement l'ascendant, smashant, mettant la balle où elle voulait, tandis que lui, avec une belle constance, renvoyait tout dans le filet.

– Deux sets à zéro, lui annonça-t-elle en levant les bras comme si elle venait de remporter Wimbledon. Vous avez envie qu'on fasse une autre partie?

Homer, qui avait depuis longtemps mis son amour-propre dans sa poche, fut obligé d'avouer qu'ils ne jouaient décidément pas dans la même catégorie et qu'en conséquence il ne voyait pas trop l'intérêt de se donner une troisième fois en spectacle. Il avait son compte d'humiliations.

– Comme vous voulez, dit-elle en allant chercher une carafe d'eau dans la maison.

À son retour elle étendit une serviette de plage sur la pelouse et s'assit jambes croisées, un livre ouvert sur les genoux, tandis que lui, négligeant la serviette qu'elle lui avait apportée, était allongé dans l'herbe, les mains derrière la tête, écoutant distraitement le bourdonnement des insectes autour des massifs de lavande et de véronique.

Cet après-midi-là, le temps passait aussi lentement que les nuages... Vues de la pelouse, leurs traînées blanches, répandues dans le ciel en fines bandes de coton lumineux, lui paraissaient vertigineusement lointaines.

Sybil, qui préférait manifestement la compagnie de David Lodge à la sienne, était toujours plongée dans sa lecture et ne disait rien... En sorte qu'au bout d'un moment, Homer, ayant un peu l'impression de tenir la chandelle, se redressa pour lui poser une question qui le préoccupait depuis un certain temps.

– Vous avez découvert comment l'existence d'Emmanuelle? lui demanda-t-il. (La preuve que, malgré toutes ses dénégations, ses pensées le ramenaient invariablement aux deux autres.)

– C'est arrivé tout bêtement, répondit-elle en relevant les yeux... Benjamin m'avait dit plusieurs fois – sans penser à mal, bien entendu – que son père avait l'habitude de bavarder avec son institutrice quand il sortait de l'école et, sincèrement, je n'y avais pas prêté une grande attention. Il a fallu qu'un jour j'aille à mon tour le chercher, croyant que son père ne pourrait pas le faire, pour que je les découvre ensemble, elle et lui... Je me souviens très bien qu'ils étaient adossés tous les deux au mur de l'école, le visage un peu de côté, et que leurs regards, par-dessus la tête de Ben, étaient si parlants, si explicites, que j'ai immédiatement compris.

Alors qu'elle n'avait rien deviné ni soupçonné jusque-là, lui affirma-t-elle en refermant son livre. Elle savait pourtant, le connaissant, qu'on pouvait s'attendre à tout de sa part, mais pas au point de penser qu'il avait une liaison avec la maîtresse de son fils.

Tandis qu'elle lui parlait et qu'étendu dans l'herbe Homer écoutait attentivement sa voix toute voilée – qu'il trouvait tellement suggestive –, la mystérieuse alchimie de la situation fit qu'il se surprit soudain à imaginer son autre voix, cachée sous la première... Non plus sa voix sociale, mais sa voix secrète et nocturne (il l'entendait presque) au moment où le voile se déchirait.

Après, il eut évidemment honte de nourrir de telles pensées en face d'une femme qui, en toute confiance, était en train de lui raconter ce qu'elle lui racontait... Mais d'un autre côté, il venait de découvrir qu'il était capable de la désirer et que leur relation était peut-être plus forte et plus compliquée qu'il ne l'avait supposé.

– Et alors? dit-il pour faire acte de présence.

– Alors, Giovanni a nié, bien entendu. Jusqu'au soir où je l'ai trouvé en larmes dans la cuisine et où il a fini par tout m'avouer. Je n'ai pas fait de commentaires, j'ai pris les affaires du chat et une valise et je suis allée me réfugier dans l'appartement de Géraldine, mon amie d'enfance, en attendant qu'il quitte la maison. C'est tout.

L'histoire était terminée… Sybil se tenait à présent assise à l'ombre, appuyée à la palissade, l'air détendue et apaisée. Elle fumait en le regardant avec une petite moue au coin des lèvres, mi-chagrine, mi-moqueuse, qui devait la rajeunir, puisque l'espace de deux ou trois secondes, il eut l'impression d'apercevoir son visage d'étudiante : son visage de l'époque où elle n'était pas encore mariée, ni même amoureuse probablement.

– Qu'est-ce qu'on fait maintenant ? lui demanda-t-il en essayant de chasser cette vision.

– À moins que tu ne veuilles faire une autre partie, j'aimerais bien aller me promener au bord de l'eau.

En s'entendant tutoyer, Homer crut qu'il s'agissait d'une simple méprise, parce qu'elle avait encore l'image de Giovanni en tête… Mais non, c'était apparemment tout à fait volontaire et assumé.

– Tu peux aussi rester à la maison et me rejoindre tout à l'heure sur le pont, continua-t-elle, sans cesser de le fixer du regard, avec son petit sourire en coin.

Homer, qui se frappait d'un rien, n'était évidemment pas peu troublé par ce coup de force. D'autant qu'en ce qui le concernait, il avait toujours préféré, dans la langue française, la discrétion et le caractère un peu feutré du vouvoiement (en particulier avec les femmes) à la familiarité invasive du tutoiement. Mais venant de Sybil, c'était bien sûr autre chose.

Et puis, avait-il seulement le choix ?

– Si tu sors, je veux bien venir me promener avec toi, répondit-il à la fin, en se faisant une raison.

14

Après avoir contemplé un moment, derrière la fenêtre, l'architecture massive de la gare découpée par l'ombre, Homer lui demanda incidemment si elle exerçait à l'hôpital ou si elle avait un cabinet en ville.

– Non, je fais des remplacements, répondit Sandra depuis la salle de bains... Actuellement je travaille dans un cabinet médical, à une vingtaine de kilomètres de Metz.

En faisant deux pas de côté, il pouvait apercevoir par l'ouverture de la porte sa serviette bleue autour de la taille et sa poitrine de profil. Elle avait fini de se doucher.

– Et l'histoire à laquelle tu faisais allusion tout à l'heure?

– J'étais justement en train d'y repenser, lui promit-elle en enfilant un peignoir de l'hôtel.

Mais, pour être tout à fait franche, elle ne savait pas si les événements de cette histoire l'avaient transformée elle, ou bien s'ils avaient simplement changé sa manière de percevoir les gens de sa famille.

– C'est souvent un peu la même chose.

En tout cas, c'est à cette occasion qu'elle avait pour la première fois réfléchi sérieusement à l'amour, lui révéla-t-elle... En particulier, à l'étrangeté de certains investissements amoureux et au poids des conventions sociales qui veulent à toute force les empêcher.

– Tu avais quel âge ?

– Quatorze ans, puisque je venais d'entrer en classe de troisième.

À cet âge, comme elle avait naturellement les oreilles qui traînaient partout, elle avait découvert que sa grand-mère... ou plutôt, se corrigea-t-elle, elle avait découvert, un soir, que ses parents venaient de découvrir que sa grand-mère Odile – la mère de son père – s'était amourachée d'Imen, la jeune femme qui venait faire le ménage chez elle.

Jusque-là, Imen servait un peu à tout, elle faisait office de d'aide-ménagère, d'aide-soignante, de dame de compagnie... et tout le monde – son père le premier – en était parfaitement satisfait, dit-elle. Et d'un seul coup, ils étaient tous atterrés.

– Ta grand-mère était très âgée ?

– Pas tant que ça, dit Sandra en venant le rejoindre sur le lit, elle avait peut-être soixante-treize ou soixante-quatorze ans. Elle était encore pétulante, jeune d'esprit, et elle souffrait probablement, malgré ses trois enfants, de vieillir toute seule après des années de veuvage.

– Elle était vraiment amoureuse ?

– Plus qu'amoureuse. À longueur de journée, ce n'était plus qu'Imen par-ci, Imen par-là… Il paraît qu'elle la couvrait de cadeaux, qu'elle lui donnait de l'argent, lui payait des voyages, en estimant à bon droit qu'elle était libre de faire ce qu'elle voulait de ses économies.

Mais le plus désolant, le prévint Sandra, c'est qu'au-delà de cette histoire de compte en banque qui n'arrêtait pas de fondre, ses parents étaient terrifiés à l'idée que tous les membres de la famille, ainsi que leurs amis – et peut-être également leurs voisins –, allaient apprendre que la mère de son père s'était éprise de sa femme de ménage. Ils n'en dormaient plus.

Sous le coup de l'indignation et surtout de la frousse, son père, son frère Renaud et sa sœur Élisabeth avaient alors décidé de se rendre chez elle en délégation afin de mettre les choses au point… Son père, qui était plutôt timoré et peu à l'aise avec sa propre mère, dit-elle, n'était d'ailleurs pas mécontent de se défausser sur les deux autres.

Odile les avait reçus très froidement. Quand ils avaient tenté de lui faire la leçon à propos de ses largesses à l'égard d'Imen et de toutes les dépenses somptuaires qu'elle se permettait, en lui faisant valoir qu'à ce rythme-là elle serait sur la paille d'ici deux ou trois ans, elle leur avait répliqué, toujours directe : « Eh bien, on couchera toutes les deux sur la paille, Imen et moi. » Ils avaient été consternés.

Et quand Élisabeth s'était avisée de lui dire ce qu'elle pensait de l'amour entre femmes, elle lui avait répondu sans se démonter qu'elle n'aimait pas les femmes : elle aimait Imen. Ce qui n'était pas du tout la même chose... Et pour clore le sujet, elle avait ajouté à l'adresse d'Élisabeth que si un jour elle avait besoin de leçons de vertu, ce n'était certainement pas elle qu'elle sonnerait.

– J'aime bien Odile, dit Homer.

– Moi aussi. Mais tu m'avais promis de m'écouter sagement, lui rappela-t-elle en écartant sa main.

Toujours est-il, reprit-elle, que ses fils et sa fille avaient eu beau la supplier de retrouver son bon sens et menacer, devant son entêtement évident, de la mettre sous tutelle, elle n'avait rien cédé... Au contraire. Des voisins bien intentionnés les avaient avertis qu'elle persistait à se promener dans le quartier au bras de sa femme de ménage, et que toutes les deux menaient visiblement la grande vie.

– Mais toi, tu réagissais comment ?

– Moi, je ne voyais pas où était le mal là-dedans, puisqu'elles étaient heureuses ensemble, et je voulais toujours prendre leur défense. Mais, à quatorze ans, je n'avais évidemment pas voix au chapitre.

Au fond, ce qui la révoltait le plus, lui expliqua-t-elle, en cherchant ses affaires autour du lit, ce n'était pas tant leur mesquinerie et leur étroitesse d'esprit que leur absence complète de compassion... Odile se plaignait souvent qu'ils avaient tous un cœur de pierre et elle avait raison.

Quelques mois plus tard, dit-elle, en écoutant une conversation téléphonique entre son père et Renaud, elle avait compris qu'Imen venait de repartir en Algérie, sans doute effrayée par leurs menaces (Renaud s'était suffisamment vanté d'avoir le bras long), et que sa grand-mère, inconsolable, avait demandé à l'une de ses cousines de l'accueillir dans sa maison, tout près du cap d'Agde.

– J'imagine que tu as explosé, dit Homer, qui se rhabillait à son tour.

– J'ai explosé en larmes, tu veux dire. Que voulais-tu que je fasse d'autre ? Je ne pouvais pas quitter la maison.

Elle avait quand même obtenu de ses parents l'autorisation de se rendre au cap d'Agde, pendant les vacances d'hiver, et sa grand-mère l'avait longuement serrée dans ses bras, se souvenait-elle, en se retenant visiblement de pleurer et en la remerciant de penser encore à elle. Mais sans faire la moindre allusion à ce qui s'était passé.

Et les jours suivants, son attitude n'avait pas changé. Elle n'avait pas prononcé une seule fois le nom d'Imen... Ce qui était perturbant, dit-elle à Homer, c'est que malgré cette réticence à parler d'elle et le fait qu'elle ne riait plus du tout, elle avait l'air étonnamment paisible... En tout cas, elle ne semblait ni aigrie ni déprimée. Pendant que sa cousine, Aliette, faisait des mots croisés dans sa chambre, elle passait ses journées sur la terrasse, quel que soit le temps, les jambes enveloppées dans un plaid. Elle adorait regarder la pluie sur la mer en fumant ses cigarettes.

– Elle ne t'a jamais fait la moindre confidence?

– Non, elle ne parlait presque pas. Mais on devinait à qui elle était en train de penser… Tu vois, à présent je me dis que c'était un amour incroyable, un amour capable de persister au-delà de ses limites, au-delà de sa fin… et je trouve ça très beau, affirma-t-elle.

– C'est aussi un comportement qui pourrait ressembler à une forme de folie.

– À part que c'était tout le contraire de la folie. Tu ne penses pas?

Si. Il pensait la même chose.

15

En général, un amour se substitue à l'autre, en en effaçant progressivement le souvenir, mais dans leur cas tout était différent, vu que leurs rencontres ressuscitaient à chaque fois la présence des deux autres et les condamnaient à passer bon gré mal gré une partie de leur temps avec eux... Au point que Homer se demandait parfois s'ils n'allaient pas un jour être obligés de faire le black-out à leur sujet.

En attendant, et sans qu'ils ne se soient jamais réellement concertés avec Sybil, leurs conversations, comme si elles étaient strictement prescrites, paraissaient obéir à un ordre et à une progression réglée d'avance. À savoir que leurs souvenirs à propos d'Emmanuelle et de Giovanni, et les commentaires auxquels ils donnaient lieu, leur servaient la plupart du temps d'ouverture, soit parce qu'ils étaient impatients d'en discuter, soit au contraire parce qu'ils étaient pressés de s'en débarrasser et de passer à autre chose d'un peu plus léger.

Toutefois, la solution inverse, consistant à prendre pour point de départ des événements anodins, dont ils avaient envie de parler, pour s'en éloigner ensuite au gré de leurs associations d'idées, n'était pas rare non plus. Le cercle de la conversation – au début, donc, bénigne et superficielle – se rétrécissait alors petit à petit jusqu'à se concentrer exclusivement sur le cas des deux autres, qui était de fait l'objet principal de leurs soucis et de leurs incertitudes actuelles.

Mais ce soir-là, alors qu'il rentrait tout juste de voyage, ils n'eurent pas à hésiter sur l'ordre à adopter, puisque les deux autres étaient là.

Homer les découvrit sur l'écran mural du salon, assis côte à côte dans des fauteuils de plage, la tête coiffée d'une casquette… Ils avaient tous les deux une main en visière, comme s'ils essayaient d'apercevoir quelque chose ou quelqu'un à l'horizon (peut-être un de leurs ex-conjoints) situé manifestement très loin.

Teresa, la sœur de Giovanni, qui devait avoir une vocation d'entremetteuse, venait d'envoyer les photos par internet et Sybil avait tout bonnement connecté à son ordinateur la petite boîte noire d'un projecteur. Il n'y avait donc rien de magique… Et, cependant, Homer demeurait à cet instant aussi ébahi et silencieux que s'il assistait à une séance de spiritisme.

Chacun d'entre eux – ensemble ou séparément – avait de nombreuses fois, bien sûr, tenté de se les représenter là-bas, dans leur île méditerranéenne, mais depuis leur observatoire lointain en Seine-et-Marne, ils ne distinguaient pas grand-chose et en étaient réduits – à partir des images fournies par leur ordinateur – à se figurer un monde qu'ils ne connaissaient ni l'un ni l'autre, Sybil et lui... Sans compter que lui, par surcroît, n'avait aucune idée de l'apparence physique que pouvait bien avoir son rival.

Sans doute à cause de ce que Sybil lui avait révélé des activités musicales de Giovanni, Homer s'était imaginé un compositeur souffreteux, un peu sur le retour, ou bien un chef d'orchestre échevelé... En se trompant évidemment du tout au tout... L'homme qui apparut au premier plan sur l'image suivante – debout et sans casquette, cette fois-ci – avait une silhouette trapue et un visage épais, à moitié dissimulé derrière de grosses lunettes à verres fumés. À son cou rentré dans les épaules et à ses poings serrés, sans raison identifiable, on devinait une détermination qui ne laissait pas d'inquiéter... On était très loin, en tout état de cause, du « gamin » évoqué autrefois par Sybil.

À l'arrière-plan, on discernait une grande villa rose, vaguement hispanique, cachée au milieu d'une végétation exubérante, tel qu'on imagine le jardin du péché originel.

– C'est là qu'ils vivent, supposa Homer.

Au dire de Sybil, qui était en train de régler l'image, on leur avait prêté gracieusement la maison, moyennant quelques travaux de maintenance. Et Giovanni, qui apparemment n'était pas manchot, avait installé une douche au premier et refait entièrement la plomberie et les peintures, tandis qu'Emmanuelle travaillait plutôt à l'extérieur, tondant les pelouses et s'occupant de l'entretien de la piscine.

Homer la vit enfin seule… Elle était photographiée de trois quarts, habillée d'une salopette et tenant à la main un sécateur, symbole de sa fonction, et paraissait moins grande que dans son souvenir… Elle avait les cheveux mi-longs, tenus par un bandeau sur le front (il avait oublié le détail du bandeau) et fixait l'objectif avec cet air un peu revêche qu'il lui connaissait si bien… Comme si elle avait deviné que la photo lui était destinée.

Au bout d'un moment, elle devint d'ailleurs si proche, si tangible, pendant qu'il la regardait, que Homer fut tenté de détourner les yeux, de crainte de recevoir ses rayons nocifs.

– La suivante, s'il te plaît, souffla-t-il à Sybil.

Giovanni et elle posaient ensemble, serrés l'un contre l'autre… Ils étaient assis sur les marches d'un perron, le visage penché en avant pour entrer dans le cadre. Emma portait une petite robe blanche à bretelles, qui la faisait paraître très brune, et lui un maillot de corps douteux.

– Tu ne trouves pas qu'ils ont une présence incroyable, lui dit Sybil.

– Hum, fit Homer, qui se serait bien passé de les voir ainsi.

89

Il se rendait compte maintenant qu'en raison d'une résistance secrète ou d'une lenteur qui lui était propre, il n'avait toujours pas réussi à assimiler le fait qu'Emmanuelle Dhauton et le mari de Sybil Mangani formaient véritablement un couple.

Sur la dernière image – la seule qui l'émut un peu – ils se tenaient tous les deux à l'avant d'un petit bateau de pêche, peint en bleu, et ils semblaient rire en agitant leurs mains, réduits à deux silhouettes solarisées qui semblaient monter et descendre sur l'écran.

– On dirait des ombres qui nous sourient, intervint-elle avec enthousiasme.

– C'est peut-être nous qui sommes des ombres, lui dit Homer... Car si on y réfléchit bien, nous sommes des laissés-pour-compte, des sortes de fantômes condamnés à les regarder vivre leur vie. Tu ne trouves pas?

– Pas du tout. Ce n'est pas parce qu'ils sont amoureux que je me sens devenir une ombre. C'est une idée morbide.

Homer dut lui concéder que sa comparaison valait ce qu'elle valait.

– En fait, se reprit-il, je ne suis pas sûr qu'ils soient aussi heureux qu'ils en ont l'air. Je crois plutôt qu'ils jouent à être heureux et se donnent en spectacle devant l'objectif.

Il aurait pu ajouter que ce qu'elle venait de lui dire et ce qu'il avait vu sur les images l'avaient renforcé dans l'opinion qu'ils menaient à Chypre une vie assez précaire, une vie d'expédients, bien différente de la représentation idyllique qu'elle voulait s'en faire… Sans qu'il puisse d'ailleurs parvenir à comprendre si l'attitude de Sybil relevait de la naïveté, de l'aveuglement sentimental ou de la pure magnanimité.

Pendant ce temps-là l'écran était redevenu blanc, comme si les deux autres avaient disparu dans le mur après leur numéro.

– Il se peut que tu aies en partie raison et qu'ils aient fait un peu de mise en scène pour épater Teresa, lui concéda-t-elle en rangeant l'appareil… Pourtant, je persiste à penser que même si tout ne marche pas aussi bien qu'ils l'espéraient, ils s'adapteront bientôt à leur nouvelle vie et que ce sera tout bénéfice pour nous, d'une certaine façon.

Homer faillit lui demander à quelle façon elle faisait allusion, car il ne voyait pas du tout, pour sa part, en quoi leur bonheur possible pourrait influer sur leurs propres vies. Mais il évita de la contredire… Dans cette compétition morale que Sybil lui imposait, il savait qu'il ne courait pas avec les mêmes chances qu'elle et que son ressentiment était encore trop vif pour pouvoir espérer être à sa hauteur.

Plutôt que de faire sa mauvaise tête, il la prit donc contre lui et l'embrassa gentiment sur la joue, avant de s'en retourner vers la gare, l'esprit préoccupé.

16

Sur le moment, elle n'a pas du tout identifié sa voix : elle ne l'avait pas entendue depuis des années... Et puis, à force de tendre l'oreille, elle a reconnu son débit précipité et sa manière d'avaler certains mots, qui rend son message à peu près incompréhensible par moments.

« C'est tout de même incroyable qu'il ait pensé à moi », se répète-t-elle, en faisant les cent pas dans la grande maison vide (Homi est à l'école, Arno occupé en Belgique)... Par la fenêtre ouverte, lui parviennent les voix de deux ouvriers affairés dans la maison d'en face. Ils ont des visages imperturbables en travaillant, avec des gestes lents et calculés qu'elle trouve étrangement apaisants... Si seulement elle pouvait être aussi imperturbable qu'eux.

Car maintenant elle a le sentiment de n'avoir jamais cessé de penser à ce garçon. Même après son mariage... Les ciels, les saisons lui ramenaient régulièrement son souvenir, avec l'envie de partir à sa recherche ou d'écrire une lettre à ses parents. Envie qu'elle comprimait bien entendu tout au fond d'elle, jusqu'à ce qu'elle retrouve son bon sens et décide de le laisser là où il était.

Une fois, il y a six ou sept ans, une fille du lycée Montaigne, rencontrée tout à fait par hasard en gare de Mulhouse, lui a dit que Rémi avait quitté la France pour aller tourner un film sur les mouvements révolutionnaires au Guatemala ou au Nicaragua – en tout cas en Amérique centrale – et qu'il s'était fait voler tout son matériel.

– Metzer Rémi ? lui a-t-elle demandé, à cause de cette habitude alsacienne de commencer par le nom de famille. Comme si le prénom n'était qu'un lot de consolation.

– Exactement, Metzer Rémi, lui a confirmé l'autre, qui, en y réfléchissant, était presque certaine que c'était au Nicaragua... De toute façon, c'était bien trop loin pour qu'elle envisage de le rattraper. Elle ne pouvait naturellement pas se douter que c'est lui qui la rattraperait un jour.

Elle se rappelle parfaitement l'instant où il lui est apparu, enveloppé d'un nuage de fumée – c'est sa toute première impression – alors qu'il discourait dans une arrière-salle de café, à deux pas du lycée. Il parlait fort, avec l'autorité d'un élève de terminale, et paraissait extrêmement pressé (sauf erreur de sa part, il était question de la grève des ouvriers de Peugeot).

Jusque-là, elle considérait grosso modo que la plupart des garçons qui venaient faire le planton à la sortie du lycée de filles et se répandaient en compliments bêtas et en propositions déplacées – c'était toujours la même chanson – étaient soit des attardés, soit des obsédés sexuels. Mais lui était visiblement très différent.

Lorsqu'ils ont commencé à se fréquenter et à se promener ensemble dans les environs, du côté de la Hardt ou du bois de Lutterbach, elle s'est de fait rendu compte qu'il connaissait tous les noms d'arbres ou d'oiseaux, parce qu'il passait une grande partie de ses vacances dans la ferme de son oncle. Il avait appris enfant à dénicher les pies, à apprivoiser les corbeaux et même à faire parler un geai, du nom de Max la Menace (bien que, personnellement, elle ne l'ait jamais entendu parler).

Sinon, Metzer Rémi avait sans cesse à la bouche le nom de Lénine et rêvait de partir travailler en Union soviétique, dans un kolkhoze... Pour elle, qui venait de quitter son institution privée pour le lycée public et ses turbulences politiques, tout cela était un peu nébuleux. Il lui fallait, en quelques semaines, parcourir un arc allant du péché originel à la lutte des classes... Puisqu'il n'était évidemment pas question de le décevoir.

Au bruit de la sonnette d'entrée, Ana a cru que Homer était rentré avec Sonia, mais c'est un employé des eaux qui cherche la maison de Mme Strette. « Je crois que c'est la cinquième ou la sixième, au bout de l'allée », lui dit-elle, heureuse de parler à quelqu'un, tant Bottmingen est désertique l'après-midi.

Pour en revenir à Rémi, il avait beau avoir deux ans de plus qu'elle et être en terminale, ils étaient intrinsèquement aussi immatures l'un que l'autre sur le plan de l'amour... En ville, ils marchaient côte à côte, sans se donner la main, de crainte de croiser quelqu'un du lycée, parlaient beaucoup de politique (il venait d'adhérer aux Jeunesses communistes), presque jamais de leurs études et encore moins de leurs parents.

Tel qu'elle le revoit à présent, Rémi avait les yeux très clairs et des cheveux bouclés, très foncés. Il était juste un peu plus grand qu'elle... Lorsqu'elle devait le quitter, parce qu'on l'attendait à la maison et qu'elle était déjà en retard, il trouvait à chaque fois moyen de la retenir en lui prenant les mains pour l'observer encore et encore... Et en général elle se laissait faire, tout au plaisir d'être déshabillée du regard.

Un jour, durant les vacances de Noël, ils avaient passé l'après-midi au zoo de Bâle, et, à l'instant de partir, il l'avait embrassée longuement, si longuement – c'était la première fois qu'il faisait cela – que les animaux derrière les grilles avaient l'air de retenir leur souffle.

La chose la plus étonnante, en y repensant, c'est qu'au bout de cinq ou six mois, ils étaient toujours aussi purs et ingénus. Ils se voyaient pourtant presque tous les jours, s'embrassaient, se promenaient à l'écart des autres, allaient chaque samedi soir au cinéma, mais apparemment il ne leur venait pas à l'idée de coucher ensemble. Il faut croire que ça aurait été trop simple.

Finalement, au début du troisième trimestre, était arrivé ce qui devait arriver, comme s'ils ne pouvaient plus reculer, que la décision avait déjà été prise pour eux et qu'ils n'y étaient pour rien.

Ana se revoit encore en train de grimper les marches quatre à quatre, avec ce sentiment d'agilité et d'innocence qui ne la quittait pas à cette époque. Elle n'était jamais venue chez lui... Ils avaient passé des heures sur son lit, serrés tout nus l'un contre l'autre, peau contre peau, dents contre dents, à la recherche d'un plaisir qui les fuyait.

Rémi n'était peut-être pas l'amoureux expérimenté et l'amant fantastique dont elle aurait pu rêver (mais est-ce qu'elle rêvait de ça?)... Seulement il était aimant et doux, et ses baisers restent plus vifs dans sa mémoire que tous ceux qui ont suivi.

En revanche, cette impression de plénitude, presque de béatitude amoureuse, dans laquelle elle vivait – et se complaisait, dans son entêtement romantique – l'avait peu à peu éloignée du lycée et des compositions sur table. Elle ne voyait franchement pas pourquoi elle aurait dû consentir à de tels efforts, accepter autant de privations, alors qu'elle avait déjà tout.

Sans doute qu'elle y croyait vraiment... Ana ne peut se retenir de sourire, tant ces pensées lui paraissent lointaines aujourd'hui et tant elles ne signifient plus grand-chose.

En tout cas, le romantisme ayant fait son temps, son Werther à elle est rentré vivant au pays... Il s'est installé dans une petite ville des Vosges, avec sa femme et sa fille, et souhaiterait l'inviter aux beaux jours. C'est ce qu'il dit apparemment à la fin de son message. Elle a le temps d'y réfléchir à tête reposée.

17

Après avoir éteint son téléphone, Homer réalisa soudain que l'annulation du voyage à Karlsruhe lui ouvrait des perspectives inespérées et qu'une fois terminée sa mission à Grenoble, il allait pouvoir rentrer dare-dare à Paris et s'inviter un soir à la campagne... Il faillit téléphoner aussitôt à Sybil pour lui annoncer la nouvelle, puis se ravisa, car en fait ils ne s'appelaient presque jamais.

Ce n'était pourtant pas faute de penser à elle pendant la journée, alors qu'il compulsait des heures durant les dossiers de ses clients et qu'une partie de lui-même restait constamment distraite, comme un homme qui vit sous l'influence d'un esprit tentateur. Il n'empêche qu'il ne lui venait pas à l'idée de composer son numéro... Par scrupule, par peur de la déranger ou de lui paraître lourd et un peu intrusif. Et elle de même sans doute.

Ils vivaient dans deux mondes distincts, matérialisés par les centaines de kilomètres qui les séparaient lors de ses déplacements professionnels, et semblaient mettre un point d'honneur à respecter cette séparation, tant chacun répugnait à s'immiscer dans la vie de l'autre.

Les très rares fois où ils s'appelaient, leurs interlocutions, certes affectueuses, étaient toujours brèves et prudentes comme lorsqu'on craint d'être écouté.

Autant au retour, dans son empressement à lui rapporter tout ce qu'il n'avait pu lui dire durant son absence, Homer pouvait se révéler intarissablement bavard (au point que Sybil devait quelquefois l'interrompre en lui rappelant qu'ils avaient toute la journée), autant à distance, le fait qu'elle n'était pas physiquement présente en face de lui le rendait immédiatement laconique ou évasif... Et les propos qu'ils échangeaient au téléphone, avec des voix fragiles, ne les satisfaisaient ni l'un ni l'autre.

Tant qu'à communiquer il préférait nettement les textos, mais sans en abuser non plus, car ils avaient passé l'âge.

Rentrerai de Grenoble mercredi ou jeudi. Tendrement. Homer, écrivit-il avec sa sobriété habituelle, avant de ranger ses affaires et de sortir se promener sur les bords de l'Isère pour reposer ses yeux et profiter du grand air des montagnes.

Au début de leur relation, ils se voyaient à peu près toutes les deux ou trois semaines, essentiellement pendant le week-end, mais depuis quelque temps la périodicité de leurs rencontres avait commencé à se modifier, témoignant d'une intimité croissante entre eux deux... L'arrivée des beaux jours, avec l'agrément du jardin, fut évidemment le motif officiel qui servit à justifier toutes ces visites plus ou moins inopinées, que Sybil semblait de toute manière encourager.

Quand il était à Paris et qu'il sortait suffisamment tôt de son travail, Homer redécouvrait donc ce plaisir enfantin de prendre un train pour aller à la campagne, libéré des contrariétés et des embêtements de la journée... Du reste, son premier geste en arrivant était d'éteindre son portable, de façon à ce qu'aucun de ses collègues ne fasse irruption dans son espace privé. Ensuite il appuyait doucement sur la poignée de la porte d'entrée, sans sonner, sans appeler (Sybil était souvent dans le jardin, en train de lire ou de biner ses massifs de fleurs), et la porte s'ouvrait aussi silencieusement que si elle cédait à ses pensées... Elle le laissait pénétrer dans la grande maison immuable et rassurante, qui lui faisait désormais l'effet d'une retraite où il pouvait se soustraire aux tensions de sa vie.

En fin de compte, s'avisa-t-il, tandis qu'il admirait les parois rocheuses autour de la ville, on pouvait dire, selon le point de vue qu'on adoptait, que sa vie avec Sybil était entrecoupée de longues parenthèses consacrées au travail ou bien, à l'inverse, que sa vie de comptable était entrecoupée de brèves parenthèses consacrées à Sybil. Ce qui, quel que soit le cas de figure, avait quelque chose de frustrant... Au fond, le seul avantage de ce temps distendu, subdivisé par de longs intervalles, c'est qu'ils avaient tous les deux l'impression de se fréquenter depuis des mois et des mois.

En outre, ces voyages qui aéraient leur relation lui évitaient de passer pour un soupirant transi et un peu encombrant. Car c'était toujours lui qui la relançait... Dans ses moments de doute, il lui arrivait même de se dire que leurs rapports ne persistaient que de son fait à lui et que si, pour une raison ou pour une autre, il cessait de se manifester, il était probable qu'elle attendrait chez elle, sans bouger.

Les montagnes étaient déjà dans l'ombre – il allait bientôt faire nuit –, et Homer, qui avait déjeuné d'un sandwich au bureau, se mit alors à la recherche d'un endroit tranquille pour dîner dehors. Ce qui se révéla plus compliqué que prévu.

Découragé par le bruit et par la foule agglutinée aux terrasses, il finit par se réfugier à l'intérieur d'un restaurant chinois pratiquement désert. Une fois installé à sa table, il examina la carte tout en notant que la musique sirupeuse jouée à la radio était manifestement plus vietnamienne que chinoise... Avant de se trouver envahi par une étrange sensation de vacuité.

Homer se fit alors, pour la première fois, la réflexion que dans cette vie dispersée et plutôt inconsistante qu'il menait entre trains, bureaux et chambres d'hôtels, Sybil était actuellement sa seule continuité intérieure... Elle était devenue son point fixe, son nord

101

magnétique, sans doute parce qu'elle l'accueillait toujours avec le même empressement, la même égalité d'humeur (qui le changeait heureusement du comportement lunatique d'Emmanuelle) et qu'il avait d'abord besoin d'être tranquillisé.

Au moment de regagner son hôtel en solitaire, il aperçut en levant la tête de longs éclairs de chaleur qui se ramifiaient au-dessus des sommets, en illuminant les façades des immeubles.

À l'intérieur, l'air de la chambre était si étouffant qu'il ouvrit en grand les deux battants de la fenêtre, avant de s'accouder pour fumer, sa cigarette dissimulée dans le creux de la main... Il était un peu plus de dix heures et il n'y avait pas un souffle de vent dans les rues.

Il fut tenté de regarder un film à la télévision, mais la fatigue, le désœuvrement, le sentiment d'ennui propre à la vie d'hôtel le décidèrent finalement à surmonter ses scrupules et à téléphoner à Sybil, malgré l'heure tardive.

– C'est moi, la rassura-t-il.

– J'étais justement en train de parler de toi avec Ben et son cousin Grégoire. Ils ont eu la gentillesse de venir coucher à la maison.

– Tu parles bien du fils de Giovanni?

– Oui, j'étais en train de lui montrer sur l'écran les photos de son père aux côtés d'Emmanuelle... Il dit que son père est affreux, mais elle, il la trouve réellement très, très jolie, insista-t-elle, en tournant certainement la tête pour sourire à Ben.

102

– Bon, je vais te laisser avec tes invités. Je me sens de trop... Tu ne m'as pas dit si tu avais eu mon message.

– Ton jour sera le mien, chuchota-t-elle.

– Alors, à bientôt, conclut-il, saisi d'un léger frisson.

Comme il se levait tôt le matin, il préféra éteindre tout de suite et s'étendit sur les draps, la tête renversée en arrière. À cause de sa taille, ses pieds pendaient dans le vide... Tandis qu'il réfléchissait dans le noir en écoutant les bruits de la rue, il se sentait aussi heureux qu'un homme capable de goûter la fraîcheur du vent, même en l'absence de vent.

18

Il s'est tourné sur le ventre, les bras autour de l'oreiller. Par moments, il prononce quelques mots inaudibles ou bien gémit faiblement dans l'obscurité, tout en vibrant par à-coups de la tête aux pieds. Ana se demande à quoi il peut bien rêver... On dirait qu'elle a un spationaute dans son lit en train de foncer vers une nébuleuse.

En tout cas, Arno a bien changé en quelques années... Et il est loin le jeune mari ardent des premiers temps, qu'il fallait calmer en lui rappelant à propos qu'il devait se lever le lendemain aux aurores.

Quand Homer, tout petit, a commencé à faire ses crises et à l'appeler presque toutes les nuits dans sa chambre, elle a d'ailleurs été obligée de demander à Arno un moratoire de quelques mois, car elle n'y arrivait plus... Le problème, c'est que ce qui devait être une solution momentanée dure depuis des années et que leur vie de couple s'anémie peu à peu.

Ana ignore s'il existe une Reine de la nuit, mais les vocalises nocturnes, ce n'est définitivement pas pour elle.

Sans que ça lui manque en vérité. Il faut croire que leurs structures chimiques n'étaient pas trop compatibles… De toute manière, elle a toujours trouvé que la sexualité conjugale, avec ses rites périodiques, ses secrets, ses prudences, ses manigances contraceptives, avait quelque chose d'oppressant.

« C'est sans doute mon petit côté vierge folle », pense Ana, tandis qu'elle cherche à tâtons son oreiller… Au début, un peu pour décourager les attentes d'Arno, elle se couchait le plus tard possible en avalant un somnifère, avant de tomber à la renverse sur le lit. Arno essayait bien de la réveiller en la prenant dans ses bras, mais là où elle était rendue, elle aurait été incapable de faire la différence entre lui et le capitaine Spock.

Maintenant, hormis une tisane après dîner, elle ne prend plus rien. Elle reste une partie de la nuit à réfléchir les yeux ouverts, pendant qu'Arno se plaint dans son sommeil… Elle a depuis longtemps fait sienne l'idée que l'amour – en particulier, l'amour au lit – n'est pas la grande affaire qu'on essaie de nous vendre. La complicité sexuelle n'entraînant, à son avis, qu'une adhésion toute relative de notre être à celui de l'autre, ainsi que le démontrent à l'envi tous les divorces haineux et les bagarres sordides, après des années et des années d'intimité physique.

Qui lui a dit à ce sujet que les Sheffer s'étaient séparés avec perte et fracas, le mois dernier ? Marcus et Natacha Sheffer, si aimants et si démonstratifs que toute la bonne société du canton de Bâle se plaisait à les citer en exemple.

Concernant la quasi-continence qu'elle lui impose, Ana se demande parfois si Arno s'est vraiment résigné à son sort... Toujours est-il qu'il n'y a eu ni drame ni réclamation : ça ressemblait presque à un accommodement cousu main. À tel point que sa patience et son indulgence exemplaire ont fini par lui paraître suspectes et que l'idée qu'Arno a peut-être des aventures de son côté – tout moraliste qu'il soit – lui a forcément traversé l'esprit.

Comme il voyage continuellement, il a bien sûr toute latitude de faire ce qu'il veut, sans qu'elle ne l'apprenne jamais, sinon par hasard ou par malveillance. Mais, sincèrement, elle n'a aucune envie de l'apprendre.

Et il n'est pas question qu'elle s'abaisse à lui demander des comptes et encore moins à le surveiller, pour tomber dans l'affreux engrenage de la défiance conjugale : je te surveille parce que tu me mens. Je te mens parce que tu me surveilles... Arrivé à ce stade, il n'y a plus d'issue.

Elle, en revanche, est restée absolument fidèle. Pas du tout par passion ou par conviction morale (l'idée de fidélité lui est totalement étrangère), plutôt par circonspection, par crainte de souffrir ou de faire souffrir.

C'est drôle d'ailleurs, se dit-elle, de penser à tout cela pendant qu'il dort innocemment à côté d'elle... À cause de tout ce qu'elle lui fait subir au quotidien, Arno ne peut même pas imaginer la force du sentiment qu'elle a pour lui – indépendamment du fait qu'il est le père de Homi – et le désarroi, l'incapacité dans laquelle elle serait, si elle devait recommencer une vie sans lui.

En fait, malgré tout ce qui peut les opposer, et parfois les blesser, elle continue de respirer par lui, de penser par lui ou contre lui : ce qui est au bout du compte la même chose.

Si elle n'a pas réclamé de faire chambre à part, ce n'est pas seulement par peur de sa réaction, c'est aussi que le besoin de sa présence et de sa chaleur corporelle la rattache toujours à lui... Et il arrive encore à leurs bras et à leurs jambes de se rencontrer sous les draps, dans un petit sursaut de surprise, et de se faire un bout de conduite tant les nuits sont longues.

19

Homer, si facilement froissé et ombrageux en société, était à chaque fois surpris de redécouvrir au contact de Sybil le plaisir de parler avec quelqu'un... Parce que tous les deux étaient au fond des causeurs incorrigibles et qu'il existait entre eux un entrain, une facilité d'échanges, qui aurait pu faire croire à n'importe quel étranger passant par là qu'ils se connaissaient depuis des années.

Mis à part leur échec amoureux et leur double solitude, ils avaient en effet des similitudes de pensée, des identités de vue sur les gens, ainsi que des conformités de comportement – comme cette aptitude à alterner les bavardages avec les moments de décrochages silencieux – qui en faisaient des interlocuteurs étonnamment bien assortis. Si bien que leurs conversations (ils parlaient à cet instant de la visite de Ben) ressemblaient à de longs déroulements fluides, pendant lesquels chacun à son tour goûtait le simple contentement d'écouter la voix de l'autre et d'y répondre.

La voix toute voilée de Sybil devait cependant avoir en cette fin d'après-midi quelque chose de légèrement sédatif car Homer, dans sa chaise longue, s'aperçut plusieurs fois qu'il était en train de piquer du nez.

– À propos, tu ne m'as pas dit que Benjamin vivait en province? lui demanda-t-il pour se rattraper.

– Il vit chez sa mère, à côté d'Amiens. Depuis qu'il est avec elle, il paraît qu'il est devenu tellement intenable qu'elle a été obligée de le mettre en pension, dans un collège de jésuites, lui expliqua-t-elle, en lui montrant sur son portable la photo d'un blondinet, dans les treize, quatorze ans, assis bras croisés sur un ballon.

Il avait certes un petit sourire de chahuteur professionnel, mais sa gaieté et ses grands yeux clairs suscitaient plutôt la sympathie.

– Comment tu le trouves?

– Très beau, répondit-il sincèrement, en l'aidant à déplacer les transats et le plateau à café vers la partie du jardin encore exposée au soleil.

Sybil lui avoua ensuite qu'elle était restée attachée à ce gamin qu'elle avait couvé durant des années. Et la réciproque devait être vraie puisqu'il lui téléphonait encore régulièrement et venait de temps en temps lui rendre visite, lorsqu'un adulte acceptait de le convoyer à Paris... Il lui avait même présenté une fois sa bien-aimée, Lily, une jolie petite blonde, aussi menue que la fée Clochette.

109

Homer s'était tu, songeant tout à coup qu'il ignorait complètement pourquoi elle n'avait pas eu d'enfant... Sybil n'avait jamais abordé le sujet. Il devait y avoir là un secret qu'en toute hypothèse il préférait ne pas connaître.

Dans le calme absolu qui les enveloppait, on entendait très loin un avion bourdonner au-dessus de la forêt... C'était l'heure de la splendeur dans l'herbe, où les merles venaient prendre leur bain de soleil sur la pelouse. L'heure où l'univers semblait entièrement circonscrit aux limites de ce jardin, à l'intérieur duquel ils ne recevaient jamais personne et formaient tous les deux (Sybil avait rouvert son roman) une sorte de société secrète, parfaitement dissimulés par les arbres et les palissades.

Profitant de son application à lire, Homer, qui était à présent tout à fait réveillé, s'était tourné vers elle pour l'observer discrètement. Elle portait ce jour-là sa petite jupe à fleurs, si courte et si légère qu'il se surprit à regretter que leur comportement reste aussi respectueux et leur communication aussi exclusivement verbale. Comme s'ils avaient oublié qu'ils possédaient également des moyens de préhension et de contact tactile, tels qu'en ont les animaux.

Ils étaient si proches l'un de l'autre, chacun dans sa chaise, que Homer s'avisa soudain, malgré le veto de sa conscience morale, qu'il pourrait très bien, en tendant ses grandes mains, s'emparer par surprise de ses seins menus et les presser tendrement, pendant qu'elle continuerait à tourner les pages de son livre... Mais il ne bougea pas bien entendu, en homme exercé de longue date à se contrôler.

Sans compter que l'idée que cette femme, apparemment chaste et réservée, n'attendrait rien moins qu'une déclaration d'amour ou un geste clair et univoque de sa part lui paraissait à la fois présomptueuse et imprudente. Il n'en était pas encore à prendre ses désirs pour des réalités... Il emprisonna donc ses mains entre ses genoux et se tourna de l'autre côté pour regarder les merles sautillants.

– Tu ne voudrais pas dîner ? lui dit-elle plus tard, en le ramenant définitivement à la réalité.

Au moment de rentrer dans la maison, il lui demanda l'autorisation de se mettre au piano et improvisa, pour se calmer, un pot-pourri des chansons de Charles Trenet, avant d'enchaîner avec quelques mélodies de Satie qui avaient le pouvoir – autant que celles de Trenet – de le rajeunir instantanément.

– C'est beau ! cria Sybil, en l'applaudissant depuis la cuisine. Là-dessus, elle lui annonça qu'elle avait fait brûler sa quiche et qu'il ne restait plus que des œufs mimosa et une tarte au citron... Elle était absolument désolée.

– Va pour les œufs mimosa et la tarte au citron, fit-il, magnanime.

À dire vrai, Homer n'était pas difficile et aimait surtout la simplicité de leurs petits rituels. Après les années de désordre et de violence passées auprès

111

d'Emma, il appréciait maintenant cette relation sans heurts, cette vie à basse tension, légèrement monotone, qui devait contribuer – du moins l'espérait-il – à son équilibre.

Pour lui faire plaisir, elle déboucha une bouteille de vin blanc et ils se transportèrent avec leurs verres et leurs assiettes sur la terrasse.

– Tu ne m'as pas dit comment ça se passait entre Ben et son père, remarqua-t-il en trinquant avec elle.

– Je crois que Giovanni lui envoie de temps à autre une carte postale ou un cadeau bon marché pour son anniversaire. Mais pour ce qui est de la situation matérielle de la mère et de l'enfant, il s'en lave visiblement les mains. Ce qui ne l'empêche pas d'évoquer devant sa sœur Teresa son projet de faire venir Ben et de le scolariser à Nicosie... En fait, il a toujours été à moitié mythomane et vantard comme la plupart des coureurs de filles.

– Parce que c'est un coureur de filles ? s'étonna-t-il. Tu ne me l'avais pas présenté ainsi.

– Appelle-le comme tu voudras, lui dit-elle. En tout cas, c'est le genre d'homme incapable de se tenir tranquille, qui s'introduit dans la vie de toutes les femmes qu'il rencontre sur son chemin – et par conséquent dans celle de leur mari –, couche dans leur lit et disparaît le lendemain, sans demander son reste. Tout en multipliant ensuite, évidemment, les actes de contrition.

Homer, haletant d'intérêt, ne disait plus rien, car il avait du mal à comprendre qu'elle ait pu le supporter

112

aussi longtemps… Mais il paraît que vers la fin il s'était un peu amendé.

De son côté, il avait suffisamment éprouvé la pugnacité d'Emma, sa mémoire infaillible et son goût des règlements de comptes, pour savoir que son nouveau compagnon avait tout intérêt à se tenir à carreau et à y regarder à deux fois avant de se lancer dans une autre aventure.

– Tu dois te dire : « La pauvre, quelle vie elle a eue ! », remarqua Sybil, dont les larmes affleuraient par instants. Mais ce n'était pas aussi dramatique que tu crois. Je pense même que j'avais fini tant bien que mal par m'y habituer.

En la voyant si désenchantée d'un seul coup, Homer esquissa le geste de lui soulever doucement les cheveux, pour dénuder son visage, mais n'alla pas plus loin.

Elle ne parut ni étonnée ni particulièrement déçue, peut-être parce que depuis quelque temps leurs rencontres étaient pleines de ces gestes inachevés dont chacun, sans rien dire, gardait la vibration… Quoi qu'il en soit, à neuf heures tapantes, il réunit ses affaires, vérifia qu'il n'avait pas oublié son billet de train et s'en alla, en emportant donc la vibration en question.

20

Depuis combien de temps n'a-t-elle pas marché jambes nues dans la rue ? Cinq mois ? Six mois ? Elle ne sait plus... Ce qui est sûr, c'est que le retour du beau temps, venteux, palpitant, la rend d'un seul coup légère et optimiste, croyant dur comme fer en la protection du hasard.

Aussi, plutôt que de se soucier comme à son habitude des recommandations d'Arno et de ses interdictions plus ou moins voilées, décide-t-elle d'agir à sa guise et de se chercher un café tranquille, bien ensoleillé.

Ana veut bien s'amender sur certains points et reconsidérer entre autres la façon dont elle élève Homi – elle est tout à fait consciente que leur relation n'est pas très saine et que depuis la rentrée les choses vont de mal en pis –, mais, sur le reste, il n'est pas question qu'elle capitule et se laisse dicter sa conduite... Arno peut vitupérer autant qu'il veut, elle ne deviendra certainement pas bonne sœur.

Au contraire, cet étranglement moral, cette pression sourde qu'il exerce sur elle à longueur de journée, lui donne juste envie de se dégager de son emprise et de trouver le plus vite possible un endroit où elle se sentira hors d'atteinte.

Après la Voltaplatz, Ana bifurque donc, sans faire ni une ni deux, en direction du port et des entrepôts, avec un besoin soudain de sentir l'air qui la traverse et de flotter dans les rues.

Au fond, pense-t-elle, pendant qu'elle regarde les convois de péniches descendre le Rhin printanier, sa faiblesse, sa vraie faiblesse, ne tient pas au fait qu'elle serait déraisonnable, mais plutôt qu'elle ne l'est pas assez... Elle est trop soumise, trop soucieuse d'obtenir des certificats de bonne conduite de la part de son mari, au lieu de suivre sa voie et de vivre comme elle en a envie. C'est cela qui la dénature et la rend triste... Car si le jeu de la vie existe, se dit-elle, en reprenant une expression qu'elle a lue quelque part, on peut supposer qu'il faut le jouer jusqu'au bout.

Ana est entrée à l'intérieur du café et s'est installée à une table, près de la fenêtre ouverte. Elle a l'impression d'être la seule femme dans la salle... Connaissant la mentalité suisse, il est très probable que les gens qui l'aperçoivent de la rue prennent sa présence dans un bistrot, au milieu de la matinée, pour de l'alcoolisme et son sourire de bien-être pour du racolage, mais elle s'en moque… Si Arno la voyait, il constaterait qu'elle ne fait rien de mal. Elle est assise tranquillement avec son journal français, toute calme et invisible, et ne parle à personne.

Elle se contente d'écouter discrètement les ouvriers italiens qui sirotent leur bière, disposés par groupes de trois ou quatre autour des tables en bois. Manifestement, certains rient sous cape depuis son arrivée, tandis que d'autres l'observent du coin de l'œil, avec cette façon de sourire qu'ont certains hommes, uniquement parce que les femmes ont une fente entre les jambes.

Mais elle ne leur en veut pas… Elle se sent parfaitement paisible au milieu d'eux, comme s'ils la soulageaient de toute vie personnelle… Elle continue de feuilleter le journal dans son coin et de tirer sur sa cigarette, tout en ayant l'impression de communiquer avec eux par ronds de fumée, à la manière des Indiens.

— Vous croyez que la gauche a une chance de passer? l'interrompt le garçon, apparemment francophone, en lisant par-dessus son épaule. À mon avis, les Français en reviendront comme les autres.

— Je ne sais pas, dit Ana.

— Pour ce qui me concerne, j'en suis revenu depuis longtemps… Vous savez à quoi ils rêvent tous?

Elle fait non de la tête.

— Ils rêvent de taper dans la caisse et de filer au soleil avec leur maîtresse… Contrairement à ce que vous vous figurez, ils se soucient d'abord de leur sort, pas du nôtre. Tout est pour leur pomme.

116

– C'est le cynisme du capitalisme actuel.

– Attendez, redites-moi ça, une seconde…

– Je veux dire que c'est un comportement typique d'une société capitaliste sans foi ni loi, lui répète-t-elle patiemment, en remarquant derrière elle deux ou trois ouvriers qui lui font des signes de la main, comme un encouragement à tenir bon et à rester telle qu'elle est.

– Redites-moi ça encore une fois…

– Maintenant, je crois que ça suffit, lui répond-elle en fouillant dans son sac pour régler sa consommation, avant de prendre la porte… Malgré toute son indulgence, toute sa bonne volonté, il y a franchement des jours où elle désespère du genre humain.

21

Après de longues négociations (Homer prétextant un engagement auquel il ne pouvait pas se soustraire, elle un souci familial), ils avaient tous les deux obtenu un jour de congé exceptionnel au milieu de la semaine, qu'ils décidèrent aussitôt de convertir – vu la température – en excursion dans les environs et en baignade à la piscine. Ce qui leur paraissait sans conteste la meilleure manière de fêter cette journée buissonnière, volée au temps de travail.

À leurs fous rires et leur excitation, à l'intérieur de l'Audi pétaradante, on aurait même pu croire que leur fugue les avait rajeunis en les ramenant à leurs années de collège, lorsque, au hasard d'une grève ou d'une journée pédagogique, ils bénéficiaient subitement d'une liberté inespérée, sans enseignants et sans parents.

Le panneau suspendu au péage indiquait qu'il était seize heures quarante-sept et que la température sous abri était de vingt-neuf degrés… Comme sous l'effet de la chaleur les gaz se transformaient en brume déformante, les voitures qu'ils croisaient semblaient par moments flotter en apesanteur au-dessus de l'asphalte.

Après la sortie de l'autoroute, ils baissèrent toutes les vitres pour créer un courant d'air… La large expansion du paysage à cet endroit, avec ses champs de coquelicots, ses pâtures et ses vaches rassemblées sous les arbres, comme pour un pique-nique, leur donna brusquement envie de changer leur programme et de se perdre ensemble au fin fond d'une campagne inconnue.

– Chiche? fit Homer, accoudé à la portière.

– Chiche!… Tu sais, dit Sybil en redevenant sérieuse, j'ai téléphoné avant-hier à Teresa pour la remercier de ses photos. Et tu vas être content, car elle abonde tout à fait dans ton sens à propos d'Emmanuelle.

– Qu'est-ce qu'elle t'a raconté?

– Je te le dirai tout à l'heure, répondit-elle mystérieusement, en posant sa main sur la sienne, pendant qu'elle continuait à regarder devant elle et que le vent faisait s'envoler la poussière sur les côtés de la route.

Il n'insista pas… Une fois la voiture garée sur le parking de la piscine, ils montèrent les marches, assaillis par une odeur de chlore, avant de se séparer et de se diriger comme il se doit chacun vers sa cabine.

Homer, qui étrennait un boxer-short à rayures, fut le premier à redescendre. Comme prévu, il n'y avait pas grand monde dans le bassin. Quelques mères avec leurs enfants dans le petit bain, une dizaine de nageurs compulsifs dans le grand, progressant, longueur après longueur, sans rien regarder ni s'occuper de personne... En haut du plongeoir, un jeune brun musculeux s'attirait les suffrages d'un groupe de lycéennes béates comme des huîtres.

En attendant qu'elle arrive, Homer avait fini par s'asseoir sur le bord, les jambes ballantes... La chaleur était toujours aussi forte. Poussée par le vent, une feuille de tilleul tombait quelquefois dans l'eau, alors qu'à distance on entendait la rumeur d'un train traversant la forêt.

Lorsque Sybil franchit enfin le pédiluve, l'évidence de sa beauté, amplifiée par la lumière, lui sauta aux yeux. Elle avait les cheveux attachés en catogan et portait un maillot de bain noir, très sage, à peine échancré, qui soulignait sa minceur, avec un joli damier blanc à chaque épaule.

Comme le temps est d'une continuité à toute épreuve, Homer se trouva soudain transporté en esprit vingt-cinq ans en arrière, dans les couloirs d'une auberge de jeunesse hongroise, où chaque soir des filles à moitié dévêtues embrassaient des garçons, devant les portes des douches.

Pour lui, il ne s'était bien sûr jamais rien passé (de toute manière, il ne parlait pas un mot de hongrois)... Mais il éprouva à cet instant le besoin de retourner durant quelques secondes – juste quelques secondes –

dans ces couloirs mal éclairés, afin de ressentir à nouveau l'excitation de ce possible dont il avait si peu profité.

– Tu es prêt? lui demanda-t-elle en le voyant rêvasser.

Ils nagèrent. Ils avançaient entre des mailles de lumière, à longues brasses silencieuses, très régulières, seulement sensibles à la fraîcheur de l'eau, allant et venant tranquillement, uniformément, de l'ensoleillement du petit bain à l'ombre du plongeoir, heureusement sans plongeur… Au dixième ou onzième aller et retour, ils tombèrent d'accord qu'ils n'en feraient pas un de plus.

Une fois installée sur sa serviette de bain, avec son livre, Sybil s'enduisit précautionneusement de crème solaire, en commençant par le visage, puis les bras et les jambes.

– Tu peux m'en mettre derrière le cou, lui dit-elle en écartant les bretelles de son maillot.

À défaut d'être intrépide, Homer était un garçon obligeant, aussi s'agenouilla-t-il docilement derrière elle afin d'enduire de crème sa nuque et ses omoplates.

À un moment donné, tandis qu'il étalait donc consciencieusement la crème sur ses épaules, il eut très nettement l'impression qu'elle vibrait sous ses doigts autant qu'un papillon… Mais il ne tenta pas de l'attraper dans ses bras, ni même de l'embrasser comme il en avait évidemment envie… En partie parce qu'on les regardait, en partie aussi parce qu'il était convaincu que Sybil, de son côté, n'attendait rien d'autre de lui qu'un simple geste de camaraderie, inspiré par l'esprit d'entraide.

– À propos, lui dit-il, pour passer à autre chose, tu ne m'as toujours pas rapporté ta conversation avec Teresa.

– D'après ce que j'ai compris, elle se pose de plus en plus de questions au sujet d'Emmanuelle. Elle la trouve assez embobineuse, essayant d'amadouer tout le monde pour mieux imposer son autorité... Il semblerait, d'après elle, que Giovanni n'ait plus son mot à dire à la maison.

– Je suis prêt à parier qu'il n'est pas au bout de ses peines, s'égaya Homer, en lui racontant, pour lui donner un exemple du caractère despotique de cette fille, que dans les derniers temps il n'avait plus le droit de boire d'alcool, plus le droit de fumer à la maison, ni d'inviter des amis. Tout le monde devait se plier à sa volonté.

– Et tu te laissais faire ?

– Plus ou moins... Ce qui limitait heureusement son autorité, c'est qu'elle n'avait presque pas d'argent et qu'elle dépendait de moi pour payer le loyer. En fait, elle adorait l'argent... Tout institutrice qu'elle était, elle jouait chaque semaine à des jeux idiots, dans l'espoir de toucher un jour un énorme pactole et de faire ce qu'elle voulait. À commencer sans doute par me mettre à la porte, dit Homer, qui, par un reste de pudeur, évita de mentionner les cinq mille euros qu'elle ne lui avait jamais rendus.

– Je ne l'imaginais pas du tout ainsi, reconnut Sybil, qui avait accompagné son réquisitoire de grands hochements de tête.

Si un homme pouvait être l'arbitre de ses propres vertus et faire publiquement état de quelques-unes de ses qualités, Homer aurait aimé pouvoir lui dire que, franchement – sans vouloir du tout se flatter –, il avait été patient avec elle, déraisonnablement patient.

– Je pense même, reprit-il, que c'est à cause de ce côté intéressé et calculateur qu'Emma était quelqu'un de plutôt sage… Avant notre rencontre, je crois qu'elle a peut-être eu – au maximum – deux ou trois expériences, comme ça, mais ce n'était certainement pas son penchant. C'est une fille trop cérébrale pour prendre ce genre de risque.

– Ce qui est plutôt un bon point pour elle, dit Sybil, en se levant pour commencer à rassembler leurs affaires.

On pouvait le voir ainsi.

22

Ce n'est pas beaucoup. En tout et pour tout, ils ont eu une heure de bonheur parfait après déjeuner – juste une petite heure – pendant qu'ils travaillaient ensemble dans le jardin, en lisière de la sapinière, où Homi prétend qu'il construira un jour une cabane.

Par-dessus la haie qu'Arno et elle tentaient tant bien que mal de tailler au sécateur – chacun en haut de son escabeau –, ils pouvaient même apercevoir la chaîne des montagnes ensoleillées et constater, comme à chaque printemps, que dès qu'elles perdent leur neige, elles ont l'air de s'éloigner à des dizaines de kilomètres... Arno, inhabituellement détendu, lui parlait de ses camps de vacances dans le massif de la Jungfrau, avec ses cousins Hans et Mathias, et elle, tout en l'écoutant sur son perchoir, avait l'impression d'aspirer le ciel... Elle se sentait bien.

Et puis ça a été fini. Ils ont tout gâché d'un seul coup... Elle a eu le malheur de lui rappeler au moment de rentrer dans la maison qu'ils devaient deux cents francs à Sonia et qu'elle avait dû payer de sa poche les trois cent cinquante francs réclamés par l'école, si bien qu'il ne lui restait plus rien.

Arno, dont la figure s'est immédiatement allongée, lui a répondu qu'avant de partir à Munich, il lui avait laissé cinq ou six cents francs. Ce qui lui semblait déjà beaucoup, lui a-t-il fait observer, afin qu'elle comprenne qu'il n'était pas non plus une planche à billets.

– J'ai dû faire plein de courses avec Homer. À la vitesse où il grandit, tout est devenu trop court... Moi, je ne me suis rien acheté depuis des mois

– Dis carrément des années.

– Non, des mois.

Ana se rend compte à présent qu'elle n'a pas choisi le bon moment pour lui parler de ça, mais il est trop tard. Elle ne peut pas revenir en arrière.

En raison de son éducation (mais aussi de ses propres dispositions), Arno est assez chatouilleux sur la question de ses économies, comme s'il craignait sans cesse de se retrouver à la rue. Et si elle n'a pas le sens de l'épargne, lui l'a pour deux... Au point que cette attention à l'argent, cette radinerie qu'il revendique et dont il a fait une sorte de principe de réalité, selon son expression, inspire une grande partie de ses choix. S'il paye sans rechigner – avec un souci d'équité très protestant – tous les frais liés à la vie domestique, il est en

125

revanche beaucoup plus regardant pour tout ce qui concerne les à-côtés. En particulier ses à-côtés à elle.

On ne peut vraiment pas dire qu'elle profite des largesses de son mari, comme Betty Trepner qui passe la moitié de l'année aux îles Marquises. Ce n'est pas le genre de la maison... Arno la maintient, de manière absolument calculée, dans un état de dépendance qui l'oblige à justifier chacune de ses dépenses, tout en subissant sans rien dire ses remarques plus ou moins agréables... En réalité, c'est un véritable système de domination, à la fois économique et morale, qu'il a mis en place.

Ana ne sait pas s'il en est fier, mais elle, elle commence sérieusement à trouver ça pesant.

Il est si riche et si sûr de lui, elle est si pauvre et si peu sûre d'elle, que cette situation inégale déséquilibre forcément leur couple... Elle en vient même à regretter quelquefois l'époque lointaine où Arno, encore jeune cadre, avait du mal à boucler ses fins de mois, et où ils vivaient impécunieux et heureux – comme si l'un était le corollaire de l'autre – dans un petit appartement à Zurich, avec Homer encore au berceau.

Mais, pour être tout à fait honnête avec elle-même, Ana est obligée de s'avouer qu'elle n'a jamais été très claire au sujet de l'argent... Non seulement elle a assez vite trouvé naturel de se laisser entretenir, mais le pire – preuve qu'en dépit de ses convictions et de ses beaux discours elle n'est pas à une contradiction près –, c'est qu'elle a elle-même poussé à la roue.

Parce que la réussite d'Arno devait à la fois la valoriser et la rassurer, outre les avantages matériels qu'elle lui procurait.

Ana se souvient très bien à ce sujet d'une bassesse qui lui fait honte aujourd'hui... Quelques années après leur mariage, suite à une sombre histoire de contrat mal négocié en Irlande, Arno s'était retrouvé en grande difficulté, quasi mis au placard par la direction de la société Daimler. Et au lieu de s'inquiéter pour lui, elle avait craint pendant des semaines, dans le secret de son cœur, de devoir partager la vie d'un homme discrédité... Il faut croire que, pour être capable d'une telle réaction, elle tenait joliment à sa rente et à son statut d'épouse décorative.

En y repensant à présent, elle a presque envie de lui dire de laisser tomber et de garder son argent, car elle n'en a pas besoin. Elle ne le mérite pas... Mais c'est lui, s'écartant de ses habitudes, qui insiste pour qu'elle prenne son chèque.

– Je t'ai mis cinq cents.

– C'est trop, tu le sais bien.

– Avec toi, Ana, ce n'est jamais trop, remarque-t-il, comme pour accroître son inconfort moral... Et parce que je veux bien croire que tu n'as plus beaucoup d'agent liquide, j'ajoute trois billets de cinquante, à titre gracieux. Tu es satisfaite ?

– Merci, dit-elle bêtement.

Elle aurait mieux fait de lui dire qu'elle n'avait pas besoin, en plus, de sa compassion.

Un jour, il lui sortira que si elle continue de vivre avec lui et Homer dans cette grande maison qui lui coûte tant d'argent, c'est par un pur effet de sa bonté. Et qu'est-ce qu'elle lui dira?

23

Les salles avaient été récemment réaménagées, mais le tableau était toujours là, semblable à un rectangle noir et rouge, avec au centre cette carcasse éclairée d'en haut... Homer se rappelait évidemment la bête pendue par les pattes, montrant ses entrailles blanches et ses traînées de sang. En revanche, il était resté persuadé que la jeune femme représentée tout à l'arrière-plan – manifestement une servante – se tenait adossée à un mur, alors qu'en fait elle est dans l'entrebâillement de sa porte et regarde, non pas la carcasse, comme il l'avait cru, mais le spectateur auquel elle a l'air d'adresser un sourire ambigu.

– Je suis sûr que s'il n'y avait pas cette servante à sa porte, en train de nous fixer des yeux, la scène apparaîtrait différente, fit-il remarquer à Sybil, en parlant tout bas pour ne pas ajouter au brouhaha ambiant... Ce serait juste un extraordinaire morceau de peinture réaliste, comme on en peignait à cette époque, et on ne se poserait pas plus de questions. On ne se demanderait pas pourquoi Rembrandt a eu besoin de peindre ce bœuf supplicié.

Sybil, qui s'était reculée, lui avoua qu'elle n'avait aucun souvenir d'avoir vu ce tableau. Elle n'était pas venue au Louvre depuis peut-être sept ou huit ans, lui dit-elle, en comptant sur ses doigts. Elle n'était donc pas vraiment qualifiée pour lui parler des intentions du peintre... Tout juste se permit-elle de lui souffler à l'oreille qu'il poussait peut-être le bouchon un peu loin au sujet de la servante – s'il s'agissait bien d'une servante –, car elle était si minuscule qu'on la distinguait à peine.

– C'est assez vrai, concéda Homer, qui ne lui connaissait pas cet esprit frondeur. Pourtant, en t'approchant, tu peux apercevoir sa petite moue moqueuse... Et je ne pense pas qu'elle se moque du spectateur. Elle se moque plutôt de ce pauvre bœuf qui a l'air tellement humain, tellement masculin.

À ce point d'émotion – il entendait d'ailleurs le léger vibrato de sa voix –, Homer n'aurait pas eu besoin qu'elle insiste beaucoup pour lui révéler sous le sceau du secret que ce bloc de chair suspendu à une poutre, ce corps châtré et décapité, était probablement une projection de Rembrandt lui-même, expiant ses fautes. Mais elle n'insista pas.

De toute façon, il ne se voyait pas lui dire ça... Sybil était trop logique, elle se méfiait trop d'un certain lyrisme doloriste propre aux hommes pour adhérer à ce genre d'explication.

Ce qui, par ricochet, le fit se souvenir que dans leurs conversations elle ne lui parlait jamais – sans doute par pudeur – de ce qu'elle avait vu au théâtre ou au cinéma, ou bien de ce qu'elle avait lu récemment (à part David Lodge).

Et Homer se rendit alors compte, avec une sorte de pincement, qu'il ne s'était jamais posé la moindre question à propos de ce qui pouvait lui plaire, lui faire battre le cœur, et qu'il n'avait même pas eu l'idée, quand il était chez elle, de jeter un œil sur ses livres ou de fouiller dans ses disques. Il s'en étonnait à présent, mais sans le regretter non plus… Il faut croire qu'il n'avait pas envie de lui ôter ses secrets, ni d'être tenté de la juger.

Il la prit ensuite par le bras pour l'entraîner dans les autres salles et remarqua, à cet instant, avec une bonne heure de retard, qu'elle s'était fait une très jolie coiffure, avec une tresse en couronne… Ils s'arrêtèrent un moment pour regarder les grands bassins dans la cour, puis se perdirent dans le labyrinthe des peintures françaises, à la recherche d'un autoportrait de Delacroix, à la place duquel ils découvrirent le tableau d'un énorme chat installé sur les genoux d'une petite fille en bleu.

Comme le Delacroix était apparemment introuvable, ils prirent un autre couloir et débouchèrent finalement, tout au fond d'une salle déserte, en face du

Pierrot blanc, peint en grandeur naturelle, avec la large auréole de son chapeau et les jolis rubans roses de ses souliers... Homer n'avait pas oublié son visage lunaire et un peu hébété, pendant que ses petits camarades, dans son dos, s'amusent à tourmenter un âne.

– *Heureux les pauvres en esprit*, dit-il, sur le ton de la prière, avant de l'amener voir les autres tableaux de Watteau.

– Je suis prête à parier que tu ne connais pas ce poème de Jammes sur les ânes, qu'on apprenait au collège.

– Je ne connais même pas son nom.

– *Je prendrai mon bâton*, lui récita-t-elle dans l'escalier, *et sur la grande route j'irai et je dirai aux ânes, mes amis : Je suis Francis Jammes et je vais au Paradis... Venez doux amis du ciel bleu, pauvres bêtes chéries...* J'avoue que j'ai oublié la suite. Je sais seulement qu'à la fin il est question d'un *ruisseau touffu* où tremblent des cerises.

Ils se retrouvèrent un peu plus tard sur les quais de Seine, moulus de fatigue et marchant à petits pas, comme s'ils suivaient des ânes, au moment où une sorte d'énorme nuage thermonucléaire, venu de l'autre côté du fleuve, commençait d'assombrir les rues environnantes.

– Je crois qu'on ferait mieux de prendre le métro si on ne veut pas être douchés, la prévint-il.

Une fois chez lui, Sybil s'installa tranquillement sur le canapé pour fumer une cigarette, le temps qu'il remette un peu d'ordre dans la cuisine et prépare les amuse-gueules et les boissons. Il lui semblait se souvenir qu'elle avait un faible pour le martini dry et les pointes d'asperges sur canapés.

— Tu as l'air toute pensive, remarqua-t-il en apportant les assiettes.

— C'est peut-être à cause des tableaux qu'on a vus... Tu ne t'es jamais fait la réflexion que la souffrance était ton petit moteur amoureux?

— Pourquoi tu me dis ça? fit Homer, qui espérait avoir mal compris.

— Je te dis ça parce que, comme par hasard, tu as vécu des années avec quelqu'un qui n'a pas cessé de te piétiner.

Homer trouva le fil de son raisonnement à la fois malin et un peu ténu, mais renonça à lui répondre sur-le-champ, parce qu'il avait eu la mauvaise idée de boire du gin et qu'il ne se sentait franchement pas en état de soutenir une conversation là-dessus.

Ils restèrent donc un long moment silencieux à écouter le bruit de l'orage dehors, Sybil toujours assise, jambes croisées, et lui vaquant au service pour se donner une contenance. À un moment donné, croyant qu'il allait enfin se mettre à pleuvoir, il passa sa main par la fenêtre, mais la pluie ne venait toujours pas.

— Je suis persuadé, dit-il en cherchant ses mots, comme s'il traduisait sa pensée en français, qu'en réalité personne n'aime souffrir... On aime d'abord aimer, et il se trouve parfois que la souffrance est le prix à payer. Mais ce n'est absolument pas le but. C'est une sorte de supplément dont on se passerait volontiers.

– Je te soupçonne quand même de préférer les amours non partagées, lui dit-elle, avec un frisson d'humour.

Homer, qui commençait à s'interroger sur ses arrière-pensées, lui promit que ce n'était pas le cas et qu'il ne connaissait du reste personne autour de lui souffrant de ce genre de dérèglement... Absolument personne, insista-t-il.

À défaut de la persuader, son ton catégorique dut lui faire pressentir que cette discussion risquait de troubler leur belle harmonie, car elle abandonna le sujet et se leva pour examiner sa bibliothèque. Visiblement plus curieuse que lui.

– Je m'attendais à trouver des livres de peinture ou de musique, mais pas autant d'ouvrages médicaux, s'amusa-t-elle. J'imagine que tu es hypocondriaque, comme la plupart des hommes.

– Ce doit être une manière d'occuper notre temps.

En la voyant tourner lentement, tranquillement, les pages de ses livres, Homer, l'espace de quelques secondes, fut traversé par la sensation troublante qu'elle était en train de le déshabiller... Il estima donc plus sage de retourner dans la cuisine pour voir s'il ne pouvait pas lui proposer de partager son dîner.

Mais il paraît que c'était impossible, à cause de son amie Géraldine qu'elle devait raccompagner en voiture.

De toute évidence, elle ne songea pas un instant qu'il pouvait s'agir d'une manœuvre de sa part destinée à la retenir chez lui. Et elle avait entièrement raison, car il n'y pensa que beaucoup plus tard, lorsqu'elle fut repartie.

24

C'est exactement cela, se dit-elle... Elle lui fait penser à un écureuil. Avec ses petites incisives, ses yeux vifs, sa démarche sautillante.

– Maya a eu six ans vendredi dernier, lui précise Rémi Metzer, qui l'accompagne dans le jardin.

– Alors, bon anniversaire, Maya, lui dit-elle en se baissant pour l'embrasser. Tu as invité tous tes petits amis de l'école?

– J'ai quatorze amis, répond-elle sérieusement. Treize filles et un garçon. Mais j'ai aussi invité mes deux cousins, Alexandre et Valentin, et mon nouveau voisin, Pablo.

Sous les arbres, au fond du jardin, on a disposé pour eux une grande table ovale, recouverte d'une nappe blanche qu'embellissent des pyramides de fruits et de bonbons, des bouteilles colorées et une multitude de gâteaux.

– C'est magnifique, dit Ana, en apercevant les robes des petites filles vibrer dans l'ombre.

Elle voudrait pouvoir dire à Rémi (elle le sent légèrement fébrile à côté d'elle) combien elle est contente d'être là, aujourd'hui, au milieu d'eux. Mais il faut croire que leurs souvenirs sont encore trop vivaces pour qu'ils puissent se comporter naturellement.

– Je ne sais pas si je t'ai dit que Maya était née à Caracas, où nous avons habité avec sa mère durant quatre ans... Je vais te présenter Juana, dit-il, en faisant le geste de la prendre par le bras.

Et, coïncidence ou pas, à l'instant exact où il pose sa main sur elle, la mémoire lui revient... Jusque-là, elle avait du mal à reconnaître Rémi Metzer dans cet homme un peu sans âge, avec une moustache et un petit collier brun, qui lui parlait de sa femme et de sa fille d'une voix mal assurée. Mais c'est bien lui... Ce sont ses doigts sur elle.

– Enchantée, lui dit Juana, en la fixant curieusement.

– J'ai un petit garçon, Homer, qui a trois ans de plus que votre fille. Elle est vraiment adorable.

– Merci, c'est gentil. Mais vous auriez dû amener votre fils. La fête manque de garçons.

Comme dans un tel cas de figure il y a un embargo tacite sur la plupart des sujets de conversation – et que Rémi, entre elles deux, semble frappé d'aphasie –, elles ne sont pas mécontentes l'une et l'autre de pouvoir

137

s'entretenir des enfants et des anniversaires. Ce qui, au moins, ne froisse personne.

— Pablo et Clémentine se sont enfermés dans les toilettes ! vient leur annoncer une petite rousse, avec une tête de cafteuse.

La diversion tombe à point.

— Depuis tout à l'heure, je suis sur des charbons ardents, lui avoue Rémi, en l'entraînant à l'écart. Je ne sais pas comment certains parviennent à mener une double vie, mais moi, j'en serais incapable... À ce propos, tu te souviens de Frédérique Vogel, qui devait être en première, à Montaigne ?

— Une grande, avec des lunettes teintées ?

— C'est ça. J'ai appris il n'y a pas deux jours qu'elle avait disparu dans la nature, avec son patron... Et Muriel Téroux, tu as de ses nouvelles ?

— Aucune. Je suppose qu'elle vit toujours avec son peintre, Aldo ou Alex, je ne sais plus, lui avoue Ana, tandis qu'elle a vaguement le sentiment de se promener à ses côtés dans un pays pacifié, où tout resplendit dans la belle lumière des jours d'antan.

— Je ne t'ai pas dit que j'étais devenu professeur.

— Professeur de quoi ?

— J'enseigne la physique-chimie, en partie au collège, en partie au lycée. Je m'occupe aussi du ciné-club. Ce n'est pas si mal en fin de compte.

Il a l'air sincère... Elle qui croyait à l'époque, vu ses dons et l'ascendant qu'il exerçait sur les autres, qu'il deviendrait un jour un leader politique ou un grand cinéaste, et qu'elle serait terriblement fière d'avoir été sa première amoureuse, elle se sent presque trahie.

« Pourquoi tu t'es résigné à ça ? » a-t-elle envie de lui demander. Sauf qu'elle n'est pas sûre d'être qualifiée pour lui faire la leçon.

– Côté finances, c'est évidemment un peu juste… Par chance, Juana gagne assez bien sa vie.

– Moi, c'est encore moins brillant, je vis carrément aux crochets de mon mari.

– Et ça ne te dérange pas ?

– Pablo et Clémentine, je vous demande de sortir immédiatement ! s'énerve un adulte en survêtement rouge, qui doit être le père de l'un des deux… Et d'abord, qu'est-ce que vous faites ?

– On fait rien du tout ! crient les enfants, sans sortir.

– Je compte jusqu'à dix.

Sans même avoir besoin de se donner le mot, Rémi et elle en ont profité pour disparaître et aller se cacher à l'intérieur de la maison, dans la petite pièce qui lui sert de bureau.

– Ta femme ne risque pas de s'apercevoir qu'on s'est éclipsés ?

– Elle est trop accaparée par les gosses… Et puis, que je sache, on a bien le droit d'aller dans la maison, dit-il, comme pour se rassurer… Viens un peu dans mes bras, je t'en prie… Tu ne peux pas savoir combien tu m'as manqué toutes ces années.

Le son de sa voix paraît soudain si triste, si suppliant, qu'Ana, après un temps d'hésitation, s'abandonne un instant dans ses bras, parce qu'elle a confiance en lui – c'est le bénéfice de s'être aimés – et qu'elle lui est toujours reconnaissante des instants de bonheur qu'il lui a donnés autrefois.

– Je n'aurais jamais dû partir, lui souffle-t-il à l'oreille. J'aurais dû t'attendre et passer ma vie à tes côtés... Avoir des enfants avec toi...

– Arrête, Rémi, le réprimande-t-elle doucement, en s'écartant de lui. Tu n'as pas le droit de dire ça.

Elle ne sait même pas s'il prend la mesure de ce qu'il vient de lui déclarer. Comme si on pouvait passer Homer et Maya par profits et pertes. Comme si tout n'était pas définitif, désormais, et qu'on pouvait encore nourrir le regret d'une vie où ils ne seraient pas nés.

Elle l'embrasse pourtant... Et quand il la serre contre lui, en la raccompagnant jusqu'à la gare, elle n'est pas sûre qu'il ait réellement compris qu'elle est en train de sortir de sa vie, comme il était sorti de la sienne.

25

Tous les deux se tenaient à cet instant assis l'un en face de l'autre, presque jambes contre jambes, tant leur embarcation était étroite… Ils avançaient silencieusement, sans bouger, portés par le courant, pendant que le soleil disparaissait peu à peu derrière les arbres.

– Qu'est-ce que tu voulais dire tout à l'heure? fit-elle soudain.

– Tout à l'heure? répéta Homer, en se rendant compte qu'il venait de perdre le fil de sa pensée et qu'une réalité en avait remplacé une autre.

Comme ils n'aimaient rien tant que discourir ensemble, leurs bavardages, commencés à la maison, se poursuivaient tout le temps de leurs excursions, entre-coupés par de longs silences que provoquaient, ici et là, leurs contacts physiques… De sorte que ces intervalles vibratoires, en se répétant, finissaient par leur faire oublier le sujet de leur conversation.

– Je suis sûre que ça va te revenir, dit-elle, penchée à l'avant de la barque, afin de surveiller les branches qui menaçaient de barrer le cours de la rivière.

Homer, qui s'était remis à manœuvrer pour s'approcher de la rive, sentit à nouveau dans le dos et dans les bras ses muscles douloureux, parce qu'il n'avait pas ramé depuis des années... Aussi ne fut-il pas mécontent d'apprendre qu'ils touchaient au but.

La barque rendue à son propriétaire, ils revinrent l'un derrière l'autre à travers champs, en se guidant au clocher de l'église, avant de tourner à hauteur d'une construction en bois et d'emprunter une sorte de sentier herbeux qu'ils voyaient pour la première fois.

Homer, qui s'était mis torse nu, prétendit que lorsqu'ils marchaient ainsi, dans les herbes hautes, tout seuls dans la campagne, ils avaient de faux airs de Maureen O'Sullivan et de Johnny Weissmuller éclairés par le soleil d'un paradis perdu.

– Ce sont effectivement de faux airs, s'amusa Sybil.

Comme ils n'avaient pas d'itinéraire précis, ils suivirent le sentier jusqu'à un pont qui semblait à l'abandon et décidèrent de continuer dans cette direction, baissant instinctivement la tête pour passer sous la voûte... Ils remarquèrent ensemble qu'il faisait sombre et que leurs voix résonnaient étrangement.

Conscient que l'occasion ne se représenterait pas de si tôt, Homer eut subitement envie de profiter de la pénombre ambiante pour l'embrasser dans le cou... Il se sentait prêt. C'était le moment.

Deux minutes plus tard, ils revinrent à la lumière et, sans qu'il sache comment, le moment était déjà passé.

Homer fut donc obligé de renoncer encore une fois à ses projets. Même si une grande part de lui-même n'était absolument pas d'accord et regrettait amèrement sa balourdise. Au point que plus tard, alors qu'il avait allumé une cigarette pour se remettre de sa déconvenue, il sentait toujours le flux de son excitation jusqu'au bout des doigts.

– Tu n'as toujours pas répondu à ma question, lui rappela Sybil, qui semblait ne se douter de rien.

– À propos de ma vision de l'avenir?

– Oui, à propos de ta vie personnelle plus tard… Car tu es jeune et j'imagine que tu n'es pas encore résigné.

– Oh, ma vie personnelle! Tu sais, elle a été si bien cassée que je me sens incapable de faire ce genre de projections, dit-il en remettant sa chemise, parce qu'ils étaient sur le chemin du retour.

Après le dîner, fidèles à leurs rituels, ils échangèrent quelques balles de ping-pong comme si de rien n'était, jouèrent du piano (toujours Trenet) et s'installèrent finalement dehors, sur les transats, car l'obscurité était chaude comme l'eau d'un bain

– Tu ne penses pas, revint-elle à la charge, en lui tendant un verre de vin, qu'avec le temps tu finiras par te débarrasser de tes appréhensions?

Homer, qui croyait deviner où elle voulait en venir, sans en être tout à fait sûr, aurait pu se contenter de lui dire simplement et honnêtement qu'en ce moment il aspirait surtout à rester libre... Seulement, il crut bon de lui expliquer que sa déroute avec d'Emmanuelle lui avait enlevé ses dernières illusions : en particulier, ses illusions sur le grand amour et la vie de couple.

— Il suffit d'ailleurs de faire un pas de côté, remarqua-t-il, de partir en voyage et de vivre quelque temps à l'étranger, pour se rendre compte qu'on peut très bien s'en passer... Je ne sais pas pourquoi les gens meurent d'envie d'être aimés.

Comme elle l'observait sans rien dire, il eut la vague impression que sa déclaration ne produisait pas un très bon effet.

Ce n'était du reste pas la première fois qu'ils s'observaient ainsi avec circonspection... Chacun, à cause de ses déboires passés, devant se demander secrètement si l'autre pourrait un jour lui apporter la réparation qu'il était en droit d'espérer ou s'il s'était encore trompé.

— Mais peut-être que je me fais des idées. Je ne suis, après tout, ni moraliste ni psychologue, lui concéda-t-il, à la manière d'une personne qui essaie de rétrograder parce qu'elle sent le vide sous ses pieds.

Là-dessus, alors qu'il l'aidait à rentrer les chaises longues, il s'aperçut catastrophé en jetant un coup d'œil à sa montre qu'il avait raté le dernier train pour Paris.

— Ce n'est pas un drame, le rassura Sybil, qui visiblement ne lui tenait pas rigueur de ce qu'il venait de lui dire. Il y a quatre chambres libres dans la maison. Tu as donc le choix.

Homer, qui refusait de croire aux actes manqués et ne voulait voir dans ce qui lui arrivait qu'une conséquence de sa distraction habituelle, la regarda avec une nuance interrogative, tant la situation lui paraissait embarrassante.

– Je suis vraiment navré, s'excusa-t-il.

– Mais ce n'est pas grave du tout, je te l'ai déjà dit.

Certes... Il n'empêche qu'il n'était pas fier de lui et qu'il s'en voulait de devoir la déranger. Aussi, malgré l'insistance de Sybil pour qu'il couche dans un des lits disponibles, s'infligea-t-il de dormir tout habillé sur le canapé du salon.

Allongé sur le ventre, les deux pieds dépassant du canapé, il entreprit donc, après force contorsions, de rassembler son corps encombrant autour de lui, à commencer par les bras, puis les jambes et les pieds, de façon à entrer tout entier dans le sommeil, sans rien oublier.

Plus tard, un bruit de claquement le sortit d'un rêve confus... En ouvrant les yeux, il constata alors, sans pouvoir y croire, que Sybil se tenait à côté de lui, assise sur une chaise, à la manière d'une mère inquiète veillant sur le sommeil de son enfant... Il devait être une heure ou deux du matin... Une branche n'arrêtait pas de toquer contre la vitre.

Homer, qui avait immédiatement refermé les yeux pour faire semblant de dormir, la joue droite appuyée sur un coussin, laissa néanmoins filtrer son regard entre ses paupières, profitant de la faible lumière qui éclairait le couloir... À son inclinaison sur la chaise, aux mouvements de ses épaules, il avait l'impression inquiétante que Sybil était en train de pleurer.

Sur le moment, il crut qu'elle pleurait sur lui – peut-être, pensa-t-il, parce qu'il était gravement malade, sans le savoir –, avant de se souvenir des propos qu'il avait tenus dans le jardin, sans même se rendre compte à quel point tout cela avait dû lui paraître sinistre et passablement décourageant.

Je me suis tiré une balle dans le pied, se dit Homer, qui commençait à se rendormir malgré lui.

Un peu avant sept heures, il poussa discrètement la porte du jardin pour faire entrer le chat (qui finalement s'appelait Maurice), puis s'autorisa à rester encore dix minutes sur le canapé, les bras le long du corps, goûtant la pénombre matinale et les premiers chants d'oiseaux.

Il avait déjà terminé son petit déjeuner lorsque Sybil apparut dans la cuisine, vêtue d'un long t-shirt qui lui arrivait aux genoux. En dépit de son sourire, elle avait la mine chiffonnée d'une femme qui n'a pas fermé l'œil de la nuit.

– *Good morning*! chantonna-t-il, avec un entrain forcé (mais sans faire de claquettes), afin d'effacer la mauvaise impression qu'il avait pu lui laisser.

– *Good morning*! répondit-elle, de sa voix enrouée, en lui ébouriffant gentiment les cheveux.

Tout était donc pardonné… Quand il sortit dans la rue, Homer constata que le jour se levait et qu'il était inconditionnellement amoureux de cette femme.

26

Évidemment, le mot fait toujours peur aux gens... Mais si elle se déclare communiste, si elle a le sentiment d'appartenir à la grande famille communiste, lui dit-elle, c'est dans un sens à la fois très large et très personnel du terme, étant donné qu'elle n'a jamais songé une minute à prendre la carte du Parti et qu'elle serait bien incapable, lui avoue-t-elle sincèrement, de citer un seul des membres du Comité central... Non, ce qui l'émeut, c'est le rêve du communisme, le rêve de la communauté communiste, ce n'est pas le Parti... Et elle trouve d'ailleurs qu'il y aurait pas mal de choses à redire sur certaines des stratégies électorales de ses dirigeants.

– Ne me dis pas que la victoire de Mitterrand ne t'a pas fait plaisir.

Ce n'est pas à cela qu'elle pensait. Car elle a beau soupçonner Mitterrand d'être faussement de gauche, elle doit reconnaître qu'il lui a fait plaisir et qu'elle est plutôt fière d'avoir voté pour lui. Il avait promis dans son programme de faire tomber le mur de l'argent et de ramener les communistes au gouvernement : c'est fait… Ce n'est certainement pas en Suisse qu'on verrait cela.

– Encore heureux. Les pays communistes sont tous en faillite et leurs populations n'aspirent qu'à se carapater. Ce qui n'est pas du tout le cas des Suisses, comme tu as dû le remarquer.

Par moments l'ironie et la mauvaise foi d'Arno la découragent de parler. Elle ne sait même pas pourquoi elle continue de discuter avec lui… Elle pourrait pourtant lui répondre, à propos des échecs auxquels il fait allusion, que c'est somme toute la même chose qu'en amour : des années plus tard, on se dit qu'on aurait dû faire les choses différemment, alors qu'en réalité, on a fait sur le moment tout ce qu'on était capable de faire… Mais elle n'a pas envie de s'aventurer sur ce terrain.

– Tu sais, tout à l'heure, je pensais à autre chose, qui n'a aucun rapport : je me disais que puisque Sonia t'a dit qu'elle était disponible pour garder Homer, on pourrait en profiter pour sortir ce soir et aller au restaurant.

– À condition qu'on ne parle pas de politique.

– C'est promis. Pas de politique… J'ai juste besoin d'un petit quart d'heure pour me préparer.

À cet instant, la joie d'Ana est telle que de devoir attendre un quart d'heure lui paraît à la limite du supportable. Elle monte se changer en quatrième vitesse, avant de se souvenir à temps qu'elle n'a pas prévenu

Sonia, ni téléphoné au restaurant... Encore dix autres minutes de perdues.

– J'ai commandé un taxi, lui dit-il en terminant de nouer sa cravate devant la glace.

Ana se rend soudainement compte que, même si elle vitupère souvent son orgueil et son rigorisme, la beauté sévère d'Arno continue de l'impressionner. Surtout lorsqu'il est habillé tout de noir et de gris comme ce soir, avec son petit gilet de soie, son col cassé et ses lunettes de clergyman.

En roulant en direction du pont du Rhin, ils constatent que la tiédeur printanière a repeuplé subitement les rues et les parcs de la ville. Les allées sont pleines d'enfants à vélo ou bien en train de taper dans un ballon, tandis que des jeunes femmes au poignet délié jouent au frisbee sur les pelouses humides de rosée.

– On ne croirait jamais qu'il est neuf heures du soir, s'étonne Arno en descendant du taxi.

Un bonhomme en grand uniforme se tient tout en haut des marches de l'escalier, sans plus bouger qu'une statue, à part une légère inclination de tête destinée à leur souhaiter la bienvenue... Peut-être que le bonheur aussi a besoin de cérémonie, se dit Ana, au moment où les portes du restaurant s'ouvrent toutes seules devant eux.

Comme il n'y a pas un souffle d'air, ils choisissent finalement de dîner sur la grande terrasse, juste au-dessus de l'eau. Ensuite, ils attendent en silence que quelqu'un veuille bien leur apporter une coupe de champagne, alors qu'en bas, à même pas cinquante mètres, deux énormes policiers soulèvent par les bras un jeune homme récalcitrant, dont les pieds pédalent dans le vide. De toute évidence, ils ne l'emmènent pas au cinéma.

– C'est sûrement un communiste, plaisante Arno.

Ana, qui ne sait pas si elle doit en rire ou s'en indigner, préfère ne pas répondre.

– À quand remonte notre dernière sortie en amoureux ? lui demande-t-il, en changeant de sujet.

– À un peu plus d'un an, si je ne me trompe.

À présent qu'ils sont seuls, en tête-à-tête, Ana découvre à quel point ils se sont déshabitués l'un de l'autre et s'en trouvent presque embarrassés… Arno a beau faire de louables efforts pour ne pas se frotter les mains et regarder sa montre comme à son habitude, elle le sent tendu et pressé de boire sa coupe de champagne.

– Je ne t'ai pas parlé de ma rencontre avec Rémi Metzer, lui dit-elle, pour venir à son secours.

– C'est vrai que tu ne l'avais jamais revu. Alors, ça s'est passé comment ?

– On va dire convenablement. Car j'ai toujours de l'affection pour lui. Bien que les raisons que j'avais autrefois de le trouver fascinant ne me semblent plus du tout aussi évidentes… En fait, il m'a un peu refroidie. On dirait que son mariage et sa paternité l'ont rendu anxieux et un peu falot.

– Ce n'est pas très gentil de ta part. Au fond, tu regrettes d'y être allée.

151

— Non, pas vraiment… C'était une journée bizarre, assez mélancolique, mais, en partant, j'ai eu l'impression d'être débarrassée d'un fantôme.

— Alors à la nôtre et au fantôme de Rémi Metzer! dit Arno en soulevant sa coupe. Maintenant, j'ai faim… Qu'est-ce que tu dirais d'anguilles *grillées à la japonaise*?

— Comme tu veux. Avec du saké froid, ce serait très bien.

Pendant qu'ils dînent dans la pénombre, ils entendent en dessous d'eux le bruit du fleuve et les cris des nageurs qui résonnent sous les voûtes du pont. Sans doute des étudiants en train de fêter la fin des examens. Ils doivent être une vingtaine de garçons et de filles à s'éclabousser joyeusement.

— C'est fou, la nuit est si claire qu'elle paraît blanche, remarque Ana.

— Tu as envie de sauter dans l'eau?

— Merci bien. Je crois que je préfère qu'ils le fassent à ma place. Je n'ai plus vingt ans.

Au moment de se lever de table, Ana éprouve une brusque faiblesse dans les jambes, qui la fait chanceler et s'accrocher au bras d'Arno.

— J'ai dû boire trop de saké, s'excuse-t-elle, en pouffant de rire.

— Je pense qu'il vaut mieux qu'on reprenne un taxi, tu ne crois pas?

— Il vaut mieux, en effet. Sinon, je rentre à quatre pattes.

27

Pendant des jours, au cours de ses voyages et de ses soirées à l'hôtel, Homer se remémora cette nuit dans la maison de Sybil... Cette scène étrange et muette, complètement détachée du temps, sans doute parce qu'elle s'était déroulée dans l'obscurité et qu'il était à moitié endormi. Et, bizarrement, à force d'y repenser, il fut de moins en moins sûr d'avoir vu Sybil pleurer.

Car son attitude à côté de lui, telle qu'il pouvait se la rappeler à présent – son silence, sa tête inclinée sur la poitrine –, laissait plutôt supposer qu'elle était endormie sur sa chaise... En tout cas, dans son souvenir, c'était un moment très beau, à l'égal d'une première nuit d'amour sans baisers, sans étreintes, sans paroles.

Tomber amoureux à cause d'un geste ou d'un sourire, Homer était à même de le comprendre, mais à cause d'un silence?

Le lendemain matin, quand Sybil était apparue dans la cuisine, il s'était d'ailleurs bien gardé de faire le moindre commentaire, de crainte de rompre le charme qui les reliait secrètement.

En la revoyant deux semaines plus tard, dans son cadre habituel, Homer eut la sensation que ce silence nocturne continuait de les envelopper, alors qu'ils marchaient en ville à la recherche d'une épicerie... Mais visiblement il n'y avait pas l'ombre d'une d'épicerie ouverte dans le quartier. Ils poussèrent donc jusqu'à la place du marché, puis vers la gare, envoûtés par le vide des rues, et finirent par se rendre à l'évidence : ils devraient déjeuner au restaurant.

– Le dimanche, tous les commerces ferment à partir de treize heures, lui rappela-t-elle en glissant sa main dans la sienne, comme par distraction. Les gens sont soit en train de déjeuner chez eux, soit déjà au bord de l'eau.

Homer, qui avait plus de difficulté qu'elle à dissocier le geste de la parole, se demanda ce qu'il était censé lui répondre.

Après l'église, ils obliquèrent vers le bas de la ville, jusqu'à la rue du pont où toute la ville semblait s'être donné rendez-vous... Indifférent aux embarcations et à la foule des curieux, un pêcheur avançait périlleusement au milieu de la rivière et aurait pu être emporté – le courant commençait à faire ventouse autour de ses jambes, son corps à osciller dangereusement – si quelqu'un d'énergique n'avait pris l'initiative de lui lancer une corde et de le tirer vers la berge.

Rassurés sur son sort, ils déjeunèrent à la terrasse d'un petit établissement caché derrière des arbres, jouissant de la paix méridienne et de la douceur du vent... Ils avaient pour voisins immédiats un couple de Chinois débonnaires, avec leurs deux petites filles et leur chien barbet. C'était un animal vraisemblablement bilingue auquel les membres de la famille s'adressaient tantôt en français, tantôt en mandarin. À l'arrière-plan, deux jeunes Anglaises buvaient du Pernod, leur portable collé à l'oreille.

– Est-ce que tu as remarqué, lui dit Sybil, que les gens qui téléphonent dans la rue emploient tous les mêmes expressions, nous y compris?

– Tu veux dire qu'ils emploient les mêmes mots?

– Les mêmes mots, les mêmes phrases, avec exactement les mêmes intonations. À croire qu'on est tous identiques... Je trouve ça vertigineux.

Homer, qui l'écoutait, fourchette en l'air, lui proposa une autre explication : les gens sont aliénés à leur portable. Et, de fait, ce sont les portables qui parlent à leur place... Au lieu de « Jérémie m'a demandé si j'étais libre demain », on devrait dire : « le portable de Jérémie m'a demandé si j'étais libre demain », dit-il, en imitant la voix de l'ordinateur Hal.

Mais c'était de la science-fiction et elle préférait son idée à elle, son idée d'universalité... Homer ne s'en étonna qu'à moitié, tant c'était une idée qui lui ressemblait.

Ils se promenèrent un instant le long de la rive couverte de libellules, puis, sans se concerter, s'aventurèrent dans un chemin étroit, où ils durent progresser l'un derrière l'autre, caressant au passage des buissons d'où sortaient des courants d'air chaud.

À l'intérieur du sous-bois, ils purent enfin marcher côte à côte sous les arceaux des branches et les nuées de moucherons en vol stationnaire... Sybil ayant discrètement repris sa main, chacun à cet instant était en mesure de sentir la pulsation de l'autre qui rythmait son émotion, tandis que des pommes de pin craquaient sous leurs pieds.

– On est bien, remarqua Homer, qui avait l'impression de marcher dans une forêt miniature.

– Cela fait si longtemps que je n'ai pas tenu la main d'un homme, crut-elle bon de s'excuser.

– Et moi celle d'une femme, répondit-il, en faisant un écart pour laisser passer un groupe de randonneurs à vélo.

– Justement, je repensais encore hier soir aux conséquences de ton histoire avec Emmanuelle et je me demandais comment tu avais pu ne pas deviner tout de suite que vous n'étiez pas faits pour vivre ensemble.

– Parce que j'ai manqué d'intuition... Mais je te ferai remarquer que, de ce côté-là, nous sommes tous les deux logés à la même enseigne.

– Sauf que moi, j'étais jeune et sans aucune expérience des hommes, se défendit-elle.

– Je ne suis pas sûr que ce soit une question d'âge. Il a dû nous manquer, à toi autant qu'à moi, cette forme d'intuition animale qu'on appelle l'instinct... En fin de compte, au lieu d'aimer instinctivement, on a aimé imaginairement.

– Mais ce n'était pas imaginaire du tout, protesta-t-elle en lui lâchant la main, j'ai aimé cet homme de toutes mes forces.

Il préféra ne pas répliquer, parce que la conversation commençait à tourner en rond en même temps que les chemins du sous-bois... Il faillit lui proposer de rentrer en empruntant la petite route qui menait au pont, lorsque Sybil se retrouva soudain sur les genoux. Sans cause apparente.

– Mon pied a dû glisser sur quelque chose, dit-elle en se cramponnant à lui pour se relever.

Homer se rendit alors compte qu'elle saignait... Vu sa carrure, il aurait pu la porter sur son dos ou bien dans ses bras – ce qui aurait été un peu plus romantique –, mais il ne voulait pas avoir l'air de profiter de la situation, d'autant qu'elle pouvait encore marcher. Il la ramena donc claudicante, appuyée sur son bras, jusqu'à la maison.

Une fois allongée sur le canapé, Sybil releva le bas de sa robe et lui tendit passivement sa jambe abîmée, comme si elle déclinait toute responsabilité.

– Pauvre genou martyrisé, soupira Homer, qui n'en revenait pas de tenir sa jambe et regrettait de le faire dans de telles circonstances.

Mais, trêve de réflexions : rapide et résolu, il entreprit sur-le-champ de la soigner, d'une main écartant les bords de la plaie, de l'autre la désinfectant délicatement

157

à l'aide d'une compresse d'alcool modifié, avant de la panser avec une dextérité de secouriste... Il ne lui déplaisait pas au demeurant d'avoir l'occasion de lui démontrer que ses compétences ne se limitaient pas à la comptabilité et au piano.

Assis en tailleur sur le parquet, il se mit ensuite, avec sa permission, à lui masser la jambe autour de la zone douloureuse, en appuyant lentement, scrupuleusement, pour détendre les muscles. Nul doute que sa main aurait pu s'égarer, si sa conscience ne l'avait retenu plusieurs fois par la manche... Un geste incontrôlé aurait été, en outre, d'autant plus dommageable qu'il s'apprêtait à lui avouer qu'il était tombé amoureux.

Mais, en même temps, plus il lui manipulait la jambe, plus il lui semblait que sa déclaration d'amour avait toutes les chances de paraître incongrue, voire de passer pour une maladresse choquante.

Frappé par le calme philosophique avec lequel elle accueillait ses services, Homer relégua donc sa déclaration à l'arrière-plan, afin de préserver le fragile équilibre auquel tenait leur bonheur. Car ils étaient heureux ce jour-là. Heureux à leur façon.

Sybil en tout cas allait mieux. Elle s'était mise debout et faisait quelques pas dans le salon, boitillant encore un peu, mais ne sentant plus aucune douleur, lui promit-elle.

Signe que cette journée n'avait pas dit son dernier mot, alors qu'il avait déjà enfilé sa veste et se disposait à partir, Sybil le retint subitement par la main, en pressant longuement ses doigts entre les siens, sans rien dire… Comme si la décence, la fatalité, la peur de violer un principe éthique lui interdisaient d'aller plus loin que cette promesse.

Son geste avait en effet tout l'air d'une promesse, mais si imprécise, si différente d'une promesse ordinaire, qu'il aurait été lui-même incapable de la formuler avec des mots.

Arrivé à la gare, Homer, dans sa perplexité, commença par se tromper de quai, puis de train, et repartit en sens inverse comme s'il voulait revenir.

28

À l'époque où il avait commencé à s'inquiéter de son défaut d'appétit, lui dit-il, ainsi que de ses difficultés récurrentes à s'endormir, Darmon s'était demandé s'il fallait n'y voir qu'une manifestation bénigne de son anxiété ou bien s'il s'agissait d'un signe de surmenage ou peut-être même de stress, en réaction aux diktats et aux coups tordus du patron.

– Tu noteras que, déjà, je me cognais sans cesse à des alternatives.

– À propos de la direction et de ses coups tordus, l'interrompit Homer, tu as appris que Goma risque de faire partie de la prochaine charrette et Bichette de la suivante?

– Je sais. Le patron est une lampe et Bichette... euh... un papillon qui sent le brûlé, dit Darmon, en s'épongeant avec sa serviette.

Après leur match, tous les deux s'étaient assis pantelants sur un banc, avec leurs cônes et leurs bouteilles d'eau, et regardaient distraitement les autres joueurs à travers le grillage.

Mais ce qu'il n'avait pas du tout compris, reprit Darmon, c'est que cette manie des alternatives qu'il venait de développer, consistant à sérier tous les problèmes de façon binaire et à opposer sans cesse une hypothèse à une autre, était un symptôme en soi... Certainement lié à son caractère hésitant, de sorte que son trouble ne pouvait que s'aggraver.

– Je suis moi-même quelqu'un d'assez hésitant, dit Homer, pour relativiser la chose.

– Oui, mais pas maladivement hésitant. Tu n'es pas un obsessionnel. C'est toute la différence, insista Darmon... La première fois qu'il s'était rendu compte du caractère totalement anormal de sa conduite, c'était un dimanche, à la sortie de la gare de l'Est. Il se tenait dans la cour de la gare, sa petite valise à ses pieds, et se répétait depuis un bon moment : « Je monte dans un taxi ou bien je prends le 46 ? » Sans parvenir à se décider... Exactement comme si, à force d'osciller entre deux points fixes, son esprit se trouvait plongé dans un état d'hypnose.

Pendant qu'il continuait à balancer entre les deux propositions, dit-il, il observait le manège des bus et des taxis qui empruntaient la rue du Faubourg-Saint-Martin et le boulevard Magenta pour descendre vers la République, tout en restant bizarrement conscient des gens qui allaient et venaient autour de lui sans se poser ce genre de problème... Il s'était d'ailleurs mis un peu en retrait et faisait semblant d'attendre quelqu'un, de peur d'attirer l'attention sur lui... Car à force de se répéter mécaniquement : « Je monte dans un taxi ou bien je prends le 46 », il avait l'impression de ne plus savoir de quoi il parlait.

– Tu ne trouves pas ça insensé ?

– Si, bien sûr. Mais comment tu as fait au bout du compte ?

– J'ai marché sur le boulevard en laissant le hasard décider à ma place, répondit Darmon. Un taxi s'est arrêté devant moi, je suis monté dedans.

Mais le pire, c'est que dans les semaines suivantes son trouble compulsif avait encore empiré... Si au début il s'agissait de troubles légers, qu'il résolvait à sa façon (parfois en tirant au sort), il s'était ensuite rendu compte que la vie sociale était faite d'une infinité d'embranchements et qu'il lui fallait sans arrêt trancher entre des possibilités relativement équivalentes : téléphoner d'abord à telle personne ou à telle autre, marcher sur le trottoir de droite ou sur celui de gauche, s'asseoir au premier rang ou au fond de la salle... Tout devenait un problème, qui non seulement l'épuisait, mais lui faisait perdre un temps fou en tergiversations.

Au point que pour être en mesure de travailler, avoua-t-il, il était à chaque fois obligé de programmer méthodiquement ses déplacements, de manière à éviter

162

toute cause de dilemme, tout sujet de perplexité qui aurait pu le clouer sur place.

– À chaque fois, il n'y avait que deux possibilités?

– Seulement deux possibilités. Comme si le monde n'arrêtait pas de se dédoubler devant moi.

– Et tu as compris pourquoi?

– Écoute, je ne connais pas grand-chose à la psychologie, ni à la neurologie, dit-il en délaçant ses tennis, mais on peut supposer que le divorce de mes parents, quand j'avais treize ans, a préparé le terrain de la maladie.

– Le divorce de tes parents?

Parfaitement... Selon Darmon, les relations dys-fonctionnelles entre son père et sa mère, leurs cris, leurs scènes violentes, l'avaient curieusement moins affecté que l'interminable procédure de divorce qui s'en était suivie, avec l'obligation de choisir entre l'un et l'autre en face du juge (il avait finalement choisi sa mère).

D'autant, précisa-t-il, qu'à la culpabilité d'avoir trahi son père, s'ajouta bientôt le sentiment d'être conti-nuellement divisé : entre ses parents, entre leurs deux pays – puisque son père était reparti habiter à Londres –, donc entre deux langues, deux familles, deux manières de vivre et de se comporter avec lui... Il était par conséquent plus que probable que ses blocages découlaient de toutes ces disjonctions malheureuses.

– Mais une fois la cause identifiée, remarqua-t-il – supposer bien sûr qu'il n'y ait qu'une seule cause –,

163

que voulais-tu que j'en fasse? C'était du passé et c'était... euh... imprescriptible, dit Darmon, en s'aérant les pieds.

Toujours est-il qu'au pic de sa crise, alors qu'il hésitait depuis des semaines entre une psychothérapie et une consultation chez un neurologue, un ami médecin de sa mère, vaguement comportementaliste, avait réussi à le convaincre, en prenant le tennis pour modèle – puisqu'il aimait le tennis –, d'envisager le choix comme un jeu. Et en un rien de temps, affirma-t-il à Homer, il s'était senti ressusciter.

– Je ne comprends pas le rapport avec le tennis.

– Parce que c'est un sport cérébral... Au moment où l'autre en face de toi (disons moi, par exemple) est planté sur sa ligne de fond de court et va frapper la balle, tu dois anticiper simultanément son choix, c'est-à-dire... heu... décider de sa décision, et anticiper de ton côté ta propre réaction, en t'efforçant de faire le choix le moins prévisible possible... Car tu tiens compte de son anticipation à lui (ou de la mienne, si tu veux)... Et ensuite, tu frappes, tu lâches ton coup, boum... Tu vois?... Et tout cela des centaines de fois dans un match... Apparemment, c'est ce qui m'a délivré de ma peur.

– Je dois dire que c'est plutôt original.

– Dans quel film français... euh... de je ne sais plus qui... une fille dit à un moment donné qu'il faut faire le choix du choix? C'est exactement ça... Moi, depuis des années, j'avais choisi de ne pas choisir, déclara Darmon, pendant qu'il essuyait ses lunettes.

Homer, qui attendait la suite, remarqua pour la première fois que derrière les gros verres foncés de son ami, qui avait quand même une bonne cinquantaine, se cachait un visage juvénile, avec des yeux timides de nyctalope papillotant dans le soleil.

29

Sybil l'avait appelé par surprise, ce samedi, en
début d'après-midi, pour lui annoncer qu'elle était à
Paris et proposer de lui faire une petite visite entre cinq
et six, à condition que cela ne le dérange pas, naturellement.

– Bien sûr que non, répondit-il, frappé par le
caractère inusité de sa démarche et par la gravité de sa
voix.

Au lieu de passer sa journée devant son ordinateur,
à boire des bières en sous-vêtements, Homer décida
séance tenante de prendre une douche et de se raser.
Puis il chercha partout dans ses penderies une tenue
qui pouvait convenir à un événement d'une telle magni-
tude. Car c'était la première fois qu'elle s'invitait chez
lui.

*Je ne réclame qu'un peu d'espoir... Espoir d'une
visite...* fredonna-t-il, en peignoir de bain, tout en choi-

sissant finalement dans sa garde-robe la chemise en lin gris foncé et les bottines noires... *Reviendrez-vous au rendez-vous... où le printemps vous met dans l'âme...* continua-t-il avant de s'interrompre parce qu'on sonnait à la porte.

Homer, qui avait eu le temps de réfléchir, s'était promis de lui demander gentiment, en guise d'ouverture, des nouvelles de son genou écorché, mais lorsqu'il la vit en face de lui, dans l'entrée, avec son air triste et ses traits tirés, il comprit tout de suite que Sybil avait d'autres soucis en tête.

– J'avais vraiment besoin de te voir, dit-elle en posant ses paquets dans le couloir. Teresa m'a envoyé hier soir des nouvelles tellement consternantes que je me suis dit qu'il fallait que je t'en parle

D'après la sœur de Giovanni, lui raconta-t-elle, les deux autres, qui avaient apparemment dépensé sans compter, croulaient maintenant sous les commandements et les lettres de rappel et, d'autre part, se retrouvaient pratiquement à la rue.

Giovanni ayant perdu son emploi de gardien et d'homme à tout faire, ils habitaient provisoirement une sorte de mobile home à la sortie de la ville. Le tout, conclut-elle, dans un pays économiquement à la dérive, où les banques faisaient faillite les unes après les autres.

Homer, que le sort des deux exilés émouvait modérément, prit bien entendu un air de circonstance... En vérité, bien qu'il n'ait pas voulu faire de commentaires pour ne pas l'alarmer, il avait pressenti depuis longtemps dans quel état de précarité le couple devait vivre sur son île.

Car si l'argent peut décupler l'amour, lui fit-il remarquer, il arrive rarement que l'amour décuple l'argent... Encore qu'il existe une certaine catégorie d'amants, indifférents à tout cela, qui semblent au contraire tirer un surcroît d'excitation de leur dénuement. C'est tout le mal qu'il leur souhaitait.

– Et puis ils ont encore un travail, ajouta-t-il, afin de dépassionner un peu les choses. Giovanni peut toujours composer de la musique.

– Il paraît qu'il gagne une misère et que, de toute façon, il n'y a plus de commandes... Quant à Emmanuelle, elle vient de perdre son poste d'enseignante et doit se contenter d'un job de serveuse, deux soirs par semaine.

Homer ignorait bien sûr les causes d'une telle disgrâce, mais il connaissait suffisamment son ex-compagne pour pouvoir se figurer qu'elle y avait mis du sien.

– Emmanuelle, lui dit-il calmement, méprisait son métier d'enseignante, comme elle méprisait ses élèves et ses collègues : ce n'était pas son monde... À partir du moment où elle a fréquenté des gens plus ou moins introduits dans le milieu du théâtre, elle s'est mis en tête que c'est là qu'elle s'accomplirait et qu'elle ferait un jour de la mise en scène... Elle était évidemment trop dominatrice pour envisager d'être comédienne, et à plus forte raison costumière ou éclairagiste. Tu vois ?

168

Un silence embarrassé s'ensuivit. Sybil se tenait penchée à la fenêtre, comme si elle écoutait le brouhaha de la rue, tandis qu'il continuait de réfléchir, jambes étendues sur le canapé.

– Giovanni lui aussi avait des rêves et des projets puérils, reprit-elle, en commençant à marcher de long en large dans la pièce. Parfois il voulait écrire de la musique pour le cinéma, parfois il prétendait qu'il allait se reconvertir dans la photo de mode... Tu sais, il se peut également que nous ayons du mal à les comprendre parce que ni toi ni moi n'avons jamais eu de vocation artistique.

– C'est effectivement possible, reconnut Homer, qui ne partageait pas du tout cette vision antinomique des gens. Mais il ne voulait pas non plus passer à ses yeux pour quelqu'un d'envieux ou de rancunier... Comment tu les imagines tous les deux actuellement? lui demanda-t-il soudain, en notant son air préoccupé.

– Je ne sais pas. Encore amoureux, j'espère... Mais probablement pas très épanouis. Peu sociaux, en toute hypothèse. Recroquevillés sur eux-mêmes à l'intérieur de leur mobile home, sursautant à chaque sonnerie de leurs téléphones.

– À ce propos, tu n'as pas son numéro à lui?

– Sa sœur est la seule à l'avoir. Il a coupé les ponts avec tout le reste de la famille.

– En fait, contrairement à ce que je t'ai dit une fois, les ombres, ce sont eux à présent... D'une certaine manière, on a eu notre revanche.

– Je n'aime pas quand tu fais semblant d'être cynique, Homer Hilmann, ça ne te va pas, le gronda-t-elle… J'étais en train de me faire la réflexion que, vu leur situation à Chypre, ils pourraient très bien plier bagages d'ici quelques jours et rentrer en France. Tu n'y as pas pensé?

Homer fut si ébahi qu'il se dressa du canapé et resta muet, cherchant précipitamment à rassembler ses facultés… Mais il avait beau se forcer à réfléchir et resserrer le rayon de son intelligence, il ne parvenait pas à prendre la mesure de ce que Sybil était en train de lui dire… Il avait mis tellement de temps à conjurer le fantôme d'Emma, que la seule perspective qu'elle pouvait revenir chez lui, ou à quelques rues de chez lui, et qu'il risquait de la revoir et d'être obligé de lui parler, lui faisait l'effet d'un cauchemar.

– Tu ne penses donc pas qu'ils reviendront?

– On dit qu'il n'y a que les morts qui ne reviennent pas, fit-il en haussant les épaules… Mais, de toi à moi, j'aimerais que tu me dises une chose : est-ce que tu voudrais vraiment avoir Giovanni en face de toi?

– À une époque, je l'ai souhaité très fort, mais maintenant, quel sens ça aurait? Qu'est-ce que je pourrais faire pour lui?… À part essayer de l'aider ou de les aider tous les deux, s'ils avaient besoin de moi.

Homer, qui n'avait pas ses ressources morales, garda à nouveau quelques secondes de silence, en proie à des sentiments divers, où l'admiration le disputait à la contrariété. Celle-ci supplantant momentanément l'autre.

– Tu vas trouver que je suis égoïste et revanchard, mais, en toute franchise, je n'ai aucune envie de les recevoir ici – malheureux ou pas – et encore moins de les renflouer, lui déclara-t-il avec une résolution concentrée.

Tous les deux, essaya-t-il de lui expliquer – car il mettait Emma dans le même sac –, étaient deux parfaits ratés, immatures, présomptueux et malhonnêtes, qui ne méritaient certainement pas qu'on se soucie d'eux.

Homer savait à cet instant qu'il était en train de se comporter exactement comme il s'était promis de ne jamais plus se comporter, mais c'était au-dessus de ses forces... Ce qui lui fit aussitôt redouter, sinon une réaction cinglante de Sybil (ce n'était pas son genre), du moins une mise au point polie, mais bien sentie... Or rien de tout cela n'arriva.

Sybil resta en face de lui, adossée à la fenêtre, sans prononcer une parole, les bras pendant le long du corps, parce qu'elle n'éprouvait plus à cet instant qu'un grand sentiment de fatigue et d'impuissance.

Il fut bien tenté de s'excuser et de lui garantir que, quoi qu'il arrive, il se rangerait sans faute de son côté et les accueillerait, s'il fallait les accueillir, mais la discussion était allée si loin, l'échange avait été si pénible à cause de lui, qu'aucun des deux ne se sentit le courage de reprendre la conversation.

Quand il l'eut raccompagnée au métro, Homer se souvint après coup de la promesse qu'elle lui avait faite la dernière fois, en lui pressant les doigts, et de l'émotion extraordinaire, quasi incorporelle, qu'il avait ressentie en marchant ensuite vers la gare.

Malheureusement, il était un peu tard pour y repenser.

30

Elle a cette capacité, bien sûr, que tout le monde n'a pas. Mais Ana, assise sur un banc, les pieds dans l'herbe, regrette quand même que la nature ne lui ait pas donné d'autres talents... Seulement, elle a toujours été exclusivement visuelle. Même toute petite. Son appareil de perception était déjà très limité. Elle n'avait aucune oreille pour les langues, ni pour la musique, contrairement à Homer. Et elle est à peu près aussi infirme pour le reste. Son sens gustatif, notamment, est resté si faible, si approximatif (même en grandissant), qu'on s'explique aisément pourquoi elle cuisine aussi mal. Quant aux odeurs, aux parfums, elle les sent parfaitement, mais elle est incapable d'en fixer le souvenir. Alors qu'elle n'oublie rien de ce qu'elle voit.

Par exemple, elle est prête à parier que l'image de l'entrepôt qui se trouve en face d'elle – celui avec les vitres poussiéreuses et les camionnettes alignées au soleil – est déjà rangée dans un coin de sa mémoire... Qu'elle garde les yeux ouverts ou qu'elle les ferme (ce qu'elle se dépêche de faire), le résultat est exactement le même. Comme si tout restait imprimé sur sa rétine.

Ce qui lui permet, en pressant ses paumes sur ses paupières et en se concentrant un tout petit peu, de faire défiler mentalement les murs rouges de l'entrepôt, le gravier blanc de l'allée, l'ombre des tilleuls sur les marches de l'escalier – elle sent d'ailleurs le parfum des tilleuls – ainsi que les palettes en bois à l'arrière-plan et les trois ouvriers en combinaison bleue assis tout en haut, les jambes pendantes.

Saisie d'un léger doute, Ana a rouvert les yeux et mis sa main en visière pour vérifier qu'ils sont bien là tous les trois... Ils sont effectivement toujours là, en train de fumer ensemble, perchés sur leurs palettes, pendant que les autres en bas terminent de charger le dernier véhicule. On peut imaginer qu'ils font cela à tour de rôle, dans le souci de s'économiser.

En les examinant à cette distance, elle trouve qu'ils ont l'air plutôt contents sur leurs hauteurs. Sans doute parce qu'il fait beau dans la cour, qu'il n'y a pas trop de travail et que de toute façon la journée est pratiquement terminée. À cinq heures, ils accrocheront leurs affaires dans le vestiaire et rentreront chez eux. Pour elle, il sera l'heure d'aller chercher Homer à la sortie de l'école.

En attendant, puisqu'elle a encore un peu de temps devant elle, elle a bien l'intention de profiter de sa liberté pour aller musarder au bord de l'eau... Elle redescend donc St. Johann, avant de bifurquer en direction du Rheinweg et de se rendre brutalement compte qu'elle est suivie par un énorme chien – un chien entre le dogue et le braque – affligé d'une tache noire sur l'œil, qui lui donne l'air d'un pirate. En plus, il a le poil complètement trempé comme s'il venait de se rouler dans une flaque.

– Va-t'en, tu empestes ! lui crie-t-elle en allemand, en prenant une voix menaçante.

Au lieu de quoi, l'animal, qui a marqué un temps d'arrêt pour lui adresser un sourire de commande, recommence aussitôt à la suivre, mais à bonne distance et avec cet air contrit qu'ont certains chiens gênés par leur propre odeur corporelle.

– Va-t'en, rentre chez toi ! répète Ana, sans être tout à fait sûre au demeurant qu'il ait un chez-lui.

Son commandement n'étant suivi d'aucun effet, elle décide de poursuivre son chemin sans plus s'occuper de lui.

« Non pas le chien, mais *l'Idée de chien* », disait leur professeur de philosophie, Mme Bühler, tout en fixant en haut de l'armoire de la classe un mystérieux carton – elle le revoit très bien – qui semblait renfermer le monde des Idées.

Mme Bühler avait une autre citation favorite : « *La pensée la plus profonde*, leur disait-elle, *aime la vie la plus vivante* »… Citation qu'Ana trouvait plus jolie et nettement plus parlante que « *l'Idée de chien* ». Même si elle n'était pas sûre de bien comprendre ce qu'elle entendait exactement par « *la vie la plus vivante* ». Ses voisines non plus.

Quoi qu'il en soit, arrivée en vue du pont, elle s'est aperçue que le chien s'était volatilisé.

Fatiguée de marcher, elle s'est installée sur les gradins en ciment qui descendent au bord du Rhin, non loin d'un groupe d'étudiants passablement exubérants. Quelques filles, plus délurées que les autres, se laissent embrasser dans le cou, en poussant à chaque fois des cris perçants, tandis que deux ou trois de leurs copines, serrées contre leur bien-aimé, mangent sagement leur glace, le visage éclairé par la lumière de l'eau.

Ana, dans son coin, ne se sent ni envieuse ni spécialement contrariée… Elle ne soupire pas en se disant « Grand bien leur fasse ! » ou une quelconque réflexion de ce genre. En fait, elle ne se dit rien du tout… Elle se contente de les écouter, en observant en face d'elle les petites embarcations qui font la navette d'une rive à l'autre, accrochées à leur filin, de peur que le courant ne les emporte.

« Un peu comme moi », songe-t-elle.

À force de regarder le fleuve, elle se sent progressivement devenir vaste et anonyme, sans âge, sans passé, sans chagrin… Juste tranquille. D'une tranquillité qu'elle a l'impression de connaître pour la première fois.

Et en même temps, c'est quelque chose de fugace, quelque chose de déjà perdu au moment où elle voudrait y réfléchir... Parti, envolé... elle ne pourra jamais en parler à personne.

Mais à qui en parlerait-elle, de toute manière ?

31

Dans le miroir de la salle de bains, on ne voyait sur elle aucun signe d'abattement particulier, aucun changement de ses traits, hormis un très léger allongement de son visage, non pas à cause de sa contrariété, mais parce qu'elle s'était tout simplement penchée en avant à la recherche d'une barrette qui venait de lui échapper... Ce qui rassura secrètement son visiteur et lui fit envisager leur rencontre sous un autre jour. Leur brouille avait fait long feu.

Sybil portait ce jour-là une très seyante robe en soie gris souris, qu'en principe elle ne sortait de son armoire que pour les grandes occasions. Mais elle avait décidé tout récemment (sur son insistance à lui) qu'il n'y aurait plus dorénavant ni de petites ni de grandes occasions.

Homer, qui continuait à aller et venir derrière elle, les mains dans les poches, s'arrêta à nouveau en face du miroir, dans l'attente d'une réponse.

– Alors? fit-il.

– Alors, comme tu l'espérais, il y a peu de chances qu'ils reviennent... Au moins pour cette année.

– Teresa en est sûre?

– Elle m'a affirmé hier matin, dit-elle en attachant ses cheveux, qu'avec l'argent qu'elle avait pu réunir, ils auraient de quoi rembourser leurs dettes les plus urgentes et payer le loyer d'un petit studio à Nicosie, en attendant des jours meilleurs.

– Les sœurs sont parfois des saintes.

– Si tu connaissais la mienne, je t'assure que tu changerais d'avis.

– Mais tu n'es pas son frère, s'amusa-t-il.

Toujours est-il que l'alerte était passée... Grâce à la diligence de Teresa, leur horizon s'était manifestement éclairci et le grand soleil matinal avait comme dissipé les fantômes des deux amants pique-assiettes... Cependant, leur soulagement en disait long a posteriori sur le poids que l'existence des deux autres faisait peser sur eux. Mais Homer ne voulut pas en rajouter. Même s'il n'en pensait pas moins.

Ils s'installèrent sur la terrasse, dans la lumière prodigue d'une journée d'été, grignotant des chips et des tomates cerises, pendant que le chat Maurice menait sa vie dans le fond du jardin, en quête de papillons. Au loin, la chaleur tremblait dans l'air.

À un moment donné, malgré leur paresse, ils furent d'ailleurs obligés de se lever et de dérouler les stores en toile à cause du soleil. Puis comme il faisait toujours aussi chaud, ils allèrent s'abriter à l'intérieur de la maison, en prenant soin de fermer la porte et de tirer les rideaux incendiés.

Quand il fut au piano, entamant sa sonate de Schubert préférée, Sybil vint discrètement derrière lui comme pour lire la partition par-dessus son épaule et l'aider à tourner les pages, si nécessaire... Homer sentant durant ce temps-là la légère pression de son corps contre son dos, sans pouvoir déterminer bien entendu (il ne voulait pas perdre le fil de sa sonate) s'il s'agissait d'une pression volontaire ou involontaire.

– C'est écrit *allegro vivace*, le reprit-elle, en lui donnant une poussée soudaine qui le fit glisser de son tabouret.

– Oh, je suis vraiment désolée, s'excusa-t-elle aussitôt, en pouffant de rire comme une gamine.

Étendu au pied du tabouret, Homer, qui en avait beaucoup rajouté, se demanda comment il était supposé se comporter maintenant... Il éprouvait en tout cas une étrange sensation d'abandon et de contentement, qui l'incita à fermer les yeux au lieu de se relever, un peu comme s'il se rendait et qu'elle pouvait faire de lui ce qu'elle voulait.

– Je te promets que je ne l'ai pas fait exprès, s'excusat-elle à nouveau, en pliant les genoux pour s'asseoir par terre à côté de lui. J'espère que je ne t'ai pas fait mal.

Homer lui fit signe que non, toujours allongé sur le dos, tandis qu'elle l'observait pensivement, le menton appuyé sur les genoux.

Peut-être se demandait-elle quelle réticence, quel empêchement inexplicable, le retenait d'étendre la main et de la renverser à son tour sur le tapis... Mais, justement, le sentiment qu'elle attendait une réaction de sa part l'inclinait bizarrement à ne pas bouger. Et puis, il se sentait très bien ainsi, dans cette posture inhabituelle, et se serait plutôt coupé un bras que de gâcher cet instant.

– Tu as l'air immense sur ton tapis, lui dit-elle en se relevant. Je me demande si tous les géants sont aussi timides que toi.

– Je ne connais aucun géant.

– Ni aucune géante?

– Je suis seul sur mes hauteurs et ce doit être ce qui me rend un peu effarouchable, se défendit-il, en levant son verre.

Ils avaient fini par se réfugier dans la pénombre de la cuisine pour boire du thé glacé et s'observaient en souriant, leurs pieds posés sur une chaise.

– Où est-ce qu'on pourrait aller en septembre? lui demanda subitement Sybil, qui était déjà passée à autre chose.

Ce n'était pas la première fois qu'elle faisait allusion à ce projet de vacances en commun, et jusque-là Homer, qui ne voulait pas la vexer, mais que la question de l'hôtel perturbait, avait soigneusement réservé sa réponse, espérant qu'elle renoncerait de guerre lasse à sa lubie.

Sybil, qui était tenace, lui dit que pour son propre compte elle hésitait entre le massif des Dolomites et les montagnes des Abruzzes, où elle était allée très jeune avec ses parents.

– Le Drang nach Süden… Moi, je me verrais plutôt au bord de la Loire, lui répondit-il, pour le plaisir de la contrarier.

– Au bord de la Loire? répéta-t-elle, incrédule.

Au bord de la Loire… Il insista et elle objecta… Pendant qu'elle lui vantait encore une fois les Alpes italiennes au commencement de l'automne, Homer fut forcé de constater que, dès qu'il n'était plus question de la situation des deux autres (et donc de leur propre situation, par contrecoup), ils retrouvaient spontanément un entrain à parler dont ils ne pouvaient plus se passer.

Et quand ils furent bien à l'unisson, ils entonnèrent une sorte de duo chanté, où chacun à son tour commençait par développer sa propre ligne musicale – 'abord forcément un peu hésitante – en attendant que l'autre se prenne au jeu et que leurs deux voix se rejoignent, puis retombent ensemble.

Car leur conversation était régulièrement entrecoupée d'intermèdes silencieux, pendant lesquels ils buvaient une gorgée de thé et reprenaient leur respiration, jusqu'à ce que s'élève à nouveau la jolie voix de basse de Sybil qui, à bout d'arguments, entreprit finalement de lui réciter tous les noms de la flore des montagnes, le crocus, l'achillée, la gentiane, l'ancolie…

– C'est bon, j'ai compris, l'arrêta-t-il, en capitulant.

Le silence revenu, survint alors ce moment délicat, qu'ils appréhendaient tous les deux, où il ne leur resta plus qu'à se lever de table et à se séparer gentiment, parce que la séance était terminée, qu'ils étaient fatigués, et qu'il leur fallait se résoudre à reporter leur décision à une autre fois. Les montagnes pouvant attendre quelques jours.

Pour ce qui concernait Homer, qui appréciait moyennement les randonnées pédestres et était en outre sujet au vertige, c'était tout bien considéré, autant de temps de gagné.

32

Quel âge a-t-elle? se demande-t-elle, en buvant son café... À première vue, on ne lui donnerait même pas vingt ans. Mais il se peut très bien qu'elle fasse beaucoup plus jeune que son âge... Si c'est le cas, elle est restée plutôt mignonne, avec ses cheveux teints en bleu et ses jolis seins en proue. En plus, elle s'appelle Rose... Rose Jovanovic.

– On fait l'amour pour un tas de raisons idiotes, alors pourquoi pas pour de l'argent? est-elle en train de plaider, les yeux dans ceux d'Ana... Pourquoi on ne ferait pas les poches des patrons? Pourquoi on n'exploiterait pas la misère sexuelle des classes dirigeantes? Ce serait une manière originale de redistribuer la richesse.

– Évidemment, envisagé comme ça, la chose paraît assez séduisante, s'amuse Ana, en lui faisant signe de parler un peu plus bas.

En fait, plus elle la regarde, plus elle est persuadée qu'il s'agit d'une convertie de fraîche date et qu'il n'y a pas si longtemps – peut-être un an ou deux – elle était encore vierge et vivait chez ses parents... Par moments, elle a même l'impression de se reconnaître en elle, quand elle était une tête brûlée, bardée de certitudes (et sans doute involontairement drôle).

– Ne me dis pas que tu acceptes de coucher avec des inconnus, dont certains peuvent être à moitié timbrés.

– Il y a de bons et de mauvais clients, c'est très variable, lui répond Rose, doctement.

– Mais, en parlant en général, tu ne te sens pas dégoûtée de faire ça avec des inconnus?

– En parlant en général, comme vous dites, je préfère les femmes, lui dit Rose, avec un accent un peu flirteur, mais la société étant mal faite, je me suis malheureusement résignée à gagner ma vie avec des hommes.

– Dans ce cas, il vaudrait mieux changer de société, conclut Ana en réglant les consommations, consciente qu'elle devrait déjà être partie.

Seulement, le problème, c'est qu'elle ne sait pas partir... Elle n'arrive pas à se déloger du moment présent, qu'elle étire, qu'elle aimerait faire durer jusqu'à la fin de l'après-midi. En particulier, quand elle est assise à l'intérieur d'un café et qu'elle a la chance de rencontrer un tel numéro... On dirait qu'il y a quelque chose en elle qui veut toujours aller jusqu'au bout d'une expérience, sans se soucier de ses conséquences.

– Il faut à tout prix que j'y aille, réagit-elle en se levant d'un seul coup, saisie d'un doute : est-ce que Homer ne lui a pas dit hier soir, au moment d'aller se coucher, qu'il ne sortirait pas à l'heure habituelle?

Ana se souvient maintenant d'avoir signé une feuille en début de semaine mentionnant qu'en raison de circonstances, qui lui échappent complètement, les élèves seraient exceptionnellement libérés plus tôt. (Peut-être à seize heures... ? elle ne sait plus...) Elle se revoit pourtant signer le papier sur la table du salon.

Avec son habitude de lire les documents en diagonale et de ne rien ranger, elle a réussi à oublier son fils à l'école. Car il est cinq heures passées.

Arrivée sur Steinenberg, Ana saute dans un taxi en priant pour qu'il n'y ait pas d'embouteillages... Homer a beau répugner comme la plupart des enfants aux embrassades à la sortie de l'école, il n'en reste pas moins un petit garçon émotif, qui doit l'attendre depuis une heure avec sa boule d'angoisse au fond du ventre.

Tout en comptant les feux rouges, elle l'imagine en train de faire les cent pas devant le portail de l'établissement, ou, pire, enfermé dans le bureau de Mlle Davoz, la directrice pète-sec... Lui qui redoute tellement d'être pris en faute. Il a à peine franchi le seuil de l'école qu'il est déjà apeuré.

Ana, en descendant du taxi, est frappée par le silence de la rue. Il n'y a aucun enfant, aucune mère d'élève en vue. La cour est déserte, le portail fermé... Elle sonne plusieurs fois. La gardienne apparaît finalement, l'air échevelée et à moitié endormie, tenant Homi, tout pâle, par la main, comme si elle le sortait de sa cellule.

– On a téléphoné chez vous toute la journée.

– Je n'étais pas chez moi, s'excuse-t-elle, sans relever l'exagération.

– La directrice voudrait vous voir.

Elle a à peine le temps d'embrasser son fils et d'essuyer ses traces de larmes avec un mouchoir, qu'il lui faut se transporter avec lui au premier étage, deuxième couloir, porte gauche.

– Je suis absolument désolée de ce qui vient de se passer, commence Ana. Je me suis stupidement trompée de jour. Je vous promets que cela ne se reproduira plus.

– Heureuse de vous l'entendre dire, réplique la toute jeune Mlle Davoz, sans lui proposer de s'asseoir... Mais j'en profite pour vous rappeler deux petites choses, qui peuvent vous être utiles à l'avenir. D'abord, vous avez charge d'âme, et c'est une lourde charge, comme vous avez dû vous en apercevoir. Surtout s'agissant d'un enfant aussi sensible.

– Le pauvre petit n'a cessé de vous réclamer, renchérit son assistante, Mme Bremer, comme si elle n'était pas suffisamment écrasée de culpabilité.

– C'est malheureusement vrai, regrette Mlle Davoz... Concernant ce que je vous disais, ma deuxième remarque a trait au personnel de la garderie. Ce sont des femmes qui ont presque toutes une vie de famille et qui ne sont pas corvéables à merci. Si chacun se comportait comme vous le faites, elles devraient passer une partie de leurs soirées à l'école, au détriment de leurs propres enfants.

– Je le comprends très bien et la chose ne se produira plus jamais, répète une dernière fois Ana, frappée du contraste entre la grossièreté de ces deux femmes et la finesse de son enfant, qui se tient, sans rien dire, adossé à la porte d'entrée.

– Allons, viens, lui commande-t-elle, en l'entraînant hors du bureau parce qu'elle n'en peut plus.

À la sortie de l'école, elle est presque surprise de l'animation qui règne dans les autres rues.

– Tu crois qu'on va me renvoyer ? demande Homer en s'arrêtant.

– Il n'en est pas du tout question. C'est moi qui suis fautive, pas toi.

Ana lui proposerait bien, pour se faire pardonner sa bourde, de marcher tous les deux jusqu'au bord du Rhin et de s'acheter des glaces, mais à la manière dont il traîne les pieds, elle imagine qu'il dira non... Il n'a plus confiance en elle.

– Si Mlle Davoz est toujours fâchée, je lui écrirai une belle lettre d'excuses, ne t'en fais pas. Et essaie de ne pas m'en vouloir.

– Je ne suis pas quelqu'un de rancunier.

– Alors, c'est très bien... C'est une attitude digne d'éloge, le félicite-t-elle, en repensant curieusement à Rose Jovanovic.

– Est-ce qu'on peut prendre un taxi, cette fois ?

33

Au moment où un petit avion biplace survolait le cours de la rivière en promenant son ombre sur la frondaison des arbres, ils suivaient, à travers champs, une rangée de poteaux électriques qui sentaient le bois et la créosote, la tête protégée par un chapeau de paille... Tous les deux se firent conjointement la réflexion que, vus de tout là-haut, ils devaient paraître aussi minuscules que des musaraignes se faufilant dans l'herbe.

Une fois assis tranquillement au bord de l'eau, Homer trouva enfin le courage de lui annoncer, le plus doucement possible, qu'en raison de toute une série d'imprévus (notamment l'absence d'un de ses collègues, parti en congé de maladie), leurs vacances de fin d'été semblaient compromises et qu'il en était sincèrement navré, car il savait combien ce projet lui tenait à cœur et regrettait...

– J'ai parfaitement compris, l'interrompit Sybil, dont les yeux devinrent très sombres sous le bord de son chapeau.

Il ne savait pas exactement ce qu'elle entendait par là, mais il pouvait lui promettre qu'il n'avait pas dit son dernier mot. De toute façon, il n'avait aucune intention de reporter ses vacances à l'hiver prochain, sous prétexte que ses collègues mariés étaient prioritaires, ajouta-t-il en lançant une motte de terre dans l'eau.

– Par moments, tu ressembles à un veuf confit dans son chagrin, lui dit-elle tout à coup, en le regardant avec une légère expression de moquerie.

– Je ne vois pas le rapport.

– Moi, je vois que tu es encore jeune et que tu fais un problème de tout, dès qu'on te propose de bousculer tes habitudes... Il faudrait peut-être te secouer, tu ne crois pas? lui dit-elle, en joignant brusquement le geste à la parole et en l'attrapant aux épaules, oubliant qu'ils ne faisaient pas le même gabarit.

Homer se défendit mollement, parce que c'était un jeu et qu'au fond il ne détestait pas qu'elle le chahute. Le moins qu'on puisse dire, c'est qu'elle avait une énergie et une spontanéité dont il aurait pu s'inspirer, au lieu de voir des empêchements partout. Sur ce point, elle avait raison... Tout juste se permit-il de lui signaler qu'on les observait du pont, depuis un moment.

– On ne fait rien de mal, que je sache. On est en république.

– C'est vrai, reconnut-il. Il était décidément incorrigible.

À leurs pieds, la rivière ensoleillée dessinait une sorte de coude, où poussaient des nénuphars et des roseaux, tandis que l'eau était à peine troublée de loin en loin par le passage d'une barque ou d'un canoë.

Comme sortis d'un repli du temps, deux pêcheurs en maillot de corps, assis sur leurs pliants, devisaient ensemble sur l'autre rive, sans du tout s'occuper d'eux. L'un racontait à l'autre une histoire de brochet et d'épuisette. « Un brochet ou un sandre »? disait l'autre, dont la voix était portée par le vent. « Un brochet. »

– En fait, j'ai eu la malchance d'arriver au mauvais moment, reprit Sybil en l'aidant à se relever. J'aurais dû te connaître avant. Je suis sûre que tu étais différent.

– Avant quoi?

– Avant ton histoire avec Emmanuelle... Je sais que ça a l'air idiot, puisque j'étais déjà mariée en Italie et que j'avais peu de chances de te rencontrer, mais je ne peux pas m'empêcher d'y penser.

Sur le moment Homer resta muet... Tout cela était devenu si lointain et il avait si peu de dispositions pour le passé.

Une fois le pont contourné, ils se dirigèrent dans la direction du sous-bois qu'ils affectionnaient, marchant sur des chemins sablonneux, entre des buissons de fougères... Même s'il rechignait à évoquer une époque qui lui paraissait sinistre et ne le concernait plus, Homer se sentait à tout le moins tenu de lui répondre, parce qu'il devinait aisément que ses questions n'étaient motivées ni par la jalousie ni par l'indiscrétion, mais par la simple curiosité d'une personne attachée à lui, qui désirait connaître et partager ses souvenirs. Le problème, c'est qu'il n'avait pas grand-chose à lui raconter… Comme si toutes ces années intercalaires, entre son arrivée à Paris et la rencontre d'Emma, avaient été soufflées par le choc de leur séparation.

— Tu as forcément quelques souvenirs, l'encouragea Sybil, qui devait penser, soit qu'il s'agissait d'une pose typiquement masculine (le migraineux, l'amnésique, le dévasté), soit qu'il lui cachait un gros secret.

— Tu vas encore me trouver contrariant, mais je t'assure que je ne me souviens de presque rien… Ma vie, c'était quoi à cette époque ? Des sorties, des rencontres, des études entrecoupées de quelques voyages, et c'est à peu près tout, lui certifia-t-il, en ayant l'impression de compulser des notes poussiéreuses.

Ne lui restaient en réalité de toutes ces années-là que des détails dérisoires, tels que la lumière glauque d'un bar du Quartier latin, rue Danton, ou l'odeur embarrassante d'un teckel à l'intérieur d'une voiture (mais qui conduisait ?)… Au point qu'il lui arrivait sérieusement de se demander si ces phénomènes de disproportion mémorielle n'étaient pas les signes avant-coureurs d'une maladie.

— Tu as bien eu une ou deux liaisons.

— Des liaisons ? dit Homer, qui trouvait la qualification pompeuse. Dans son souvenir, c'étaient plutôt des papillonnages laborieux et des occasions ratées.

– Sans exception ? s'étonna-t-elle, tout en lui effleurant l'intérieur du bras avec son index, comme si elle essayait de la magnétiser.

– Presque sans exception, lui concéda Homer, qui faillit la prévenir qu'il était chatouilleux.

Il avait beau savoir qu'il n'y avait rien d'insinuant ou de provocant dans son geste, qu'il s'agissait juste d'une forme de câlinerie sans arrière-pensée, il n'en était pas moins troublé... Et comme il se méfiait de ses réactions – en général, malavisées et à contretemps –, il choisit de faire celui qui ne remarquait rien.

Ils continuèrent donc paisiblement leur promenade, en progressant sous le couvert des arbres, le dos courbé, comme pour attraper les derniers rayons du soleil entre les feuilles, avant de s'immobiliser pour écouter des pies qui jacassaient dans les branches... À la sortie du bois, il s'aperçut que Sybil avait lâché sa main, mais ne fit aucun commentaire.

Quelques mètres plus loin, ils débouchèrent au bord du canal, non loin d'une écluse, avec une petite maison en crépi blanc, qui faisait office de café aux beaux jours. Un chien inerte – peut-être empaillé – gisait à côté de la porte... Comme ils étaient les seuls clients, ils purent s'installer tous les deux sous l'unique parasol de la cour et étirer enfin leurs jambes sur des chaises. À l'arrivée du patron apportant les boissons sur un plateau, leur satisfaction fut à son comble.

– J'attendais que tu me racontes des aventures palpitantes, des liaisons scandaleuses avec des femmes mariées, mais visiblement j'en suis pour mes frais, lui dit-elle, après un silence, dans l'espoir de le relancer.

Homer, qui avait le sentiment de savourer en même temps que sa bière l'arrière-goût de cet après-midi, lui avoua qu'il était désolé, mais que c'était malheureusement la stricte vérité : il n'avait jamais été précoce.

– C'est peut-être ce qui t'a gardé jeune.

Si elle le disait... Ce qu'il se voyait mal lui dire en revanche, parce qu'il n'était quand même pas à confesse, c'est que tous ces échecs, toutes ces déconvenues plus ou moins risibles, avaient miné sa confiance en lui et sans doute déterminé pour longtemps (jusqu'à maintenant, en somme) son comportement à l'égard des femmes, en faisant de lui une sorte de handicapé.

Lorsqu'elle alluma plus tard sa première cigarette, Homer reconnut soudain, avec un saisissement de joie, sa petite moue malicieuse au coin des lèvres, qu'il avait failli oublier... Il la regarda avec encore plus d'attention comme s'il attendait une suite – et Sybil attendait peut-être elle-même une suite –, mais il ne se passa rien, ni d'un côté ni de l'autre.

– On est bien, ici, remarqua-t-elle en soufflant sa fumée vers lui.

34

La scène recommence… Il est rentré à huit heures, sans prononcer une parole, le visage fermé comme un poing (quelqu'un a dû le mettre au courant au sujet de l'école), il a posé ses affaires, accroché sa veste et sa cravate dans la penderie, puis il a disparu dans la salle de bains pour répéter son sermon devant la glace… Ana souhaiterait bien entendu se tromper, mais quelque chose lui dit qu'elle n'y coupera pas.

À table, tandis qu'elle s'exhorte à rester calme, à ne donner aucun signe d'appréhension, Arno boit en silence un grand verre de vin blanc, le dos bien droit, les avant-bras parfaitement parallèles. Sa colère est seulement devinable à l'agitation de sa jambe droite, comme lorsqu'il est énervé. Mais il se contient… On sent qu'il remet de moment en moment ce qu'il a à lui dire.

Avant qu'il ne commence et qu'elle ne puisse plus l'interrompre, Ana voudrait pouvoir lui expliquer que tout ce qui s'est passé avant-hier est bien sûr entièrement de sa faute, mais qu'elle ne fait pas du tout cela par négligence ou par dureté de cœur, ni évidemment parce qu'elle s'en fiche. Au contraire.

Elle aimerait qu'il comprenne qu'il y a en elle un vrai désir de bien faire, un désir de se comporter le plus raisonnablement et le plus intègrement possible avec tout le monde... Et si elle n'y parvient pas à chaque fois, si elle n'est pas toujours à la hauteur, c'est peut-être que par moments la vie la déborde et qu'elle se sent dépassée.

Elle pourrait lui dire aussi qu'elle l'aime, puisqu'elle ne le lui dit jamais, et qu'elle veut d'abord son bonheur, exactement comme elle veut par-dessus tout le bonheur de Homer... Mais, à bien y réfléchir, rien de tout cela ne lui paraît approprié à cet instant.

— Est-ce que je peux regarder la télévision? demande soudain Homi, qui a surgi en pyjama.

— À cette heure, il n'en est pas question, lui dit-elle, en s'efforçant de parler d'un ton naturel. Lis plutôt quelques pages de ton livre et tu éteindras ta lumière ensuite.

— J'ai déjà tout lu, proteste-t-il timidement, avant de se rendre compte de la tension qui règne à table et de filer sans demander son reste.

— Bonne nuit! lui crie-t-elle, avec un temps de retard.

S'ensuit un long silence oppressant, pendant lequel Ana – qui ne peut rien avaler – se surprend à écouter ses propres battements de cœur... Arno, en face d'elle, mastique lentement sa viande froide, tout en feuilletant de temps à autre les pages de son agenda, comme s'il prenait un malin plaisir à prolonger son silence punitif.

– Pourquoi tu ne dis pas un mot? lui demande-t-elle finalement, à bout de patience.

– Parce que je n'ai rien à dire.

– Ou, plutôt, tu as tellement de choses à me reprocher que tu ne sais pas par où commencer.

– Alors, ne commençons pas.

– Si, vas-y, le provoque-t-elle, commence ta leçon... Je suppose que tu m'en veux de mon retard à la sortie de l'école. Tu me concéderas que si c'est regrettable, ce n'est pas non plus un drame... Et je pense sincèrement qu'autrefois tu aurais ri de mon étourderie et qu'on n'en aurait plus reparlé, sinon pour s'en amuser. Ce qui révèle combien tu as changé.

– Tu veux dire combien tu m'as changé. Mais ne détournons pas la conversation... Je t'en veux en effet d'avoir oublié ton fils et de l'avoir laissé pleurer pendant une bonne partie de l'après-midi à l'école, alors que tu étais, je suppose, en train de te promener ou de bavarder à une terrasse de café, en compagnie d'un de tes admirateurs.

– En l'occurrence, il s'agissait d'une admiratrice... Mais tu m'as déjà chapitrée là-dessus.

Tout en posant pensivement ses lunettes sur son nez, à la manière d'un accessoire émotionnel, Arno se permet de lui faire observer à ce propos que, même lorsqu'il l'a chapitrée, il a toujours été plus que conciliant et qu'il n'a jamais cherché à la blesser et encore moins à lui dicter sa conduite, au prétexte qu'il était le chef de famille. Bien que ça l'ait démangé plus d'une fois, pour ne rien lui cacher.

– Arno, l'arrête-t-elle, j'ai l'impression que tu te plais à être mon juge et ma mauvaise conscience. Et naturellement, tu poses toujours au juge scrupuleux, totalement impartial : ce qui est une belle preuve d'autosatisfaction de ta part, soit dit en passant.

– Je n'ai franchement pas cette impression... Mais je crois qu'on s'éloigne encore une fois de notre sujet.

– Pas du tout.

– Ana, si tu veux bien me laisser parler, j'aimerais te dire, parce que j'en ai le droit et le devoir, me semble-t-il, que tu te conduis de manière de plus en plus déraisonnable et que tu ne peux pas continuer ainsi. Ce n'est plus possible... Tu fais même peur à ton fils, qui ne veut surtout plus que tu viennes le chercher à la sortie de l'école... Tu es probablement en train de penser que j'exagère ou que je te mens.

– Non, Arno, je sais que tu ne mens jamais. Il te l'a certainement dit, je n'en doute pas. Je me demande simplement si au lieu de me répéter ce qu'il t'a dit – au risque de m'enfoncer un peu plus – tu n'aurais pas dû convaincre d'abord Homer qu'il n'avait aucune raison d'avoir peur de moi.

– Mais, justement, je n'en suis pas sûr, lui répond-il en se levant pour faire les cent pas autour de la table, les mains derrière le dos.

– Tu penses donc que je suis une mauvaise mère. C'est toujours agréable à entendre… Est-ce que je dois te rappeler le nombre de nuits où je suis sortie de mon lit pour aller dans celui de Homi? Le nombre de nuits où je me suis endormie à deux ou trois heures, après l'avoir tenu dans mes bras?… Dis-moi ce que tu faisais, toi, pendant ce temps-là?

– Je ne vois pas où tu veux en venir. En revanche, je me rends compte qu'il n'y a plus moyen d'avoir une conversation sensée avec toi… Tu sais que tu es incroyable, Ana, vraiment incroyable, répète-t-il, en tournant autour d'elle, les mains toujours derrière le dos, comme s'il craignait de faire une bêtise.

Et les journées? Elle aimerait bien qu'il lui dise combien de journées, dans une année entière, il a consacrées à son fils. Peut-être trois? Quatre?

Mais elle se rend compte qu'il lui tourne le dos et a cessé de l'écouter. Il a eu le dernier mot. La séance est terminée.

Quand elle se lève de table, on dirait qu'ils flottent tout d'un coup dans un silence trop grand pour eux… Il ne lui reste plus qu'à desservir et à aller épancher ses larmes dans la cuisine. Car elle est assez lucide pour s'apercevoir que les autres ont toujours raison et qu'à force de nager à contre-courant, elle va finir par couler.

35

Homer eut beau faire plusieurs fois le tour de la maison, l'appeler dans le jardin, elle demeurait introuvable. En plus, la porte était fermée... Supposant qu'elle était allée faire des courses, il finit par s'asseoir sur les marches du perron, goûtant la fraîcheur du vent en l'attendant.

– Je croyais que tu venais vendredi soir, lui dit-elle à sa descente de voiture. Tu es là depuis longtemps?

– Je t'avais dit vendredi? s'étonna-t-il, en l'aidant à décharger du coffre ses sacs et ses cartons. Je ne comprends pas comment j'ai pu me tromper.

– De toute façon, j'étais mal fichue et il valait mieux que je me couche de bonne heure... Tu peux refermer la porte?

Homer la trouvait étrangement lunée, mais il fit comme si de rien n'était et referma la porte, avant de transporter ses courses dans la cuisine.

– Bon, maintenant assieds-toi et écoute-moi bien, lui commanda-t-elle solennellement en se campant devant lui… J'imagine que je peux te confier quelque chose de très personnel.

– Bien entendu, fit-il, en s'avisant qu'elle avait une vitesse d'élocution un peu inquiétante.

– J'ai appris tout à l'heure que j'étais débitrice de plus de deux mille euros, pour la troisième fois depuis le début de l'année, et que la banque envisageait de me retirer bientôt mon carnet de chèques. Je ne sais pas comment je vais faire… Je ne sais même pas comment je vais pouvoir payer l'eau et l'électricité, ajouta-t-elle, articulant les mots du mieux qu'elle pouvait pour garder le contrôle de son émotion.

Alerté par les trémulations de sa voix qui semblait appeler au secours, Homer eut à peine le temps de se relever de son siège afin de lui venir en aide, qu'elle était déjà en larmes.

– Mais il ne faut pas pleurer pour ça! la supplia-t-il, en l'attrapant dans ses bras comme une femme qu'on arrache aux flammes… Je peux te prêter tout l'argent que tu veux, et si je n'en ai pas assez, j'en emprunterai.

– Je pleure parce que je suis à bout. Je te promets que je n'y arrive plus, lui confia Sybil, sanglotant de plus belle… Je n'en peux plus de mes soucis et de ma pauvreté exaspérante.

Homer l'avait toujours connue si vaillante, si maîtresse d'elle-même, que sa vulnérabilité soudaine l'épouvantait… Pendant qu'il la tenait maladroitement

201

dans ses bras, en se penchant sur elle, car elle faisait deux têtes de moins, il pouvait sentir son visage mouillé de larmes pressé contre lui.

– Ce n'est rien, ce n'est absolument rien, lui répétait-il dans l'espoir de la calmer, alors qu'ils continuaient de bouger au ralenti, joue contre joue, à la façon d'un couple de danseurs éprouvés par la vie.

Plus tard, comme les spasmes commençaient à s'espacer, qu'elle pleurait plus doucement, presque paisiblement, Homer put enfin la convaincre de s'asseoir à côté de lui, sur le canapé, et de l'écouter à son tour, sans l'interrompre, car il voulait qu'elle comprenne une bonne fois pour toutes que deux mille euros n'étaient pas un problème pour lui et qu'il allait d'ailleurs lui signer un chèque sur-le-champ.

– Non! réagit-elle en lui mettant la main sur la bouche, je ne veux pas de ça entre nous.

– Je n'insiste pas… On en reparlera une autre fois. Mais dis-moi plutôt comment tout cela est arrivé.

Elle lui avoua donc, en essuyant ses larmes, que tout était évidemment la faute de Giovanni… Il avait d'abord vidé leur compte à son départ pour Chypre, sans prendre aucun risque, puisque la notion de vol entre époux n'existe pas, et l'avait ensuite ponctionnée à intervalles réguliers, exactement comme il ponctionnait sa sœur, en leur envoyant à toutes les deux des lettres affectueuses et toujours contrites, qui se terminaient invariablement par une demande d'argent, si possible désespérée.

Pour la consoler, Homer s'autorisa à lui raconter qu'Emmanuelle – qui se ressemble s'assemble – l'avait elle-même soulagé plusieurs fois de sommes assez rondelette, à l'époque de ses ambitions théâtrales, et que rien donc ne l'étonnait plus de leur part.

– Et ça dure encore ? lui demanda-t-il.

Sybil prétendit que c'était terminé depuis Noël... De toute façon, elle n'avait pratiquement plus un sou devant elle et elle avait même été obligée, le mois dernier, de réduire son budget, déjà plus que ric-rac.

Homer apprit, sans surprise, qu'après s'être vanté de gagner des mille et des cents grâce à sa musique, Giovanni n'avait jamais versé de pension alimentaire à la mère de Ben, pas plus qu'il ne participait bien entendu aux frais d'entretien de la maison.

– Dans ce cas, vous feriez mieux de divorcer, observa-t-il, en sentant incidemment le contact de sa jambe contre celle de Sybil.

– Mais il ne veut pas divorcer et il refuse absolument de vendre la maison. Il n'y a pas moyen de le faire changer d'avis... Et moi, je ne veux plus mettre un centime dans cette baraque. Tout est usé, tout est fichu.

– Il se dit probablement qu'il récupérera sa mise le jour où il rentrera en France.

– Il ne me récupérera pas moi, en tout cas... Au début, j'essayais de me persuader qu'il était seulement dépensier et inconscient, mais maintenant, plus j'y repense, plus je réalise qu'il a toujours voulu m'embobiner, par rapacité, par goût de la manipulation, et que c'est finalement un beau salaud, conclut-elle, comme si elle déchirait d'un coup le corset de sa bonne éducation.

Cette démonstration de sévérité, tellement inaccoutumée de sa part, ne laissa pas d'impressionner Homer... De sorte que, par prudence ou par magnanimité envers son rival à terre, il prit le parti de ne rien ajouter à ce qui venait d'être dit.

Peut-être gardait-il aussi au fond de lui le sentiment confus que, malgré toutes leurs dissemblances, cet homme et lui avaient forcément des affinités secrètes, puisqu'ils avaient aimé les mêmes femmes et que depuis des années chacun des deux marchait sur les brisées de l'autre.

Ce qui procurait accessoirement à Homer le sentiment désagréable et un peu paranoïde d'être poursuivi par un imposteur.

Mais, au-delà du cas Giovanni, déclara-t-il à Sybil, il lui paraissait de plus en plus urgent de rompre complètement et définitivement avec les deux, car c'étaient bien les deux – Emmanuelle et lui – qui les tourmentaient sans cesse, au point qu'il avait quelquefois l'impression de faire partie d'une famille démoniaque.

Il était donc partisan pour sa part, lui expliqua-t-il calmement, de remercier Teresa, qui leur avait rendu de grands services, et de couper tout contact avec le couple, afin de pouvoir vivre libres.

Sa déclaration faite, il mit alors de la musique et ils mangèrent des fruits et des gâteaux en buvant du vin, comme pour fêter leur liberté... Jusqu'au moment où Homer se rendit compte que le fait qu'elle l'ait écouté sans l'interrompre et qu'elle ait trinqué avec lui ne signifiait en rien qu'elle l'approuvait. Bien au contraire.

Si elle avait tiré un trait sur sa relation avec Giovanni, lui répondit-elle, elle n'envisageait pas une seconde, en revanche, de vivre sans nouvelles de lui. C'était même totalement exclu.

– Tu trouveras ça stupide, mais je me sens responsable de lui... Et puis j'ai horreur qu'on décide à ma place, dit-elle, en lui montrant son petit poing et en lui donnant un coup en pleine poitrine.

Il eut à peine le temps d'esquiver le deuxième qu'elle fondit à nouveau en larmes. Mais cette fois-ci elle pleurait à cause de lui.

36

En somme, si elle a bien compris, elle restera ce soir à la maison, lui résume-t-elle… Alors que Sonia n'a plus aucun cours et qu'elle leur a proposé d'emmener Homer au cinéma et de le faire dîner.

– Je sais, reconnaît-il.

Pour relativiser l'importance de l'événement et diminuer sa déception de ne pas en être, Arno lui garantit qu'il ne s'agit pas d'une soirée à proprement parler, juste d'un apéritif entre sept et neuf, avec très peu d'invités.

– Mais toi, Arno Hilmann, tu fais partie des élus, et pas ta femme… Ce n'est d'ailleurs pas la première fois – ni sans doute la dernière – que tes chers amis me mettent en quarantaine… En particulier Clara. Elle préfère manifestement les réunions en petit comité.

– Arrête d'en faire une affaire personnelle. La plupart des invités sont des gens que tu ne connais même pas.

– Raison de plus. Il faut un commencement à tout... Et puis je connais très bien Clara et son mari.

À son pas agité, à sa manie d'ouvrir et de fermer les fenêtres ou de regarder trente-six fois sa montre, Ana le devine assez penaud. Mais pas bouleversé non plus... Pour une question de fierté personnelle, elle aurait souhaité qu'il paraisse vraiment très contrarié et durablement affecté par la mise à l'écart de son épouse.

À moins – tout étant possible avec lui – que l'histoire de Homer oublié à l'école ne lui soit restée en travers de la gorge et qu'il ne soit finalement pas mécontent d'être débarrassé d'elle.

– Eh bien, puisque tu es prêt, profite de ta soirée et transmets mes amitiés à la charmante Clara Terni, qui m'a déjà fait avaler deux ou trois couleuvres.

– Franchement, je trouve que tu deviens lourde, la reprend Arno, de plus en plus ombrageux. (Clara Terni est un sujet sensible.)

– Si tu cherches tes clés, elles sont restées accrochées au mur du couloir.

– Je te remercie, lui dit-il en s'enfuyant.

À dire vrai, Ana n'a pas spécialement envie de frayer avec Clara Terni, et encore moins de passer la soirée avec ses amis... Depuis son mariage, elle a toujours appréhendé ces réunions mondaines, où elle a l'impression d'être une pièce rapportée, condamnée à faire de la figuration aux côtés de son mari. Comme si elle n'avait pas le niveau et qu'elle était passée sans transition du restaurant universitaire aux dîners du Rotary Club.

Ces gens-là ne lui manquent donc pas du tout... C'est plutôt une question de principe ou d'image de soi. Cette manière de la rejeter, en plus d'être vexante, lui ramène à chaque fois le sentiment pénible d'être exclue du cercle des gens sérieux et responsables. Et donc d'être traitée en irresponsable. Car si les connaissances d'Arno choisissent de l'éviter, ce n'est pas parce qu'elle n'arrive pas à la cheville de son mari – il y en a d'autres –, c'est parce qu'ils pensent, sans le dire à haute voix, qu'elle risque de leur gâcher la soirée, avec ses remarques bizarres et ses fous rires.

Il est vrai que parfois, l'alcool aidant, elle dit un peu n'importe quoi, pour le seul plaisir de désarçonner les gens et de voir leur tête ébahie... Ce soir, par exemple, elle aurait été tout à fait capable de mettre sur le tapis la victoire de l'Union de la gauche aux élections françaises. L'année passée, elle a fait ce genre de sortie chez les Langman, à propos de ses convictions communistes. Et ils ne sont pas près de l'oublier.

Après, elle regrette, bien entendu. Elle a même de longs intermèdes d'autocritique, quand elle est seule, au terme desquels elle prend en général la décision de cesser une bonne fois pour toutes ses excentricités et de se comporter en épouse exemplaire... Mais il suffit qu'Arno se mette à lui seriner, comme à une gamine, « ne fais pas ci, ne dis pas ça », pour qu'elle soit immédiatement tentée de déraper. Elle déteste être rabaissée sous prétexte que c'est pour son bien.

C'est dans ces moments-là, pense Ana, en entendant le piano de son fils à l'étage, qu'elle aimerait qu'Arno, qui a beaucoup plus vécu qu'elle, lui explique gentiment, calmement, comment on doit vivre en société. Comment on doit se comporter, sans se trahir soi-même, pour que les autres nous gardent dans leur estime. Plutôt que de lui répéter sans cesse de tenir sa langue.

Qu'est-ce qu'elle ne donnerait pas pour qu'il soit une fois content d'elle... Pour qu'il soit fier devant les gens d'être son mari, au lieu de soupirer dans son coin et de s'allier ensuite avec les autres.

À cause de tout cela, et des frictions continuelles à l'intérieur de leur couple, le champ de leurs relations n'a cessé de se rétrécir et pratiquement personne n'est venu dîner à la maison depuis très longtemps : ils ont fait le vide autour d'eux... Les très rares fois où ils reçoivent quelqu'un servent en fait à dissimuler leur isolement complet. Le sien par-dessus tout.

Dans sa chambre, Homi joue une fugue du *Clavier bien tempéré* : Ana l'a reconnue tout de suite... Elle a poussé la porte et l'aperçoit de dos, assis sur son tabouret, si grand pour son âge, si sérieux et si concentré, qu'elle a soudain envie de le saisir dans ses bras pour qu'il soit tendre avec elle et reste toujours un enfant. Mais ce n'est pas le sens de l'histoire.

En s'éloignant, Ana continue de tendre l'oreille afin d'écouter la petite fugue et de marcher avec elle dans la maison, légèrement, presque en glissant, comme si elle n'était pas du tout malheureuse.

37

La porte franchie, une odeur de lavande et de poussière d'été flottait à l'intérieur du salon, tandis que les grands rideaux bougeaient à peine, jaunis par le soleil. Dehors, la pelouse était desséchée et les arbres épuisés par tant de chaleur… Le chat Maurice dormait sous l'escalier, dans une boîte à chaussures, et tout semblait sommeiller avec lui comme dans le château de la Belle au bois dormant, les mouches, les papillons et les abeilles solitaires.

Sybil, sur le canapé, paraissait encore hésiter entre veille et sommeil, enfouie sous une couverture, le visage légèrement amaigri… Sur la table basse, à côté d'elle, se trouvaient un verre d'eau avec quelques comprimés, ainsi qu'un bouquet de fleurs des champs disposées dans un vase.

– Qu'est-ce qui t'arrive ? lui demanda-t-il à voix basse, comme s'il craignait de la réveiller tout à fait.

– Je me sens un peu mieux, dit-elle d'une voix enrouée, en s'excusant de ne pas l'avoir prévenu… Elle avait passé la semaine au fond de son lit, sans pouvoir parler à personne à cause de son mal de tête et de ces affreuses quintes de toux qui l'épuisaient.

– Tu as vu un médecin? dit-il en lui prenant les mains.

Homer ne savait pas s'il s'agissait d'une prémonition, mais ce matin, en pensant à elle, il avait ressenti un besoin si anxieux et si pressant de la voir qu'il s'était retrouvé douché et habillé avant d'avoir compris comment.

– Il est déjà venu deux fois… Car pour arranger le tout, lui confessa-t-elle, elle souffrait aussi d'une forme d'ankylose ou de blocage au côté droit, qui l'empêchait par moments de se servir de son bras. Les examens n'ayant rien révélé d'anormal, le médecin parlait maintenant de quelque chose de viral, exigeant patience et longueur de temps.

Homer, que tous ces dérèglements commençaient à inquiéter, abonda évidemment dans le sens de son médecin, afin de la rassurer et de se rassurer lui-même.

En même temps, le souvenir de sa récente crise de larmes était trop présent à son esprit pour ne pas soupçonner également une sorte de réaction émotionnelle… Sybil savait certainement aussi bien que lui que lorsque des tensions conflictuelles menacent notre intégrité, la maladie devient une porte de sortie toute trouvée. Et il était donc tenté d'imputer à la conduite inqualifiable de

Giovanni l'origine de ces symptômes... Tout en se dédouanant par la même occasion de sa propre responsabilité.

Car il n'avait pas oublié toutes les fois où il avait cru deviner, en la dévisageant, les signes d'un chagrin étouffé, d'une sorte de dépression cachée dont il craignait d'être la cause.

— J'ai pensé à ce que je t'avais promis, lui dit-il alors, en lui montrant un chèque dûment rempli qu'il posa sur la table, comme pour se racheter de ses fautes.

— Tu profites de ma fatigue, protesta-t-elle faiblement. Je ne sais même quand je te rembourserai.

— Quand tu pourras... À Pâques ou à la Trinité, si tu veux, plaisanta-t-il, en l'aidant à ajuster sa couverture.

Il changea ensuite l'eau des fleurs, épousseta les meubles et entreprit de lui préparer une petite collation composée d'un bouillon maigre, d'une compote et d'un verre de lait chaud.

Pendant qu'il jouait ainsi au garde-malade exemplaire, Homer était forcé de reconnaître que, contre toute attente, cet emploi ne lui déplaisait pas et qu'il l'accueillait presque comme une récréation... La dissymétrie soudaine de leurs rapports – elle contrainte à l'immobilité, lui courant d'une pièce à l'autre – avait suffi apparemment à transformer leur relation, en les libérant de leurs tête-à-tête habituels et des crispations auxquelles ils donnaient parfois lieu.

Il parlait peu, du reste, pour ne pas la fatiguer et se contentait, entre deux besognes, de venir s'asseoir un moment auprès d'elle, afin de s'assurer qu'elle ne manquait de rien.

– Tout va très bien, lui répondait-elle invariablement en le regardant avec un sourire confiant. Et Homer retournait aussitôt à ses occupations, rempli d'une joie lisse et tranquille... Ce qui tendrait à prouver qu'à côté de sa sécheresse et de sa rigidité coutumière, il possédait encore en lui, fort heureusement, une réserve de tendresse qu'il avait enfin l'occasion de mettre à profit.

– Je vais te faire quelques courses en ville, lui annonça-t-il sur sa lancée, sans vouloir écouter ses objections. J'en ai pour deux minutes.

Dans un accès d'espièglerie, il enfourcha le vélo noir qui se trouvait dans le garage (probablement celui de Giovanni) et descendit à toute allure jusqu'au bourg... Épicerie, pharmacie, boulangerie... Il vola d'abord de magasin en magasin avec un zèle de coursier, avant de mettre pied à terre à l'entrée du pont pour regarder un instant les pêcheurs et profiter en vacancier du soleil et du vent.

Au moment de remonter à vélo, il entendit sonner six heures... Des bandes d'étourneaux tournoyaient au-dessus des toits rouges, portés par le son des cloches, et Homer sentit incidemment une brèche de silence s'ouvrir au fond de lui.

À son retour, comme la chaleur était tombée, il aida Sybil à se transporter sur la terrasse du jardin et l'installa sur un transat, la tête à l'ombre, tandis qu'il s'asseyait à côté d'elle sur le carrelage, tenant ses pieds dans ses mains.

– Qu'est-ce qu'ils font en ce moment, d'après toi? lui dit-elle tout à coup, parce que c'était son jeu favori.

– Pour eux, ce doit être le début de la soirée. J'imagine qu'ils dînent tous les deux à la terrasse d'un restaurant bon marché, où ils ont leurs habitudes.

– Moi aussi, je pense qu'ils sont seuls, exactement comme nous... Est-ce que tu as remarqué à quel point nous sommes seuls? lui demanda-t-elle de sa voix rauque.

– Tu veux dire : actuellement?

– Non, toujours. On est toujours seuls... Mais ce n'est pas un reproche. De toute manière, je suis convaincue que personne ne voudrait vivre avec nous, même pour un week-end.

– C'est assez probable, convint Homer, qui s'était relevé pour se dégourdir les jambes.

– Je suis très contente en tout cas d'être seule avec toi dans ce jardin, au milieu de ces arbres et de toutes ces fleurs, lui déclara-t-elle après une quinte de toux. Quelquefois, quand je t'écoute parler, je ressens une espèce de calme, un peu sédatif, qui doit ressembler à l'effet de l'opium.

– Parce que je t'ennuie.

– Pas du tout, tu le sais très bien... J'éprouve au contraire un sentiment bizarre et assez plaisant, que je n'arrive pas à définir.

Homer, qui, d'instinct, préférait que ce sentiment reste indéfinissable, lui assura qu'elle aussi avait le pouvoir de le tranquilliser et que l'effet bénéfique de sa présence se faisait sentir longtemps encore après ses visites.

– Alors c'est bien, décida-t-elle, en lui pressant la main et en fermant à nouveau les yeux.

Pendant qu'il était assis sur une autre chaise, tout contre la sienne, et la regardait dormir, son bras droit étendu sur la couverture, Homer se surprit à regretter de ne pas être équipé de capteurs miniaturisés, capables d'écouter ses pensées.

Il n'avait aucune idée de ce qui pouvait occuper son cerveau à cet instant... Est-ce qu'elle pensait encore à Giovanni? Et si oui, en quels termes?... Ses très légers mouvements de la tête, les contractions des doigts de sa main indiquaient tout au plus la propagation d'une émotion, mais sans en révéler la nature.

La respiration de Sybil, d'abord haletante, était devenue tranquille, étale, tout en restant audible et légèrement sifflante, si bien qu'à force de l'observer, il finit par accorder sa respiration avec la sienne et s'endormit à son tour.

38

Au moment où Lang commença son histoire, ils étaient attablés tous les deux à la terrasse d'un café, en face du quai Kellermann, buvant du vin blanc et fumant des cigares pour fêter leurs retrouvailles.

– Je ne t'ai même pas demandé si tu vivais toujours avec Emmanuelle.

– C'est fini depuis presque deux ans.

L'histoire de Lang, elle, remontait à un peu plus de cinq ans... Et signe funeste, lui dit-il, ils avaient trouvé le moyen de se rencontrer dans le salon d'attente d'un psychothérapeute (en fait, ils étaient deux, le docteur Fesch et le docteur Salomon). Lui était en train de terminer une analyse qui durait depuis une vingtaine de mois, tandis qu'Agnès entamait ses premières séances.

Tout en faisant semblant de rien, il l'avait déjà remarquée les fois précédentes, à cause de sa jeunesse inhabituelle – elle devait avoir vingt-deux, vingt-trois ans – et de sa manie attendrissante de lire toujours le même livre en se rongeant les ongles. En général il s'asseyait, sans faire aucun bruit, dans le coin opposé de la pièce et l'observait... Mais ce jour-là, dit-il, il avait eu la maladresse de la regarder une seconde de trop, alors qu'elle relevait la tête, et il devina tout de suite qu'elle avait repéré son manège.

La fois suivante, puisqu'il était déjà démasqué, il s'enhardit à lui poser quelques questions sur elle et sur ses rapports avec le docteur Salomon (lui, la rassura-t-il, était avec Fesch) et sur ce qu'elle faisait dans la vie... Apparemment, elle avait commencé une formation en naturopathie, ou quelque chose de ce genre, et vivait sagement chez ses parents, dans un quartier excentré de Strasbourg.

– Tu sais, le prévint Lang, en remplissant les verres, si ça ne t'intéresse pas trop, tu peux me le dire... Tu as peut-être connu cette expérience pénible qui consiste à te lancer dans une histoire à la cantine et à t'interrompre sur-le-champ, parce que personne ne t'écoute. Ce qui t'oblige du coup à te resservir en légumes pour te donner une contenance.

– Je t'assure que je suis tout oreilles, dit Homer.

En fait, ce qui l'avait le plus frappé, continua-t-il, ce n'était pas ses études de naturopathie (même s'il flairait l'attrape-nigaud), c'était sa manière à la fois placide et prudente de s'exprimer, quand elle lui détaillait par exemple les qualités remarquables du docteur Salomon, son écoute et son humanité, tout en éludant soigneuse-ment par ailleurs les raisons qui l'avaient conduite à fréquenter son cabinet.

Une fois dehors – c'était la première fois qu'ils marchaient ensemble dans la rue, Agnès et lui – il avait été troublé de découvrir qu'elle était plus grande que lui, à cause de ses jambes nettement plus longues que la moyenne et de son dos invraisemblablement cambré.

– Inutile de te dire, observa-t-il, que je n'étais pas peu fier de marcher aux côtés d'un tel phénomène.

En conséquence de quoi, oubliant qu'il n'était ni libre, ni jeune, ni séduisant, il s'était empressé de lui proposer un rendez-vous, puis un deuxième... Et petit à petit ils avaient pris l'habitude d'aller au restaurant ou au cinéma une ou deux fois par semaine, tout comme un couple légitime.

Par chance, reconnut Lang, en baissant instincti-vement la voix, après seize années d'une vie commune sans nuages, sans disputes, sans aucun mouvement d'humeur, sa femme était restée si confiante, si peu sus-picieuse, qu'elle prenait pour argent comptant tous les mensonges qu'il était forcé de lui débiter.

– Ce qui devait être néanmoins assez pesant, intervint Homer, qui avait connu Barbara, la femme de Lang.

– Attends... L'ironie de l'histoire, son côté risible et lamentable, lui avoua-t-il, c'est que du côté d'Agnès il n'y avait pas la moindre réciprocité, parce que c'était de toute évidence une fille inexpérimentée et

218

peu portée sur la chose, et qu'il était pourtant contraint de mentir à sa femme et de s'inventer des réunions et des rendez-vous avec des clients... Le secret des secrets, c'est qu'il n'avait rien à cacher... Ou si peu.

« Alors, demain ? » la harcelait-il. « Non, pas demain », répondait-elle à chaque fois, de sa voix placide et un peu molle... Il paraît qu'elle avait besoin de temps pour réfléchir.

– Réfléchir ! Elle avait les capacités cognitives d'une gamine de quinze ans.

Un soir, à la sortie du cinéma, comme il la pressait de prendre un verre et de l'accompagner ensuite à l'hôtel, elle avait brutalement soulevé son t-shirt en lui disant d'un ton excédé (il s'en souviendrait toujours) : « Allez, profites-en, j'imagine que c'est ce que tu veux. » Et bien entendu, il était resté bras ballants, sans savoir quoi faire.

Sinon, dans ses rares moments d'abandon – ses moments de câlins, comme elle disait – Agnès acceptait de l'embrasser sur les lèvres, tout en lui malaxant longuement et gentiment l'oreille comme s'il s'agissait de la partie la plus intime de sa personne. Mais pour le reste, tintin.

– Vous n'êtes jamais allés à l'hôtel ?

– Écoute, ça m'écorche la bouche de te le dire, mais pendant les dix-huit mois qu'a duré notre relation, il ne s'est rien passé de ce genre... Et, crois-moi, j'en ai bavé des ronds de chapeau.

Dans l'état de frustration et de tristesse pré-dépressive dans lequel il se trouvait, dit-il, il avait continuellement le sentiment que le monde autour de lui était une fête orgiaque dont il était exclu... La nuit, quand il roulait seul en ville, les lumières aux fenêtres lui faisaient l'effet d'être alimentées par une énergie sexuelle, quasi cosmique. Si bien que lorsqu'elles s'éteignaient – une fois le plaisir obtenu, supposait-il – des milliers d'autres s'allumaient aussitôt, comme dans un grand spectacle pyrotechnique.

– J'avoue, dit Lang, que ce sont des extrapolations délirantes, mais j'en étais arrivé là.

Bien sûr, il avait décidé dix fois de la laisser tomber, car il ne se voyait franchement pas, lui assura-t-il, passer sa vie en compagnie d'une petite-bourgeoise cliniquement narcissique, bornée de chez bornée, qui lui parlait *ad nauseam* de ses soucis avec sa mère, tout en exigeant qu'il quitte sa femme pour fonder une famille avec lui (c'était sa dernière trouvaille).

Et en même temps, on aurait dit que sa sottise rendait sa beauté plus poignante... Lorsqu'il retournait auprès de Barbara, il ne voyait plus que ses cheveux grisonnants, sa peau couperosée et ses grandes mains navrantes... Parce qu'il y a un fascisme de la beauté, autant qu'il y a un fascisme de la force ou de la race, remarqua Lang.

Alors, il revenait malgré lui vers Agnès, un peu comme un homme désorienté qui, au lieu de fuir le danger, court au-devant de sa peur.

Jusqu'au jour où c'est elle qui n'était pas venue. Le bon docteur Salomon avait dû lui faire la leçon, présumait-il... Quoi qu'il en soit, il n'avait pas insisté. C'était enfin terminé.

Quelques jours plus tard, ses esprits retrouvés, il avait senti le besoin de se confesser à Barbara, mais elle l'avait tout de suite arrêté : elle était au courant. Quelqu'un les avait vus dans la rue.

« Quelqu'un ? » avait-il répété, en comprenant qu'il était inutile de finasser et qu'il valait mieux entamer un débat dépassionné sur les aléas de la vie conjugale. Car être trahie n'est évidemment pas rien, convenait-il, mais ce n'est pas la fin du monde non plus... Surtout, avait-il insisté, quand il s'agit de la seule et unique fois et qu'il ne s'est pratiquement rien passé.

Malheureusement, tout le temps qu'il lui parlait, en essayant de sauver ce qui pouvait encore l'être, Barbara lui tournait le dos, sans dire une parole, et brossait interminablement ses cheveux devant la glace de la salle de bains... Il en avait mal au bras pour elle.

À un moment donné, peut-être par goût des émotions fortes, dit-il, il lui avait finalement demandé si elle acceptait de lui faire confiance ou si elle voulait qu'il s'en aille. Et elle lui avait montré la porte du doigt. Il n'avait pas du tout prévu ce retour de bâton... Une demi-heure plus tard, il était sur le trottoir, sa valise à la main.

– Tu n'as jamais revu ta femme ?

– Seulement pour la procédure de divorce... Actuellement je vis à Neudorf, chez ma mère. Je n'ai même pas osé aller récupérer ma voiture. Je suppose qu'elle doit être en train de rouiller dans la cour de Barbara, comme une sculpture dédiée à la guerre des sexes.

– C'est une histoire affreuse.

– Dans la vie, dit Lang, il y a des élus et des réprouvés... Et moi, je fais partie des réprouvés, camarade.

Homer, occupé à rallumer son cigare, ne trouva rien à lui répondre.

39

Elle préfère attendre et se faire oublier. Arno conduit la voiture sans rien dire, sans rien manifester de son émotion, les yeux fixés sur la route... Sa colère – car elle sent qu'il est très en colère – n'est perceptible qu'à l'espèce de grondement ou de bourdonnement qu'il émet par moments, mâchoires serrées. Il a tout l'air d'un homme qui remue de mauvaises pensées dans la pénombre, des envies de gifles et de coups de pied qu'il retient à grand-peine... À l'extérieur, pour tout arranger, la pluie orageuse est si violente qu'elle forme comme des tourbillons d'eau sur le bas-côté de la route.

Ana aimerait bien lui dire, afin de dédramatiser un tout petit peu la situation, que ce sont des examens médicaux de pure forme et que Homer n'a absolument rien : il est seulement choqué... Mais vu son attitude depuis qu'ils sont montés en voiture, elle se contente de regarder devant elle, bouche ouverte, comme un animal qui voudrait parler.

Par instants, elle se soupçonne, dans son for intérieur, d'avoir elle-même provoqué ce malheur supplémentaire. Parce qu'elle avait secrètement besoin d'une catastrophe qui emporterait leur couple.

Mais, si c'était vrai, se dit-elle en s'efforçant de retenir ses larmes, elle ne pourrait jamais réparer une telle faute, ce serait impossible, à moins d'ouvrir la portière et de se jeter sous une voiture.

— Tu vois où nous en sommes aujourd'hui? lui dit brusquement Arno, comme s'il pensait à la même chose qu'elle... Tu as toujours voulu fermer les yeux sur les dangers de ton attitude irresponsable. À présent, tu commences à mesurer les conséquences de tes actes.

Vu les circonstances, Ana n'ose pas lui répliquer qu'il n'a pas le droit de lui parler ainsi, car c'est à la fois bas et injuste, et que contrairement à ce qu'il croit, elle a toujours eu un sens des responsabilités très développé, trop développé même... Malheureusement, pour des raisons qui lui échappent, elle est incapable la plupart du temps d'accorder ses actes avec ses principes.

— J'espère que tu n'auras pas le front tout à l'heure de prétendre que tu n'es pas fautive.

— Si, je suis fautive, bien entendu... Mais je pense sincèrement que si tu avais été assis dans le parc, à ma place, ça n'aurait rien changé, lui répond-elle, pendant que les essuie-glaces continuent de balayer des lumières rouges et blanches sur le pare-brise.

– On n'en saura jamais rien. Il me semble quand même que, si j'avais été à ta place, je me serais étonné de voir un grand type inconnu jouer avec des gamins de dix ans... Apparemment, ça ne t'a pas troublée plus que ça.

– Arno, je regrette tout ce qui a eu lieu cet après-midi... Et, rassure-toi, je ne te demande ni l'indulgence ni l'absolution. Mais tu n'étais pas là et je voudrais, une seule fois, que tu m'écoutes sans parti pris et que tu essaies de comprendre comment les choses se sont déroulées exactement.

– Alors, vas-y.

Ana lui raconte donc scrupuleusement ce qui s'est passé, à partir du moment où elle a récupéré Homer à la sortie de l'école – il devait être cinq heures un quart – pour l'emmener au parc avec quelques-uns de ses petits camarades. Comme il faisait très chaud et qu'il n'avait pas envie de goûter, elle l'a naturellement laissé jouer au ballon avec les autres (pour une fois qu'il jouait avec des garçons de sa classe), tandis qu'elle discutait sur un banc en compagnie de la mère de Peter Buch, qui venait de les rejoindre. Elle se souvient même que, tout en lui parlant, elle se tenait comme ça, lui montre-t-elle, légèrement de trois quarts, pour les avoir à l'œil.

– Et cet inconnu, qui devait rôder autour d'eux, tu ne l'as jamais eu dans ton champ de vision?

– Je n'en ai aucun souvenir. Mais laisse-moi continuer... À un moment donné, je me suis bien rendu compte qu'on ne les voyait plus, et on s'est dit, avec la mère de Peter, qu'ils avaient dû profiter de notre surveillance un peu élastique pour filer dans le fond du parc. Ce n'était pas grave. C'est uniquement lorsque ses camarades sont revenus et m'ont annoncé que Homer était resté discuter avec un grand, que j'ai trouvé tout cela plutôt étrange. Pour en avoir le cœur net, j'ai fait le tour du parc, en commençant bien sûr par le fond, sans voir personne... Et c'est là que je suis allée trouver ce gardien complètement stupide, qui m'a fait perdre un temps fou en cherchant à me démontrer que Homer n'avait pas pu quitter l'enceinte du jardin.

– Il a dû faire ensuite une déposition.

– Si c'est le cas, son témoignage risque d'être assez confus... Quoi qu'il en soit, quand j'ai enfin retrouvé Homi, à l'extérieur du parc, à moitié caché derrière un arbre, le pauvre pleurait si fort, avec de tels hoquets d'affolement, qu'il n'arrivait même pas à me dire ce qui lui était arrivé. De toute façon, le type avait sans doute disparu depuis longtemps.

– Mais tu sais maintenant ce qui s'est passé?

– Oui, en partie.

– Tu sais que d'après les premiers éléments recueillis, l'autre l'a entraîné par la main dans une sorte de cabane ou de remise et s'est ensuite déshabillé devant lui, en prenant bien soin de lui montrer tout ce qu'il avait envie de lui montrer... J'imagine qu'on se comprend.

– Pardon, Arno, pardon, le supplie-t-elle.

– C'est à ton fils que tu demanderas pardon. Mais, encore une fois, je voudrais savoir comment tu as fait pour ne pas remarquer ce type, alors que tu discutais à quelques mètres de lui.

– Il y avait plein d'étudiants qui se promenaient dans le parc. Je n'avais aucune raison de penser à ce genre de chose.

– *De penser à ce genre de chose*, répète-t-il comme s'il se parlait à lui-même.

Puis il s'est tu. Sans pouvoir pardonner… Pendant un long moment, Ana reste blottie contre lui, la tête posée sur son épaule, reniflant et pleurant toutes les larmes de son corps.

Dehors il commence à faire nuit. À cause des trombes d'eau, les voitures roulent au pas, tous phares allumés… Les visages des passagers, déformés par les vitres, semblent les regarder avec de grands yeux éplorés comme s'ils étaient déjà au courant.

– Je suppose qu'ils ont terminé les examens, dit-il en garant la voiture sur le parking de la clinique.

– Arno, j'ai les jambes qui tremblent, lui avoue-t-elle au moment d'ouvrir la portière.

40

À la sortie de la gare, Homer poussa la porte d'une épicerie afin d'acheter une bouteille d'eau et une crème solaire qu'il rangea dans son sac, puis il emprunta la longue rue menant aux abords de la ville. Quand il arriva enfin en vue du parking où Sybil lui avait donné rendez-vous, il eut le sentiment déroutant d'être nulle part.

Aussi loin qu'il regardait en tournant la tête, il n'apercevait personne. Les pare-brise des rares voitures en stationnement miroitaient dans l'ombre, tandis qu'une vibration légère parcourait le feuillage des arbres sur les hauteurs, sans qu'on sente le moindre souffle d'air en bas.

Homer, qui attendait stoïquement, son sac sur l'épaule, évita de consulter sa montre, s'appliquant au contraire à maîtriser le temps par l'attention qu'il portait au paysage... Sur un des côtés du parking, s'étendait un lotissement de pavillons identiques, avec des jardins en pelouse. Sans savoir pourquoi, son intérêt se porta sur l'un d'entre eux, à sa gauche, sans doute parce que ses fenêtres étaient restées ouvertes et que le regard pouvait traverser la maison de part en part, jusqu'à une petite cour ensoleillée, tout à l'arrière.

Hormis un minuscule toboggan et un vélo renversé dans l'herbe, la cour en question n'avait a priori rien de très particulier, et pourtant il s'aperçut en même temps qu'il ne pouvait plus en détacher les yeux, comme s'il avait découvert rien moins que le cœur lumineux de la vie.

Son attention fut distraite, à un moment donné, par l'apparition dans son champ de vision d'une très vieille dame assise à l'intérieur d'une voiture garée devant un des pavillons. Il ne l'avait absolument pas remarquée... Quelqu'un avait dû l'oublier là, après l'avoir attachée avec sa ceinture de sécurité, et elle, manifestement résignée, se bornait à regarder derrière la vitre sans bouger d'un centimètre, en proie peut-être au même vertige optique que lui.

Homer, qui avait recommencé d'observer la courette derrière la maison, cherchait vainement à retrouver sa concentration d'esprit, partagé qu'il était à présent entre le désir de voir arriver son amie et l'envie de prolonger de quelques minutes son état contemplatif.

– Tu dors les yeux ouverts ? l'interrompit Sybil en klaxonnant.

229

– Non, je bronzais sur le parking.

Après s'être introduit dans la voiture, au prix de quelques ajustements, il n'eut pas plus tôt déposé sur la joue de sa conductrice un baiser plein de respect et de douceur, qu'elle parut consternée par la manière dont il était habillé. Il crut même qu'elle allait le prier de redescendre.

– Quelle idée de mettre un costume pour aller à la piscine ! Tu dois mourir de chaud, le sermonna-t-elle en s'efforçant de lui retirer sa veste et sa cravate... Tu dois être le seul homme que je connaisse à porter une cravate par une telle chaleur.

Tout en levant le menton pour lui faciliter la tâche, Homer lui expliqua posément qu'il rentrait tout juste de Strasbourg – il y était resté trois jours – et qu'avec la meilleure des volontés il n'avait pas eu le temps de se changer... Il aurait pu lui dire également qu'il souffrait moins de la chaleur quand il portait un costume, mais il y renonça.

– J'ai quand même pensé à emporter un maillot de bain au fond de mon sac, la rassura-t-il.

Lorsqu'ils roulèrent dans la campagne, toutes vitres baissées, dans la pleine touffeur de l'après-midi, Sybil lui fit gentiment observer qu'il avait tout de même de la chance de pouvoir se promener ainsi, tous frais payés, à Francfort ou à Strasbourg, alors qu'elle n'était jamais allée pour son travail plus loin qu'à Massy-Palaiseau.

– Tu sais, les péripéties d'une vie de comptable en voyage sont plutôt modestes. On passe nos journées à

230

éplucher des dossiers et nos soirées à végéter dans une chambre d'hôtel, en préparant la réunion du lendemain. Ce n'est pas spécialement gai... Pourtant j'aime bien la vie d'hôtel.

– Moi aussi, répondit-elle, en tournant la tête et en le fixant longuement dans les yeux comme s'ils étaient seuls sur la route... Je crois que je pourrais passer ma vie dans des hôtels.

Elle n'ajouta pas « avec toi », mais bizarrement il l'entendit.

Plus tard, une fois enfermé dans la cabine de la piscine, son maillot de bain à la main, lui revint brusquement le souvenir de la peur panique qu'il éprouvait à l'entrée des vestiaires, à l'idée de devoir se déshabiller devant ses camarades de classe... Signe que le mal était déjà là, songea-t-il, en accrochant ses affaires au porte-manteau.

Il s'aperçut alors en descendant que Sybil l'avait précédé dans le bassin. Elle était vêtue de son maillot noir à damiers et nageait toute seule, lentement, rêveusement, en faisant des ciseaux avec ses longues jambes... Homer, qui avait mis sa main en visière, se fit la remarque, comme s'il s'agissait d'un jugement totalement objectif, qui ne l'engageait en rien, qu'elle avait une allure assez incroyable.

– Tu viens ? lui cria-t-elle en remuant les bras. L'eau n'est pas froide du tout.

Le thermomètre immergé indiquant qu'elle était effectivement à vingt-huit degrés, Homer se résolut à

231

entrer par le petit bain, en se trempant à mi-corps et en se glissant doucement à la surface de l'eau, sans faire plus de bruit qu'un ragondin... Ils nagèrent d'abord de concert une douzaine de longueurs, à grandes brasses coulées, puis, Sybil ayant demandé une trêve, il continua seul, le corps bien en ligne, alternant le crawl et la nage indienne, dans le sillage d'une grosse dame anxieuse qui n'arrêtait pas de tourner la tête.

Lorsqu'ils furent allongés sur leurs serviettes de plage, presque peau contre peau, il se rendit compte que ce désir qu'il avait d'elle, qu'il avait enfoui sous des couches et des sous-couches de mauvaise foi, était toujours là, aussi pressant... En plus, il était convaincu que Sybil n'était pas dupe du tout... Son sixième sens lui disait même qu'à cet instant, cachée derrière son livre, elle attendait qu'il fasse enfin le premier pas.

Homer eut alors la certitude brutale que sa stratégie de temporisation n'avait que trop duré et que, cette fois-ci, il ne devait pas laisser passer sa chance. Car avec une femme telle que Sybil, il n'y avait certainement pas de rattrapage, ni de seconde chance... Il lui fallait agir, agir tout de suite – il entendait les sommations de sa conscience –, ou bien il le regretterait amèrement plus tard.

Seulement, la pensée qu'il allait devoir se débarrasser de sa réserve et mettre ses sentiments à découvert, sans plus reculer, sans plus se protéger derrière des phrases, l'arrêta instantanément. Alors qu'il s'était déjà tourné de son côté et s'apprêtait à lui entourer les épaules, dans une perception un peu floue de ce qu'il allait faire, il sentit son assurance le quitter sur-le-champ. Il retira donc discrètement son bras et le ramena collé contre lui, sans plus bouger.

– Écoute, comme c'est drôle, lui dit Sybil, qui n'en avait décidément que pour David Lodge.

Pendant qu'elle lui lisait un passage de *La Chute du British Museum*, Homer, toujours enfermé dans son solipsisme, l'écoutait d'une oreille, tout en se demandant intérieurement si sa conduite à l'égard de cette femme relevait de l'inhibition ou de l'autopunition... Il était en tout cas obligé de constater qu'il y avait quelque chose qui ne marchait pas chez lui et que de semaine en semaine persistait entre eux deux une distance physique qui semblait ne jamais devoir diminuer.

Plutôt que de se donner des claques, il retourna dans le bassin et fit à nouveau une dizaine de longueurs. À la suite de quoi, il se dirigea d'un pas ferme vers le grand plongeoir comme s'il avait une revanche à prendre.

Arrivé tout en haut, il fut soudain frappé de voir si loin, si panoramiquement, tandis que le soleil dilaté s'inclinait à l'horizon... Il s'avança alors jusqu'à l'extrémité du plongeoir et commença par rebondir plusieurs fois sur la planche, bras écartés, avec l'impression d'être libéré de la pesanteur et de léviter au-dessus des toits et des jardins environnants... Puis il marqua un temps d'arrêt, afin de chercher Sybil du regard, et se jeta dans le vide.

41

Elle croyait que Homer en avait terminé avec ses soucis. Mais ce matin il a encore eu un petit accident. Elle l'a trouvé en larmes dans sa chambre, son slip trempé à la main, ses draps jetés par terre... Elle l'a donc conduit le plus doucement possible jusqu'à la salle de bains. « Je suis capable de prendre une douche tout seul ! » lui a-t-il crié en la repoussant avec exaspération, avant de claquer la porte... Le docteur Klein, qui veut toujours la rassurer, prétend que l'énurésie est un symptôme bénin, relativement classique après un tel choc nerveux.

Le problème, c'est qu'elle a par moments le sentiment que la vie de son fils est devenue une liste de symptômes. Car à l'incontinence, aux crises d'angoisse, aux difficultés d'endormissement, s'ajoute à présent la phobie de l'école : Homer n'est plus retourné en classe depuis l'épisode du parc.

Et il refuse bien sûr d'inviter d'autres enfants à la maison. Probablement parce qu'il redoute d'être le centre de l'attention générale et de devoir répondre à certaines questions gênantes... Il est vrai aussi que ses petits camarades ne sont pas des enfants de chœur et que, d'après ce qu'elle croit savoir, ils ne lui ont jamais fait de cadeaux.

Mais bien que Homi ait toutes les raisons du monde de ne vouloir voir personne actuellement, Ana ne peut se défendre de penser que ses rapports avec les enfants de son âge – déjà suffisamment malaisés – risquent de devenir encore plus difficiles et de renforcer sa tendance à l'isolement... Elle a tellement désiré qu'il s'épanouisse, tellement soufflé dans son dos pour qu'il se libère d'elle et gagne le large, qu'elle trouve insupportable l'idée qu'il puisse grandir séparé des autres, des filles comme des garçons.

– Je pense que tu devrais retourner à l'école, lui suggère-t-elle au moment de déjeuner. Juste quelques heures. Pour te réhabituer progressivement aux gens de ta classe.

– Je n'y arrive pas, lui répond-il, d'une voix étouffée.

– C'est toi qui vois, lui concède-t-elle, en devinant à son regard, au petit miroir vide qu'elle aperçoit au fond de ses pupilles, que le vent du boulet n'est pas passé très loin.

Ana le laisse donc faire... Comme son père est retenu à Hambourg, elle passe des journées entières avec lui sans savoir quoi lui dire, ni comment l'occuper... Il peut demeurer silencieux des heures durant, tandis qu'il regarde la télévision ou feuillette des bandes dessinées en l'ignorant complètement.

Enfant, Homer était déjà différent des autres, puisqu'il est resté quasi muet jusqu'à l'âge de trois ans. Il s'est mis à parler du jour au lendemain, sans qu'on ne puisse plus l'arrêter, avant de retourner par intervalles à ses épisodes silencieux, lorsqu'un camarade le maltraitait ou que sa maîtresse n'était pas contente de lui... Ana a tenté une seule fois, quand il avait sept ou huit ans, de le faire examiner par un pédiatre de Zurich, et elle s'en est mordu les doigts : de dépit, il n'a plus prononcé une parole pendant des jours et des jours.

Concernant ce qui lui est arrivé dans le parc, il n'a toujours rien dit, bien entendu. Il ne s'est pas plaint, n'a rien raconté de la scène dans la cabane, ni fait aucune allusion à ce qu'il avait pu ressentir... Et Ana doit reconnaître qu'elle y est certainement pour quelque chose, tant elle s'est elle-même appliquée à neutraliser l'événement, afin de garder un minimum de stabilité mentale.

Mais quand elle s'efforce de lui parler, malgré son entêtement à rester silencieux, et qu'elle aperçoit son petit sourire distrait qui semble lui dire : « Tu vois, je ne pleure pas, je me comporte comme un grand », elle a presque envie de s'agenouiller et de le serrer contre elle en le suppliant de se réveiller, de redevenir lui-même.

– Homi, mon chéri, tu ne veux pas qu'on aille se promener et faire des courses ? lui dit-elle tout à coup, en lui promettant de lui acheter des tartelettes aux cerises pour l'amadouer.

– Tu peux aller faire tes courses, si ça te fait plaisir, et acheter des tartelettes au passage. Moi, je n'ai pas envie de sortir, lui répond-il en allemand, histoire de la faire enrager.

– Dis-moi pourquoi tu me parles comme ça, Homi ? Pourquoi tu t'éloignes de moi ? lui demande-t-elle en tentant de l'embrasser.

– Je ne m'éloigne pas… Je suis là, dit-il, d'un air effronté, tout en faisant un pas de côté pour lui échapper.

Ana est d'autant plus impuissante à le retenir qu'elle sent très bien que ses baisers et ses caresses doivent ressembler à des repentirs… Elle n'a jamais réussi à trouver le juste milieu avec lui. Soit elle le délaisse, l'oublie à l'école, soit elle est totalement dans l'excès inverse, elle l'étouffe, le surprotège de façon si maladroite qu'au lieu de le rassurer, elle accroît encore son anxiété.

Sa culpabilité ne date d'ailleurs pas d'hier… À la maternité, alors qu'elle le tenait endormi sur son sein, sans rien éprouver d'autre qu'un féroce sentiment d'exclusivité, qui la consolait de tout le reste, elle s'accusait déjà d'être une mère immature et égoïste.

– Homi ? l'appelle-t-elle. Homi ?

Il a dû aller s'enfermer dans sa chambre pour échapper à ses embrassements. Ana ne s'est pas encore habituée à sa manière de disparaître sur la pointe des pieds, sans dire un mot.

Elle ne sait pas du tout ce qu'il fait dans sa chambre, puisqu'elle n'a plus le droit d'y entrer. Ce qui est sûr, c'est qu'il ne se met plus au piano. Il ne joue plus ses sonates et ses fugues, et elle par conséquent ne monte plus l'escalier, comme lorsqu'elle écoutait chanter sa petite âme derrière la porte... Maintenant, on n'entend plus rien.

42

Homer, qui tenait à garder secrète leur relation particulière ainsi que sa qualité de soupirant, avait insisté auprès de Sybil pour être présenté à sa sœur comme un simple ami, voire un ami d'ami, si cela lui chantait. Les présentations furent donc à la fois sobres et normalement chaleureuses, et ils purent naviguer dans les étages sans avoir tout le temps le sentiment d'être épiés.

La maison de Madeleine et de son mari était un ancien corps de ferme perdu dans la campagne bourguignonne, et plutôt joliment restauré, malgré les incongruités habituelles, tels les faux plafonds et les volets mauves.

– On l'a rouverte il y a seulement quelques jours, s'excusa la sœur de Sybil en les guidant, consciente qu'en plus de l'odeur de renfermé et de bois moisi, la température des pièces était restée frisquette.

Madeleine était une grande femme rousse qui au premier abord semblait avoir peu de choses en commun avec sa cadette, excepté peut-être le nez retroussé et le sourire épisodique au coin des lèvres. Homer découvrant à cette occasion que ce petit sourire mystérieux, dont il s'était fait tout un monde, était en réalité un bien de famille que les deux sœurs possédaient en indivision... Quant au mari, qui répondait au nom de Bruno, Homer avait été suffisamment briefé dans la voiture pour comprendre qu'il valait mieux ne pas poser de question à son sujet, sous peine de blesser sa femme. Il était officiellement en mission auprès d'une banque africaine : un point c'est tout.

– Les filles, on vous attend ! cria leur mère, sans que personne ne daigne se montrer.

La conversation entre les deux sœurs menaçant d'être un peu languissante et de ne concerner que des personnes dont il ignorait jusqu'aux noms, Homer avait fini par se mettre à la fenêtre pour fumer en paix. En bas, deux fillettes – visiblement des jumelles monozygotes – jouaient au badminton sur la pelouse, tandis que leur sœur aînée était assise sur le mur de la cour, telle une vierge en majesté absorbée par sa musique... Il supposa qu'il devait s'agir des filles de la maison et, alors qu'il recherchait ce que Sybil lui avait confié à leur sujet (il se souvenait qu'il y avait une Judith et une Mélanie), son regard plongea accidentellement dans les yeux de la plus grande. Ce contact oculaire, a priori sans intention, ni signification, lui laissa pourtant l'impression bizarre d'être pris en faute.

– Tu t'appelles Judith ou Mélanie ? lui demanda-t-il plus tard, quand ils furent tous réunis dans la cour.

– Non, moi, c'est Alicia, répondit-elle en rougissant légèrement. Judith et Mélanie, ce sont les jumelles.

Pendant qu'elle se tenait debout en face de lui, avec ses yeux très noirs et son long corps qui oscillait entre l'adolescence et l'âge adulte, Homer, qui ne savait où poser son regard, remarqua l'inscription sur son t-shirt – LOVE ME OR KILL ME –, qu'il se surprit à relire plusieurs fois, un peu comme on lit une formule codée... Qu'est-ce qui avait bien pu lui prendre de choisir un tel message ?

Toujours est-il que ce voyage en Bourgogne auquel il avait consenti à contrecœur, et uniquement pour ne pas fâcher Sybil, se révélait soudainement plus passionnant qu'il ne l'avait imaginé.

– Je ne t'ai pas encore raconté la dernière de Bruno, entendit-il Madeleine dire à sa sœur, derrière le dos des filles.

Présumant qu'elle faisait allusion aux frasques de son mari, Homer prit le parti de se tenir à l'écart et d'aller plutôt rejoindre les enfants qui voulaient lui montrer leurs animaux. À côté de l'écurie, il y avait en effet un petit enclos dans lequel cohabitaient trois moutons et deux chevrettes, aussi malignes et graciles que des licornes en captivité. Pour complaire aux jumelles, il accepta de les caresser et de leur dire un mot gentil, tandis que la tête d'un cheval blanc apparaissait à la porte de son box.

– Je vous présente Pollux, dit Alicia en l'attrapant par l'encolure et en frottant son front contre lui.

– Il est à toi?

– Si on veut. En fait, c'est surtout notre voisin qui s'en occupe quand on est à Paris. Et j'ai peur qu'il ne s'ennuie beaucoup, car il ne peut plus galoper, ni monter des juments, ajouta-t-elle sérieusement, en lui donnant un morceau de sucre.

Les jumelles étaient retournées dans l'enclos aux chevrettes, et Homer, qui aurait aimé avoir le pouvoir d'arrêter le temps comme dans les contes, s'était assis dans l'herbe pour la regarder en train d'étriller son cheval et de lui peigner la crinière.

On aurait pu croire, réfléchissait-il, en la voyant si fraîche, si spontanée, qu'elle n'avait absolument pas conscience de son charme, parce que personne ne lui en avait parlé ou qu'elle n'y avait pas prêté attention. Contrairement à tant d'autres.

– Tu as quel âge? lui dit-il, dix-neuf ans?

Raté. C'était dix-sept et demi.

– Dix-sept ans et demi, répéta Homer, tout en veillant à ce qu'aucun signe extérieur ne trahisse son trouble.

Un jour, du reste, il voudrait bien que quelqu'un lui explique – un spécialiste, si possible – quel instinct, quels fluides biologiques opèrent de telles connexions émotionnelles, en général à l'insu des personnes

242

concernées... Étant entendu que les personnes en question savent pertinemment que rien ne pourra se passer entre elles, et que leurs trajectoires ne font que se croiser par hasard, durant quelques instants.

Mais quels instants, pensa-t-il, en l'entendant pouffer de rire... Et l'espace d'une fraction de seconde, il se demanda s'il ne s'était pas trompé depuis toujours sur son désir. Même s'il était un peu tard pour revenir là-dessus.

De toute façon, ils appartenaient, Alicia et lui, à deux mondes différents et il savait très bien qu'il ne pouvait pas plus pénétrer dans son monde qu'elle ne pouvait pénétrer dans le sien. Alors qu'en revanche, se rappela-t-il, il pouvait légitimement ambitionner d'entrer dans celui de Sybil, et réciproquement.

Pendant qu'elle menait son cheval dans l'herbe en le tenant par la bride, Homer, qui marchait à côté d'elle, eut néanmoins l'impression qu'ils avaient par moments des silences et des rapprochements qui équivalaient presque à des caresses. Mais sans perdre de vue, bien entendu, qu'il lui fallait rester prudent s'il ne voulait pas assombrir cette journée.

L'apparition de Sybil et de sa sœur au bout du pré (elles avaient apparemment terminé leur conciliabule) confirma à point nommé son pressentiment... Il n'en balança pas moins sur la conduite à tenir, ne sachant s'il devait quitter l'une pour retrouver l'autre, ou bien rester où il était, à la manière d'un homme déchiré entre l'allégorie de la Jeunesse et celle de la Justice...

243

Pour ajouter à son malaise, il crut remarquer que Sybil affectait de leur tourner le dos, parce qu'elle en avait assez vu pour aujourd'hui.

– Alicia, attends-moi ! cria alors un grand garçon frisé, surgi de nulle part, en l'attrapant par la taille.

– C'est mon voisin, Jérôme Cailleul, lui expliqua-t-elle, comme si c'était une raison.

Au moment de se séparer (ils avaient une longue route à faire jusqu'à la région parisienne), Alicia le regarda une dernière fois en lui faisant un petit signe de la main, auquel Homer répondit le plus discrètement possible.

Ils roulèrent longtemps sans s'adresser la parole. Sybil gardait les yeux fixés droit devant elle, tandis que lui, le bras passé à la portière, observait la succession des prés et des bois. Il faisait encore chaud malgré le temps couvert, et il n'y avait presque personne sur la route... Homer se doutait bien entendu que Sybil était à cran et préférait pour l'instant faire le mort.

Malheureusement, après le péage, elle s'arrêta sans prévenir sur l'aire de repos et lui prit la main... Homer, qui appréhendait la suite, lui demanda alors d'une voix mal assurée ce qui n'allait pas.

– Tu as passé l'après-midi à courir après un mirage, et si ça peut te consoler, tu n'es pas le premier, Homer Hilmann.

– Comment ça? dit-il en considérant Sybil... Elle ne pleurait pas. Ni ne souriait, d'ailleurs.

244

– Alicia est très jolie, mais c'est une fille beaucoup plus compliquée que tu ne penses... Je ne sais pas si on peut parler de cynisme, à propos d'une jeune fille de dix-sept ans, ou si c'est juste une forme de prédation adolescente tout à fait temporaire, comme le prétend Madeleine. Quoi qu'il en soit, elle ne cesse de changer de petit ami depuis un an, en choisissant de préférence des garçons nettement plus âgés qu'elle, disposant d'une voiture.

– Comme je ne sais pas conduire, la question est tout de suite réglée, plaisanta Homer, qui aurait bien aimé détendre l'atmosphère.

– C'est vrai que j'ai eu un petit pincement au cœur en te voyant avec elle... Et en même temps, continua-t-elle en lui pressant la main, je dois avouer que j'étais plutôt heureuse de te découvrir amoureux comme un gamin. Tu étais vraiment attendrissant.

– Moi, je suis sûr que c'est une fille très bien, déclara-t-il, sans vouloir relever sa remarque.

Par moments, la sollicitude maternelle de Sybil à son égard avait quelque chose de pesant et d'implacable qui l'inquiétait presque.

– On peut repartir? lui demanda-t-il.

43

Non, ce n'est pas lui : c'est elle qui l'a autorisé à ne pas aller à l'école, s'il ne se sentait pas bien, le défend-elle, en mettant la table… De toute manière, les cours sont pratiquement terminés et les maîtresses font de la garderie depuis une semaine

– Il est dans sa chambre?

– Il descendra tout à l'heure. Il m'a dit qu'il préfé-rait déjeuner seul.

Elle appréhendait la réaction d'Arno, mais après avoir observé l'hésitation de sa démarche, le papillote-ment de ses yeux, elle le trouve moins redoutable que prévu… Une fois assis en face d'elle, la tête entre les mains, il a l'air au contraire désorienté et indécis.

– Tu crois qu'on ne pourra aller nulle part cet été? lui demande-t-il à voix basse.

Elle n'en sait rien. L'idée de partir en vacances lui paraît tellement irréelle à présent… En même temps, elle est consciente qu'ils ne peuvent pas continuer à vivre confinés et qu'ils auraient sans doute besoin de quitter la maison et de partir en voyage pour cesser de ressasser leur problème.

— Tu vois, Ana, au-delà de tout ce qui a pu lui arriver, j'en veux à son école, à ses camarades, à leur méchanceté et à leur conformisme infect, lui déclare-t-il subitement... C'est tout de même symptomatique que Homer ne veuille plus y remettre les pieds.

— Je suis d'accord, mais qu'est-ce que tu peux y faire ?

— On n'a qu'à le changer d'école à la rentrée. Il ira dans une institution privée, catholique ou protestante, peu importe, mais confessionnelle. L'encadrement sera plus sérieux et la mentalité différente.

Ana croyait que son malheur l'avait transformé et qu'il s'était radouci, mais visiblement ce n'est pas le cas. La détermination se lit sur son visage... Personnellement, elle ne voit pas ce que cela changera, ni en quoi ses petits camarades catholiques ou protestants devraient posséder une ouverture d'esprit et une charité évangélique qu'on ne trouve plus nulle part ailleurs. Cela se saurait.

— Je pense aussi qu'un suivi psychologique lui ferait le plus grand bien, poursuit Arno, qui une fois lancé relâche rarement sa pression.

Sauf que, tient-elle à le prévenir tout de suite, pour qu'il n'y ait pas de malentendu, si elle veut bien admettre que la fréquentation d'une nouvelle école et de nouveaux camarades pourrait lui apporter une forme d'apaisement – bien qu'elle y croie modérément – elle est en revanche persuadée que la consultation (surtout la consultation répétée) d'un psychologue ou d'un psychiatre – qui s'empresserait probablement de le bourrer de médicaments – ne s'impose absolument pas.

– Je m'y attendais… Homer ne parle quasiment plus, ne va plus à l'école et mouille son lit une nuit sur deux, et tu voudrais qu'on continue ainsi sans rien faire ? Il me semble, étant donné ton rôle dans cette histoire, que tu pourrais de temps en temps te remettre en question et te défier de tes jugements expéditifs.

Tout cela énoncé bien sûr en allemand, sur le ton cassant et dogmatique qu'il affectionne… Comme si, de défaillance en défaillance, elle avait perdu toute légitimité, en tant que mère, et qu'il avait désormais à la fois le monopole de l'amour et de l'autorité parentale.

– Je vois très bien les difficultés de Homi, puisqu'on est tous les jours ensemble à la maison. Et c'est précisément ce qui me fait dire qu'il est inutile de l'effrayer davantage en exagérant la portée de ce qui lui est arrivé. Il ne faut surtout pas en faire une tragédie.

– En faire une tragédie ? la reprend-il en s'étouffant. Mais qu'est-ce qu'il te faudrait pour que ce soit une tragédie : qu'il ait été étranglé ?

– Laisse-le oublier, Arno, lui répond-elle patiemment. Les enfants oublient vite. J'imagine que petit à petit les résidus de cette histoire vont se déposer tout au fond de lui, où ils se désagrégeront et finiront par tomber en poussière... Entre-temps, ton fils sera passé à autre chose.

– Ce n'est pas du tout ce que disent les psychologues.

– J'admire ta confiance en eux, Arno chéri, et j'aimerais la partager... Tu voudrais peut-être également que j'en profite pour consulter avec lui. Tant qu'on y est. On pourrait avoir deux séances pour le prix d'une.

– Et pourquoi pas? Pourquoi serais-tu au-dessus des autres? Moi, je ne me sens pas au-dessus des autres... Pas du tout! éclate-t-il, en repoussant sa chaise et en quittant la table.

Ana remarque à cet instant qu'il n'a pas touché à son assiette. Il s'est mis à la fenêtre pour aspirer l'air, le corps penché presque à l'horizontale par-dessus l'appui, comme si quelque chose, une boule de chagrin, l'empêchait tout à coup de respirer.

– Arno? l'appelle-t-elle plusieurs fois. Inutilement.

À la vue de ce dos tourné, Ana commence à se sentir coupable et à regretter ses paroles blessantes. Malheureusement, elle ne peut pas les reprendre... Elle sait pourtant bien qu'il y a des règles de vie commune à l'intérieur d'un couple, interdisant de dépasser les bornes, et qu'Arno a raison de les lui rappeler à chaque fois qu'elle dérape. Mais ce doit être plus fort qu'elle.

– Arno? répète-t-elle, sans oser s'approcher de lui.

44

En se retournant, Homer la vit soudain au milieu du couloir, vêtue de son chapeau et de sa robe blanche. Il ne l'avait même pas entendue entrer... Elle lui avait téléphoné de la voiture pour lui dire qu'elle arrivait bientôt, et il avait laissé la porte entrouverte pendant qu'il finissait de s'habiller.

– On dirait que je t'ai fait peur.

– Non, non, lui promit-il, en cherchant sa veste.

– Tu sais, je crois que nous n'irons pas au musée aujourd'hui, car Teresa vient de m'annoncer une sacrée nouvelle à propos des autres.

– Vas-y, fit-il.

– Tiens-toi bien : Emmanuelle est partie... Tu m'entends? Elle a quitté la maison en catimini, il y a une huitaine de jours, et Giovanni n'a aucune idée de sa destination, ni de ses intentions... Teresa, qui m'a averti ce matin, prétend qu'elle a filé avec un Anglais de passage. Mais Teresa c'est Teresa, et j'avoue que j'y crois à moitié, dit-elle en fixant sur lui un regard désemparé.

– Emma est partie? répéta Homer, en se mettant à faire les cent pas dans la pièce, comme s'il avait soudainement besoin d'espace pour réfléchir.

Il lui fit néanmoins signe de s'asseoir, et Sybil, qui avait fini par enlever son chapeau, resta un long moment sans rien dire, sa cigarette tremblant au bout de ses doigts.

Il connaissait suffisamment le registre de ses silences – ses silences dubitatifs et ses silences contrariés, ses silences ironiques et ses silences étonnés – pour se rendre compte qu'il s'agissait d'autre chose, d'une autre qualité de silence, traduisant son découragement et son renoncement à parler, parce qu'en réalité elle ne savait absolument plus quoi ajouter.

Aussi refréna-t-il – c'était la moindre des délicatesses – son envie de se réjouir ouvertement de ce qu'elle venait de lui annoncer.

Pourtant il lui semblait évident, à présent qu'il était remis de sa surprise, que la sensation de soulagement qu'il éprouvait en réfléchissant à tout cela (en d'autres circonstances, il aurait applaudi des deux mains) était on ne peut plus légitime. Tant l'association de leurs ex-conjoints s'était révélée nocive pour eux... Il pensait même en son for intérieur que cette rupture pouvait être une réelle délivrance, car une fois séparés et donc mis hors d'état de nuire, Emmanuelle et Giovanni n'existeraient plus.

Et eux, se prit-il à rêver, allaient enfin cesser d'être leurs doubles mélancoliques, restés en souffrance à Paris... Leur relation ne serait plus le pauvre décalque de la leur, puisqu'ils ne se soucieraient même plus d'eux... Emmanuelle pourrait bien continuer à Chypre ou ailleurs – et avec qui elle voudrait – le cycle de ses expériences (les photos montraient assez combien elle était restée attirante), ils n'en sauraient jamais rien.

« Notre cauchemar est terminé », voulut-il lui dire, mais il se retint devant son visage angoissé. Tout juste lui suggéra-t-il, pour la consoler, que vu sous un autre angle, plus général, certaines ruptures ont souvent valeur de réparation, voire d'émancipation pour les personnes impliquées... En tout cas, il était sûr que pour elle comme pour lui, ce qui venait de se produire à Chypre ne pouvait être entièrement préjudiciable, puisqu'ils devenaient enfin libres.

– Mais on a toujours été libres, lui fit-elle observer, au moment où quelqu'un sonnait à la porte.

– Ce doit être Emmanuelle, s'amusa-t-il tout seul en allant ouvrir.

Un jeune ouvrier se présenta, qui avait besoin d'une prise pour brancher sa rallonge... À cause des travaux à son étage et des ouvriers qui circulaient toute la journée dans les couloirs, Homer avait depuis quelque temps le sentiment de vivre dans un appartement collectif, comme à l'âge d'or du communisme. Il ne fit toutefois aucune objection et lui montra la prise au fond de l'entrée.

– Pour moi, reprit Sybil après son départ, c'est la pire des choses qui pouvait arriver, à tout point de vue.

La franchise et la fermeté de sa déclaration le découragèrent d'épiloguer plus longtemps... Il entrait tant de chagrin dans sa voix, qu'il sentit à cet instant qu'elle était encore trop bouleversée pour entendre ses arguments et qu'il fallait au contraire la rassurer, en relativisant cette séparation qu'elle prenait trop à cœur et qui, finalement, n'était peut-être qu'une péripétie de leur vie de couple.

– En cinq ans, je pense que nous nous sommes quittés une dizaine de fois, avec Emmanuelle, lui confia-t-il en s'asseyant en face d'elle.

C'était même lui, se souvenait-il, qui était parti le premier, une veille de vacances, suite à une discussion qui avait dégénéré comme à l'accoutumée. Il avait disparu quelques jours, sans donner de nouvelles, et puis un soir il était revenu. Il était retourné au front, en bon petit soldat de la guerre conjugale. Et quelques mois plus tard, c'est elle qui l'avait quitté... Ensuite, le pli était pris.

– Tu n'étais peut-être pas tout blanc non plus.

– Sans doute, lui concéda Homer, qui ne voyait pas trop à quoi elle faisait allusion.

À force de bagarres quotidiennes, poursuivit-il, sans vouloir s'appesantir, parce que le souvenir de ces scènes était au moins aussi pénible que les scènes elles-mêmes, il y en avait nécessairement toujours un qui décidait que ça suffisait comme ça et s'en allait en claquant la porte... Mais comme ils étaient aussi faibles et velléitaires l'un que l'autre, tout recommençait bien sûr la semaine suivante. Alors que la situation de leur couple était déjà au-delà du réparable.

En ce qui le concernait, il reprenait à chaque fois la vie commune avec un niveau d'espérance un peu plus bas que la fois précédente, mais c'était apparemment encore trop attendre. Il avait beau user de trésors de patience et de modestie, Emma ne s'amendait jamais... Et tout dégénérait à nouveau, comme s'ils étaient tous les deux prisonniers d'un mécanisme punitif.

– Tu as quand même réussi à te séparer d'elle pour de bon.

– Après combien de tentatives? fit-il... Ton mari venait d'entrer dans sa vie et j'ai en quelque sorte profité de l'occasion pour lui laisser la place... En tout état de cause, Emmanuelle est une artiste de la rupture. C'est-à-dire qu'elle est capable de disparaître ni vu ni connu, tout autant que de réapparaître par surprise, n'importe où et n'importe quand.

– Tu vois, ce qui me désole le plus, répondit-elle, sans vouloir entrer dans ces considérations à propos d'Emmanuelle, c'est que si elle ne revient pas – et je suis intimement persuadée qu'elle ne reviendra pas – j'ai peur que rien ne soit plus jamais pareil entre nous.

Homer resta muet d'étonnement... Il sentait subitement que, passé l'enthousiasme des premiers moments, une partie de lui-même commençait à s'assombrir et que l'inquiétude de Sybil le gagnait à son tour.

Quand bien même Sybil et lui les avaient maudits et s'étaient ligués contre eux, au nom de tous les tourments qu'ils leur avaient fait subir, il ne pouvait nier, en effet, que depuis le début les deux autres avaient été sans le vouloir leurs entremetteurs... Et que leur rôle n'avait donc pas été uniquement négatif.

Et comme, par ailleurs, à cause d'une permutation totalement imprévisible, chacun des deux couples était devenu l'image inversée de l'autre, il n'était peut-être pas si absurde que cela de redouter – en extrapolant un peu – que la séparation d'Emmanuelle et de Giovanni puisse annoncer la leur.

– Mais jusqu'à preuve du contraire, se reprit-il, nous sommes des personnes autonomes, dotées d'un libre arbitre, nous ne sommes pas des clones ou des répliquants... Ils ont leur histoire – que je ne leur envie pas du tout –, et nous avons la nôtre.

– J'aimerais bien que ce soit aussi simple... Mais je pensais également à Giovanni, qui va se retrouver esseulé et qui sera certainement tenté de rentrer en France, lui dit-elle doucement, en lui remettant une fois de plus la tête à l'endroit.

Homer, qui n'avait pas envisagé cette hypothèse, fut tenté de lui répondre qu'avant de songer à rentrer en France, la moindre des choses serait peut-être que Giovanni attende d'abord chez lui le retour d'Emmanuelle ou bien qu'il parte tout de suite à sa recherche, s'il l'aimait tellement. Mais une fois de plus il tint sa langue.

Elle lui souriait, adossée à la fenêtre, de ce sourire qu'elle avait dans de pareils moments : un sourire lointain, pensif, faiblement lumineux, parce que toute son énergie devait être épuisée... Dehors, il faisait beau, les gens se pressaient sur le boulevard en profitant de l'été... C'était encore le milieu de l'après-midi, constatat-t-il étonné, sans plus se souvenir à quelle heure Sybil était arrivée chez lui.

– De toute façon, nous verrons bien ce qui arrivera, déclara-t-elle d'un ton fataliste, en cherchant son sac.

Homer comprit alors, après un temps d'hésitation, que la séance était levée.

45

En général, elle n'aime pas dévisager les hommes, ni les détailler physiquement, à la fois parce que cela la gêne et qu'elle redoute de créer une équivoque. Elle s'attache plutôt à leur manière de parler, de bouger, de se comporter plus ou moins naturellement avec les femmes... Son voisin, assis sur la banquette, qui est alsacien comme elle, natif de Mulhouse, s'est ainsi tout de suite révélé quelqu'un de jovial, de bavard et – pour être tout à fait sincère – un brin ennuyeux.

Il lui a déjà longuement parlé de sa famille, de ses études de chimie, et tenu tout un discours sur les mérites comparés des universités de Bâle et de Strasbourg, comme si elle envisageait elle-même de devenir chimiste... Il y a eu ensuite un long silence embarrassé : quoi dire après ça ?

– Je vais vous montrer un tour étonnant, lui déclare-t-il soudain, parce qu'il a dû sentir que son attention fléchissait.

– Un tour de prestidigitation ?

– Regardez bien, vous voyez que je n'ai rien dans les mains et rien dans les manches. Vous pouvez vérifier.

Malgré sa crainte du ridicule (il y a quand même une dizaine de clients autour d'eux), Ana se penche complaisamment par-dessus la table pour observer l'intérieur de ses manches et constater qu'en effet aucun corps étranger ne s'y trouve dissimulé.

– Vous allez compter jusqu'à vingt, lui commande-t-il, tout en enveloppant sa main droite d'un mouchoir blanc.

– Un, deux, trois, quatre... seize, dix-sept, dix-huit, dix-neuf, vingt ! compte-t-elle, comme à l'époque où elle jouait à cache-cache.

– Voilà, c'est pour vous ! lui annonce-t-il fièrement, en faisant apparaître de sous son mouchoir deux pierres rouges, de la taille d'un dé... Maintenant, concentrez-vous bien sur elles, sur leur forme, leur éclat... Car elles vont bientôt disparaître. Je vais presser très fort mes deux mains l'une contre l'autre, et... et hop... plus de pierres et plus de mouchoir !... ah, si, j'allais oublier : ce n'est pas votre trousseau de clés, par hasard ?

– C'est bien mon trousseau de clés, l'applaudit-elle, tout en prenant conscience, mais sans être capable de se l'expliquer, du vague plaisir érotique que lui procurent toutes ces apparitions et disparitions.

– J'imagine que vous auriez préféré les pierres. Entre nous, si ça peut vous consoler, ce ne sont pas des rubis.

– J'adore les tours de magie. J'ai l'impression de me retrouver gamine… En plus d'être prestidigitateur, vous auriez dû être voyant pour me dire l'avenir.

– Là, je ne peux rien pour vous. J'ai juste quelques petits talents d'illusionniste. Qu'est-ce que vous auriez voulu savoir?

Après un temps d'hésitation, Ana, redevenue tout d'un coup sérieuse, est obligée de lui confesser que ce n'est pas tant son avenir à elle qui la préoccupe, que celui de son fils. Car, suite à certains événements, qu'elle n'a pas trop envie de lui rapporter, elle est en train de perdre tout contact avec lui… Parfois, le matin, lui raconte-t-elle, il a l'air si raide, si perdu, au sortir de son lit, qu'on dirait qu'il est enfermé dans une espèce d'armure ou de carapace… On n'aperçoit plus que ses deux yeux tristes par les ouvertures.

– Vous l'avez montré à quelqu'un?

– Mon mari me soutient tous les jours qu'on devrait l'amener voir un spécialiste. Mais moi, je ne peux vraiment pas me résoudre à laisser des psychothérapeutes à la noix manipuler et marabouter un enfant de même pas dix ans, qui plus est très émotif.

– De sorte que vous vous disputez tous les jours avec votre époux.

– C'est à peu près ça. Je pense qu'on file un mauvais coton… Parfois, j'ai peur de perdre les deux ensemble, mon fils et mon mari, lui confie-t-elle, tout en réfléchissant qu'Arno serait certainement furieux d'apprendre qu'elle se permet de parler de leur vie de couple à un inconnu.

Lequel inconnu ne trouve d'ailleurs rien de mieux, deux minutes plus tard, que de lui proposer sans vergogne de sortir un soir avec lui, si elle n'a pas le moral.

– J'ai une voiture et je connais des boîtes en Allemagne où l'on s'amuse très bien : ça vous changera les idées.

– J'aimerais en être sûre... En tout cas, vous êtes un garçon plein de ressources, le complimente Ana, sans lui opposer franchement une fin de non-recevoir, de peur de le froisser.

Ce n'est pas la première fois au demeurant qu'elle est amenée à constater que sa manie d'aller au-devant des gens, comme dirait Arno, et de s'aboucher avec eux sans les connaître provoque ce genre de méprise.

– Mais j'ai encore d'autres talents, continue-t-il, sans se douter apparemment de son désarroi... Je peux aussi vous conseiller quelques placements intéressants, au cas où vous auriez un jour besoin d'argent... Par exemple, lui explique-t-il, avec son optimisme fatigant, si vous achetiez un paquet d'actions des laboratoires pharmaceutiques, vous pourriez vous faire une très grosse galette dans les semaines à venir.

– Vous savez, je n'y connais malheureusement pas grand-chose et ce n'est pas du tout ma tournure d'esprit.

– Mais, ma petite dame, ça n'a strictement aucune importance. Les gens s'en moquent de votre tournure d'esprit... Ce qui compte, c'est de ne pas se tromper de cible et de réagir au quart de tour, lui répond-il, avec ce ton suffisant et désagréable qui rappelle subitement à Ana les animaux d'*Alice au pays des merveilles*.

– Vous ne voudriez pas plutôt me montrer un autre tour? lui dit-elle, parce qu'elle ne sait plus comment sortir de cette conversation.

– Figurez-vous que j'étais en train d'y penser en vous parlant… Vous allez compter jusqu'à trois et regarder ce qui va sortir de ma manche : ce n'est pas votre passeport?

– C'est fou… Décidément, vous m'impressionnez, lui avoue-t-elle en se levant. Mais je dois à tout prix m'en aller. J'espère au moins que vous ne m'en voulez pas.

Comme il n'a pas l'air de comprendre et se propose au contraire de faire un bout de chemin en sa compagnie, Ana est contrainte, avant qu'il ne saute le pas, de lui préciser qu'elle ne va nulle part et que de toute façon il ne vient pas avec elle.

– Alors, à une autre fois, lui répond-il, sans se démonter. Peut-être à Mulhouse.

– Peut-être à Mulhouse.

46

Il était seul (dans ses rêves, il était presque tou-jours seul) au milieu d'une rue légèrement montante, sillonnée de tramways dont il essayait en vain de lire la destination. Il se souvenait que le train pour Paris par-tait vers onze heures et qu'il lui restait beaucoup de chemin à faire jusqu'à la gare.

Parvenu sur une hauteur, d'où il pouvait apercevoir toute la ville du Havre, il avait la sourde impression d'avoir fait fausse route, car il ne reconnaissait rien (alors qu'il était déjà venu plusieurs fois dans cette ville). Il avait beau bouger la tête très lentement, lui dit-il, il ne voyait ni le port, ni la mer, ni les avenues rectilignes dessinées par Perret... La plupart des rues étaient pentues, la végétation méditerranéenne, avec des plantes grasses et des citronniers en pot... Et pourtant, sans s'étonner du tout de son inconséquence, il continuait à chercher des yeux la gare du Havre, où son train était peut-être déjà à quai.

– Tu étais où finalement ? demanda Sybil, qui avait posé son livre et l'écoutait, allongée sur un des transats.

– Je n'en ai aucune idée… Je pense que le nom du Havre s'est collé par hasard sur mon rêve et s'est transformé ensuite en postulat : j'étais au Havre et je devais retourner à Paris. Point final.

– Je ne suis pas certaine que ce soit un hasard.

– Moi non plus… Il y a deux ou trois ans, j'ai rêvé une nuit que j'étais en Malaisie : un pays que je serais incapable de situer sur une carte. Je marchais dans une ville qui ressemblait vaguement à une sous-préfecture française et je n'arrêtais pas de me dire qu'on ne m'y reprendrait plus et que c'était bien la dernière fois que je venais en Malaisie… Il m'a fallu des mois pour comprendre que la Malaisie était sans doute le nom de mon chagrin, le nom du pays où je vivais avec Emma.

– Tu as vécu cinq ans en Malaisie.

– Si tu veux, acquiesça-t-il, pressé de retourner à son rêve du Havre.

Il était donc en train d'errer, avec son sac sur l'épaule, dans ces rues qui n'en finissaient pas de monter et de descendre, en se répétant intérieurement que le train ne l'attendrait pas et qu'il serait bon pour prendre le suivant (ce qui prouve au passage que même dans ses rêves il trouve le moyen d'être en retard), quand se produisit comme une dérivation dans le flux des images.

263

Il était tout à coup assis à l'intérieur d'un tram, le front appuyé à la vitre... Le tram, bien entendu, n'allait pas à la gare et le déposa pratiquement à la limite de la banlieue et de la campagne.

Décidé cette fois-ci à ne plus s'inquiéter et à prendre les choses comme elles venaient, il s'était assis à une terrasse de café pour boire tranquillement une bière, tandis que les personnes autour de lui observaient en silence la cheminée en brique d'une sorte d'incinérateur qui crachait sa fumée dans le ciel.

C'était une scène qu'il était persuadé d'avoir déjà vécue, sans parvenir à la resituer... Par mimétisme, il s'était mis à son tour à fixer des yeux cette cheminée et ce grand ciel bleu comme s'il guettait un événement, un souffle, une révélation... Mais il ne se passait rien. À part cette sensation étrange que son corps était en train de se ramasser sur lui-même et qu'il devenait tellement dur, tellement compact, qu'il allait bientôt manquer d'air.

– Je me suis réveillé en suffoquant.

– Et forcément tu n'as jamais pris ton train.

– Jamais... Je trouve que ça ressemble à un rêve morbide de commis voyageur, obsédé par ses horaires de train.

– Oui, mais ça n'explique pas Le Havre, ni ta difficulté à respirer. Tu n'as pas essayé de les interpréter ? Il me semble personnellement qu'un rêve bien interprété est un rêve dont on est débarrassé une bonne fois pour toutes.

– Il faut croire alors que je n'ai pas envie de m'en débarrasser, dit-il en lui souriant.

Malgré le corps horizontal de Sybil tout à côté du sien – si menu, dans sa légère chemise –, malgré l'herbe ensoleillée et la beauté de l'après-midi, Homer avait en effet le sentiment d'être encore sous l'emprise de ce rêve, qu'il craignait d'avoir trahi en le racontant… Quelque chose lui disait secrètement qu'il ne fallait plus en parler, ni même tenter de le comprendre.

– Moi, j'ai rêvé, il y a quelques jours, que Giovanni rentrait par la fenêtre, avec Benjamin accroché sur son dos. Tu avoueras que c'était un rêve un peu plus gai que le tien.

– J'espère seulement que ta gaieté restait modérée et que tu faisais le minimum pour accueillir ton époux repenti, remarqua-t-il en se levant de sa chaise, parce qu'il la soupçonnait de plus en plus de vouloir exfiltrer son mari de cette île, où il n'avait plus aucun avenir.

– Je n'aime pas que tu plaisantes ainsi. Tu sais que je suis inquiète à son sujet et que j'envisage toujours le pire.

De toute évidence, Sybil ne se rendait pas compte que c'était cette inquiétude, justement, qui commençait à l'inquiéter, beaucoup plus que le sort des deux autres… Le malentendu entre eux provenant certainement de l'asymétrie de leurs situations, car si lui, depuis deux ans, était redevenu un pur célibataire, libéré de tout engagement, elle était toujours, bon gré mal gré, l'épouse fidèle d'un homme qui n'avait cessé de la tromper.

– Je crois, lui dit Homer, repris par son démon oppositionnel, qu'ils ont assez colonisé nos esprits comme ça et que ce n'est pas la peine d'en redemander et de rester suspendus aux informations que Teresa veut bien nous fournir… À elle et à lui de se débrouiller seuls. Et bon vent à tous les deux.

Elle resta muette et lui jeta un drôle de regard comme si elle se demandait s'il était sérieux ou s'il était vraiment aussi malveillant et cynique qu'il en avait l'air… Faute d'avoir la réponse, elle se recroquevilla sur sa chaise longue, le corps en chien de fusil, les pieds pelotonnés l'un contre l'autre sous sa jupe. Homer, pour sa part, était toujours debout et l'observait, un peu indécis.

– Tu es tellement grand que tu me caches le soleil, se plaignit-elle.

Au lieu de faire un pas de côté, Homer eut bêtement le réflexe de se baisser et se retrouva à moitié penché au-dessus d'elle, le corps oscillant d'avant en arrière, comme poussé par le vent… Il resta un moment dans cette attitude de plongeur, sans plus penser à rien, les yeux dans les siens, puis se recula in extremis.

Quand il se redressa, tout déconfit, il se tenait les reins en grimaçant, comme après un faux mouvement.

– Tu t'es fait mal ? lui dit Sybil, en se poussant et en le forçant à s'asseoir près d'elle.

– Non, ça va. Je suppose que j'ai eu un petit vertige à cause du soleil.

À son sourire amusé, il devina qu'elle n'en croyait pas un mot, même si elle eut la gentillesse de ne pas faire de commentaire.

Tout cela, naturellement, ne risquait pas d'arranger sa confiance en lui, pensa-t-il, avec son défaitisme habituel, quand les doigts électriques de Sybil, glissés dans son cou, interrompirent ses réflexions.

Oubliant sa déconvenue, Homer s'abandonna alors contre elle, les yeux fermés, la tête en arrière, tandis qu'une paix profonde s'installait en lui et qu'une conviction totalement insoupçonnée pénétrait petit à petit son champ de conscience : il avait maintenant envie que les choses s'arrêtent là, qu'elles restent exactement telles qu'elles étaient.

Il avait envie de demeurer ainsi, chastement, sur ce palier paisible où ils étaient parvenus tous les deux et de n'en plus bouger pendant longtemps... Jusqu'à ce qu'une occasion, une impulsion soudaine, les ranime un jour et leur permette peut-être d'atteindre le palier suivant.

– Tu penses à quoi ? lui demanda-t-elle en lui rebroussant les cheveux. Si tu veux avoir le train de sept heures, je te conseille de te préparer.

– Je me prépare tout de suite, lui promit-il, en sautant sur ses pieds comme si son rêve allait le rattraper.

47

Ils sont seuls. Ils ont laissé les fenêtres de leur chambre ouvertes dans l'espoir de profiter un peu de la fraîcheur du jardin. Il ne doit pas être loin de onze heures... Ana le regarde faire les cent pas en pyjama, pendant qu'il discourt sur leur séparation prochaine en tirant fébrilement sur sa cigarette.

Il s'était arrêté de fumer il y a cinq ou six ans, et, du jour où ils sont allés chercher Homer à la clinique, il s'est remis à acheter des cigarettes en cachette, puis sans plus se cacher du tout.

— Je pense sincèrement que l'éloignement ne nous fera pas de mal, lui dit Arno, qui affecte une attitude raisonneuse.

— Trois mois, ce n'est pas rien, ce n'est pas deux ou trois jours.

— C'est malheureusement comme ça. La mission au Canada est prévue pour durer jusqu'en septembre.

Sauf contretemps, je rentrerai donc entre le 20 et le 30.

Il lui parle calmement, affablement, sans paraître se douter une seule seconde du choc qu'il est en train de provoquer, ni des dommages qui en seront inévitablement la conséquence pour tout le monde... Alors que la seule mention du mois de septembre lui semble à elle aussi angoissante que s'il évoquait un futur où ils n'existeront déjà plus l'un pour l'autre.

— Il se peut également, ajoute-t-il, comme pour bien enfoncer le clou, qu'une seconde mission un peu plus courte m'oblige à y retourner au printemps. Mais il n'y a encore rien d'arrêté.

— De mieux en mieux, commente-t-elle.

En fait, elle n'a rien vu venir. Absolument rien... Quand elle disait dernièrement au prestidigitateur que leur couple filait un mauvais coton, c'était une manière de parler. Elle ne pensait pas du tout, bien entendu, que c'était aussi grave.

Il y avait pourtant quantité de signes ambigus et de mauvais présages qui auraient dû l'alerter... Comme cette fois, après l'histoire du parc, où Arno a passé une semaine en Hollande, sans lui envoyer un mot, ni lui téléphoner. Elle ne se souvient pas de s'en être inquiétée.

Au contraire, on aurait dit à son retour qu'elle faisait tout pour le mettre hors de lui. Elle lui a même répondu en plaisantant, parce qu'il se plaignait de son accueil, qu'ils étaient mariés depuis douze ans et que ce n'était jamais que leur dixième année de crise. Ce qui n'était pas faux non plus.

Et maintenant qu'elle est au pied du mur, qu'elle pressent que ce pourrait être le commencement de la fin, elle a tout à coup la sensation de brûler vive, sans réussir à crier.

— Tu m'en veux toujours pour ce qui s'est passé dans le parc? lui demande-t-elle doucement... Tu penses encore que c'est de ma faute?

— Écoute, je t'ai déjà tout dit et je n'ai pas envie de rabâcher. Dorénavant, lui déclare-t-il, en soufflant sa fumée vers le jardin, tu régleras ça avec ta conscience.

Ana s'est accoudée à son tour à la fenêtre, comme si, dans l'intention de se fortifier, elle essayait de s'approprier quelque chose de la tranquillité de la nuit.

— Tu crois vraiment, lui dit-elle en rassemblant son courage, que c'est le moment de t'en aller et de me laisser seule avec Homi? Tu crois que c'est un procédé honnête?

— Homer va mieux, tu me l'as dit toi-même. Vous êtes allés deux fois à la piscine, il a nagé, vous vous êtes promenés sur le Rheinweg en mangeant des glaces. Il a accepté de rendre une visite à ses grands-parents... Je ne vois pas où est le problème.

— Le problème, c'est que tu t'apprêtes à abandonner ta femme et ton fils.

— Arrête ton chantage, Ana. Tu me rends fou! crie-t-il soudainement en la secouant par les épaules... Est-ce que tu te rends compte que tu es en train de me rendre fou à petit feu?

Elle s'est reculée et le regarde haleter, les bras ballants, tandis qu'elle sort vérifier que Homer ne peut pas les entendre.

– Tu vois, lui dit-elle, en refermant précautionneusement la porte, je te savais coléreux, mais je pensais que l'amour, la délicatesse ou le simple respect humain t'empêcheraient de te montrer brutal ou injurieux avec moi. Mais visiblement tu n'en es plus là... Tu es au-dessus de tout ça... Tu pourrais me casser la figure.

– Excuse-moi. Tu sais bien que je ne le ferai jamais.

– Non, je ne le sais pas... Si tu as envie de faire tes valises parce que tu ne supportes plus de vivre en famille, il vaut mieux que tu partes, en effet. Ta mission tombe à pic... Mais tu risques de t'apercevoir, dans ton exil au Canada, que tu ne comptes plus pour personne, excepté pour ceux que tu as laissés derrière toi : principalement ton fils, car il a besoin de son père, et ta femme, parce qu'elle t'aime encore, malgré la manière dont tu la traites.

– Cesse de dramatiser, je t'en prie! la commande-t-il, en s'adossant à l'appui de la fenêtre comme s'il allait basculer en arrière.

Mais arrivé à ce point, il ne bouge plus, il ne dit plus rien. Il se remet simplement à fumer dans la pénombre, l'esprit ailleurs.

– Arno, parle-moi. J'ai besoin que tu me parles gentiment.

Aucune réponse... Exposée à ce tir de barrage silencieux, Ana n'a alors d'autre ressource que de lui signifier par gestes qu'elle ne se sent pas très bien et qu'elle préfère se coucher un peu plus tard.

Le temps d'aller s'asseoir dans les toilettes de la salle de bains et de pleurer tout son soûl.

48

Après avoir risqué un coup d'œil derrière lui, afin de s'assurer que personne ne pouvait l'apercevoir depuis la rue, Homer s'était glissé à pas de loup vers la fenêtre en prenant soin de rester caché dans l'ombre… Sybil était assise au fond de la pièce, vêtue d'une grande chemise bleue passée par-dessus son short, et parlait au téléphone.

De son poste d'observation, il ne pouvait naturellement rien entendre de ce qu'elle disait. Elle pouffait de rire par moments, en se renversant en arrière et en décollant les pieds du sol, tant son correspondant devait être drôle… Homer, qui ne l'avait jamais vue rire de manière aussi exubérante, sentit comme une pointe de nostalgie.

Il ne lui vint pas à l'esprit qu'elle était en train de se moquer de lui derrière son dos, mais plutôt qu'elle riait ainsi parce qu'elle était seule et qu'elle se sentait jeune et gaie… Une fois qu'elle eut raccroché et qu'elle fut à nouveau debout, il toqua à la fenêtre.

– Excuse-moi, j'étais au téléphone avec Géraldine.

– J'ai apporté du champagne, lui annonça-t-il en brandissant la bouteille qu'il venait d'acheter. On va trinquer à nos vacances.

– À nos vacances ? dit-elle, comme si ça lui était sorti de l'esprit.

Homer l'informa alors, en la suivant dans la cuisine, qu'il avait enfin réussi à obtenir une dizaine de jours de congé, au début du mois d'octobre, et que les négociations avec son patron avaient été plus que tendues, à cause du caractère de chien de Nervois-Peyron – surnommé Néron – et du climat de compétition qu'il faisait régner actuellement entre les gens… Heureusement que le fait d'être suisse lui valait une certaine immunité.

– Je suppose que tu ne l'appelles pas Néron.

– Non. Je l'appelle Jean-Philippe et je le tutoie, comme dans ces agences où tout le monde se doit d'être relax, souriant et pénétré d'un esprit d'équipe.

Venus du jardin, des papillons volaient dans la grande cuisine ensoleillée, imprégnée d'une mélancolie de fin d'été… Sur la table étaient disposées des assiettes garnies de petits sandwiches, de barquettes aux agrumes et de mangues coupées en dés.

– J'ai trouvé aussi les canapés aux œufs dont tu raffoles, lui signala-t-elle en le laissant déboucher la bouteille de champagne.

Pendant qu'elle lui parlait de ses difficultés avec son banquier, visiblement coriace, Homer, qui était affamé, fit honneur à toutes les assiettes, sans songer à s'offusquer de ces marques de conjugalité qui se multipliaient depuis quelque temps.

Sybil lui confia accessoirement que Teresa n'avait toujours aucune nouvelle de Chypre : Giovanni était devenu injoignable. Mais elle évita de s'étendre sur le sujet, et il lui en sut gré, parce que tout cela les ramenait à un sentiment d'insécurité qui risquait de leur gâcher la journée... Ils en étaient à leur deuxième ou troisième coupe et se sentaient pleinement tranquilles, alors que des voix d'enfants et des bourdonnements de tondeuses leur parvenaient par les fenêtres ouvertes.

– Alors, à nos lointaines vacances ! fit-elle, en vidant la dernière goutte.

Homer, qui s'était assis au piano, commença par quelques gammes pour se délier les doigts, avant d'attaquer l'*andantino* de la petite sonate de Schubert en *la* majeur, qui ne dura même pas deux minutes. Le temps que Sybil accoure de la cuisine et lui mette les mains sur les yeux.

– On va jouer à colin-maillard, lui chuchota-t-elle.

Après un instant d'embarras, conscient qu'il devait faire quelque chose s'il ne voulait pas passer pour un rabat-joie, Homer n'eut d'autre ressource que de tendre un bras derrière lui et de tenter (presque en désaccord avec lui-même) de l'attraper par la taille... Au moment où il toucha sa peau nue sous sa chemise, elle poussa soudain un cri en se reculant : « Aïe! »

– C'est mon bracelet de montre, s'excusa-t-il, mortifié par sa maladresse.

– J'ai juste été surprise, lui dit Sybil, qui semblait aussi désolée que lui.

Faute de trouver une transition qui justifierait de se transporter tout à coup dans la chambre pour continuer leurs jeux, Homer lui embrassa les doigts et lui promit que ça ne se reproduirait plus.

Par chance, elle n'avait pas l'air offensée et encore moins fâchée. Peut-être même se reprochait-elle son initiative malheureuse, car il la savait capable d'une telle générosité... Ce qui le rendit un peu plus furieux contre lui-même. Il était maintenant sûr et certain que lorsqu'une autre occasion se présenterait, elle éviterait de lui faire confiance.

À sa place, il réagirait de la même façon... À chaque fois, il la laissait s'exposer et se compromettre – au risque de passer pour une autre –, et au dernier moment, soit il s'esquivait, soit il fichait tout par terre.

À cause de ce besoin caractériel de toujours faire le choix du pire, Homer, dans sa colère, fut même tenté de tirer sa révérence et de rentrer à Paris par le premier train... Trop occupé par son soliloque, il n'entendit pas qu'elle lui parlait.

– J'aimerais bien qu'on sorte se promener, lui répéta-t-elle, comme pour lui suggérer que tout était oublié.

Ils sortirent. Ils marchèrent un moment le long de la rivière, tous deux préoccupés et plutôt enclins au silence, puis comme à leur habitude ils s'engagèrent, après les courts de tennis, en direction du sous-bois, au milieu des taillis et des bouquets de fougères.

– À ton air crispé, j'ai quelquefois l'impression que tu me trouves un peu trop démonstrative, lui dit alors Sybil en écartant une branche.

– Pas du tout, je n'ai jamais pensé cela, se défendit-il, étonné qu'elle aborde ce sujet. C'est moi qui suis coincé et maladroit.

Ils s'arrêtèrent un instant en entendant leurs voix résonner dans le silence de la forêt. Il faisait presque froid... Au bout d'un chemin encaissé, ils découvrirent une maison inoccupée, entourée de pins et de bouleaux à troncs blancs. Les volets étaient clos, le jardin à l'abandon. Les vitres poussiéreuses du sous-sol avaient été cassées.

– Je me souviens de ce que tu m'as raconté à propos d'Emmanuelle, reprit-elle, en s'asseyant près de lui sur les marches du perron.

– Qu'est-ce que je t'ai raconté ?

– Tu le sais bien, et tu dois regretter que je sois quelqu'un d'aussi conciliant... Je suis sûre que tu préférerais une amie autoritaire, qui te mène à la baguette, ironisa-t-elle.

C'était de bonne guerre... Il essaya de lui expliquer tranquillement – tout en sachant que le plus important

277

resterait informulable – qu'il en était encore à se remettre des cinq années qu'il avait passées sous l'autorité d'Emma et qu'il n'avait aucune nostalgie de cette époque qui l'avait détruit.

– Ne parle pas comme ça, tu deviens lugubre! protesta Sybil en lui donnant un coup de pied... Nous sommes très bien ainsi. Rien ne nous manque. Le hasard aurait pu faire que nous restions seuls, chacun de notre côté, dans notre marasme et notre dépression. Au lieu de quoi nous sommes ensemble, l'un à côté de l'autre, dans ce petit bois, avec cette fauvette qui doit être une messagère de la Providence... Tu ne l'entends pas?

Homer l'entendait parfaitement, et il dut convenir qu'elle avait raison et que l'alignement des planètes leur avait été étrangement favorable. Elle avait même tellement raison que c'en était presque embarrassant. Aussi n'ajouta-t-il rien.

Au moment de se relever, ils échangèrent un regard qui lui fit pressentir qu'il y avait désormais entre eux une sorte d'accord tacite, dont il ne connaissait pas les termes exacts, mais dont il devinait l'esprit.

Sur le chemin du retour, ils s'arrêtèrent un moment à l'entrée du pont pour voir les reflets rouges de la lumière s'éparpiller dans l'eau, puis poussèrent tous les deux jusqu'à la gare.

Le train de Paris était déjà annoncé.

– Dépêche-toi, lui dit-elle, en lui signifiant de baisser un peu la tête.

Ce qu'il fit. Elle se souleva alors sur la pointe des pieds et l'embrassa si naturellement sur les lèvres qu'il crut à une méprise, jusqu'à ce qu'elle éclate de rire.

C'était un baiser manifestement prémédité, déposé au tout dernier moment, afin de le renvoyer à Paris avant qu'il n'ait eu le temps de retrouver ses esprits... Elle ne s'était d'ailleurs pas trompée dans son calcul, puisqu'une heure plus tard il avait failli se perdre dans son propre quartier.

49

Maintenant que des années plus tard les événements lui revenaient dans toute leur clarté, elle se rendait compte qu'elle avait toujours eu peur, lui dit-elle. Peur d'avoir un accident de voiture, peur de tomber enceinte, peur d'être quittée, d'être licenciée ou agressée. Elle était devenue si craintive et si casanière que les gens s'en amusaient et lui disaient qu'ils ne voyaient vraiment pas ce qu'il pourrait lui arriver, vu les précautions qu'elle prenait.

Sauf qu'elle, elle ne démordait pas de sa peur et que ce qui s'était produit en était finalement la conséquence naturelle, puisqu'elle avait passé sa vie à attendre une catastrophe.

– C'est quel pape qui a dit : « N'ayez pas peur » ? lui demanda-t-elle.

– Jean-Paul II, je crois.

– Merci. Tu sais toujours tout. C'est une phrase étonnante dans la bouche d'un pape... Dis donc, j'ai l'impression qu'on part enfin.

– Non, c'est le train d'en face.

Rachel se souvenait que ça s'était passé en février ou en mars 2004, elle n'en était plus très sûre. Quoi qu'il en soit, elle se trouvait seule à la maison – une grosse maison moderne, entourée d'un mur – et remontait ce soir-là de la cave, les bras chargés d'une cagette de fruits, quand les deux hommes étaient brusquement apparus en haut de l'escalier.

L'un était un métis avec une boucle d'oreille, l'autre un petit blond au visage osseux. Le genre de garçons patibulaires, remarqua Rachel, qui devaient déjà attirer l'attention de la police dans le ventre de leur mère.

– Tu vois?

– Je vois, dit Homer en réglant son siège, car le train quittait la gare.

Le plus extraordinaire, se souvenait-elle, c'est qu'elle était tellement outrée de les découvrir chez elle qu'elle n'avait même pas eu peur sur le coup. Elle leur avait dit, en les regardant dans les yeux, qu'elle leur donnait deux minutes pour débarrasser le plancher, sinon elle appelait la police.

« Essaie seulement de poser la main sur le téléphone et tu verras ce qui t'arrivera », lui avait répondu mot pour mot le petit blond, en envoyant d'une pichenette son mégot dans l'évier de la cuisine. Puis il lui avait conseillé de donner tout de suite les clés de la voiture.

Il parlait de l'Alfa Romeo qui était restée garée devant la maison… Jérôme – si précautionneux d'habitude – avait dû oublier de la rentrer avant de partir. Il n'y avait pas d'autre explication.

Et là, à cet instant précis, lui dit Rachel, elle avait senti le froid de la peur, de la vraie peur avec les jambes qui se dérobent et la sueur qui mouille les aisselles, en réalisant qu'elle n'avait pas les clés… Elle ne les avait jamais eues… C'était la voiture de son mari, avait-elle bégayé, en les suppliant de la croire. Et son mari ne rentrerait que demain midi.

« Les clés ! » avait répété le petit blond. Et, comme elle ne cessait de pleurer en jurant qu'elle ne les avait pas et qu'ils pouvaient prendre celles de la Fiat dans le garage, il l'avait soudain giflée à toute volée en la faisant pivoter sur elle-même… Elle s'était retrouvée par terre, étendue sur le dos, tandis qu'il lui écrasait le bras sous sa chaussure.

« On va les chercher, tes clés, mais je serais toi, je me dépêcherais de retrouver la mémoire », l'avait-il menacée, tout en faisant signe à son copain de lui attacher les poignets et les chevilles. Ensuite, tous les deux l'avaient tirée dans le salon et enroulée dans un tapis.

– Dans un tapis ? fit Homer, qui ne parvenait pas à se représenter sa collègue, Rachel Pertini, dans une telle situation.

Exactement. Les pieds sortant d'un côté, la tête de l'autre… Et elle aurait payé cher, dans son tapis, pour qu'un passant, attiré par la lumière ou par le bruit, ait la bonne idée de venir sonner à la porte. Malheureusement, ça ne risquait pas d'arriver.

– Je ne sais pas si tu connais Chaumont : à partir de sept heures du soir, c'est le couvre-feu, dit-elle en baissant la voix, car de toute évidence leur voisine ne perdait pas une miette de la conversation derrière son journal.

Pendant que l'autre retournait donc la maison à la recherche des clés (et probablement de l'argent), le métis, qui avait l'air muet, faisait tranquillement sa petite cuisine devant elle, avec sa cuillère et son briquet... Pourtant, sans savoir pourquoi, il lui paraissait moins redoutable que son copain et elle ne désespérait pas de pouvoir éveiller chez lui un minimum d'empathie, afin qu'il desserre ses liens.

Le problème, dit-elle à Homer, c'est que le petit blond, qui était sur ses gardes, revenait toutes les deux minutes comme une chienne jalouse pour voir ce qu'ils fabriquaient. Avec lui aucune empathie à espérer.

– Parfois je me dis que les nazis avaient peut-être un chat, un ami d'enfance ou une mère aimante qui pouvait les attendrir, mais pas lui. Je te promets. Il avait trop peur de mollir et de se faire avoir... Il suffisait de croiser son regard, lui assura-t-elle, pour sentir les ondes de sa psychose.

D'ailleurs, comme il l'avait surprise à dire deux mots à son copain (elle avait envie d'aller aux toilettes), la petite frappe jalouse l'avait bâillonnée en lui enfonçant un mouchoir dans la bouche. Puis il lui avait dit, en lui montrant la lame de son couteau, qu'elle pouvait commencer à réciter ses prières.

– C'est complètement fou, dit Homer en la dévisageant, pendant que le train était arrêté en gare de Creil.

À cet instant, continua-t-elle, elle se disait évidemment que c'était fini, qu'on allait la retrouver vidée de son sang à l'intérieur de son tapis, et, en même temps, elle entendait une autre voix... une voix sans doute acharnée à vivre, qui lui ordonnait de ne pas céder à sa peur, de rester aux aguets, tendue et déterminée.

Alors, dit Rachel, toujours à voix basse, elle avait trouvé un expédient : elle avait commencé à se détacher de son corps et de sa peur physique en enregistrant ce qu'elle voyait autour d'elle, comme si elle devait se souvenir de tout pour survivre : du bruit de la pluie dans la cour comme de l'odeur de son tapis.

Jusqu'au moment où la partie défaitiste d'elle-même lui avait fait remarquer que ça ne servait strictement à rien de vouloir garder cela en mémoire, puisque l'autre s'apprêtait à la supprimer.

Et ce qui était incompréhensible, observa Rachel, c'est que malgré cela, sa conscience continuait de tout enregistrer mécaniquement, en sachant que ça n'avait aucun sens et que de toute manière personne ne saurait jamais ce qu'elle avait vu ou pensé au dernier instant.

– Peut-être que jusqu'au bout la conscience ne peut pas s'arrêter de mouliner, dit Homer.

284

– Oui, sans doute… Maintenant, je te raconte la fin en accéléré, car on approche de Paris.

Elle n'avait pas revu le petit blond. Il s'était envolé. Un bruit, une présence dans la rue, avait dû les alerter… Au dernier moment, le métis était venu la détacher et elle avait été si déconcertée – alors que son geste partait manifestement d'un bon sentiment – qu'elle n'avait pas su quoi lui dire.

– Ses yeux étaient totalement sans expression, comme les vitres d'un magasin vide, dit Rachel.

Avec le recul du temps, l'hypothèse la plus probable était qu'ils couraient toujours, puisqu'elle n'avait plus jamais entendu parler d'eux. Sa plainte était restée sans suite.

– Tu repenses souvent à eux?

Rachel lui avoua qu'elle y repensait quelquefois. Même si ça remontait déjà à sept ou huit ans, il lui était resté une espèce d'angoisse tenace, surtout à la tombée du soir, avec laquelle elle avait dû apprendre à composer.

– Mais je ne te cache pas qu'il m'arrive de me dire qu'en fait, je suis déjà morte et incinérée et que c'est un fantôme qui parle à ma place.

50

Alors que son train restait immobilisé en rase campagne, quelque part entre Strasbourg et Nancy, Homer se fit soudain la réflexion que le bonheur chez lui ne pouvait jamais être chimiquement pur, en tout cas jamais complet... Il était bien sûr encore marqué par l'émotion du baiser sur la bouche, mais se rendait compte que, l'éloignement aidant, sa pensée avait de plus en plus tendance à en minorer la portée et à se concentrer presque exclusivement sur l'épisode déplorable qui l'avait précédé – l'épisode de colin-maillard –, qui ne faisait en définitive que répéter tant d'autres déceptions pour elle et d'humiliations pour lui.

Ce qu'il aurait voulu comprendre, à cet instant, pendant que les passagers commençaient à s'inquiéter de leur retard, c'est par quelle opération mentale, par quel enchaînement obscur et logique en même temps, il avait réussi à s'enfermer dans une telle conduite d'échec.

Porté par son goût de l'introspection, Homer en était venu à se convaincre depuis quelque temps que son comportement calamiteux et ses hésitations perpétuelles n'avaient évidemment pas une seule cause identifiable, mais sans doute de multiples causes, qui formaient des dizaines de combinaisons possibles (parfois en se renforçant, parfois en se contredisant), et que dans une vie idéale, une vie purement spéculative, elles auraient toutes mérité d'être examinées.

À commencer par certaines composantes psychologiques et morales de sa personne qui l'empêchaient visiblement de prendre la moindre initiative (en particulier avec les femmes), en lui faisant déployer une énergie titanesque pour repousser n'importe quelle décision.

Et ce n'était nullement un problème de motivation ou de volonté, même s'il y avait des jours où il avait l'impression de suer la lâcheté... C'était autre chose, qui le faisait à chaque fois se recroqueviller au moment de passer à l'acte.

Pour échapper à ce tourment, il s'était d'ailleurs bien gardé dès le début de leur relation de s'avancer à découvert, avec l'espoir inexprimé que Sybil prendrait les commandes et qu'il n'aurait plus qu'à suivre ses ordres sans se poser plus de questions. Ce qui avait été tout de suite une source de malentendus entre eux. Les rares fois où elle avait pris d'elle-même l'initiative, parce qu'elle trouvait bêta de continuer ainsi ces jeux de cache-cache alors qu'ils savaient bien tous les deux ce qu'il en était de leurs sentiments, elle l'avait fait de manière si précipitée et inattendue qu'il n'avait pas eu le temps de comprendre ce qui lui arrivait.

Dans ces cas-là, avant même de réfléchir, il actionnait immédiatement son mécanisme de freinage personnel et ne bougeait plus.

Tandis que Sybil attendait sa réaction sans rien dire, il restait là, paralysé, livré à cette force inhibitrice qui le transformait en témoin de sa propre confusion, comme s'il était à la fois l'acteur et le spectateur d'un film absurde et mortifiant, inspiré de *L'homme qui rétrécit*.

En général, Sybil n'insistait pas, elle lui souriait gentiment afin de le rassurer, si bien que lui, pour sortir de son embarras, cédait une fois sur deux à ce besoin hystérique de parler à tort et à travers, qui le faisait parler faux, comme certains chantent faux.

À défaut de pouvoir répondre sur-le-champ à son attente, il aurait pu lui déclarer tout simplement qu'il l'aimait, ainsi que font tous les autres, ou bien esquisser un geste de réciprocité qui aurait suppléé à ce qu'il n'arrivait pas à lui dire. Mais non. C'était trop lui demander... Si elle n'avait pas eu la bonne idée de l'embrasser sur la bouche, ils seraient encore figés dans leur statu quo.

Le train étant enfin reparti, Homer put laisser courir son regard sur le paysage de pâtures et de collines jaunies par l'été qui lui reposaient les yeux, pendant qu'il n'en finissait pas de chercher l'explication de sa conduite.

Étant entendu qu'il n'avait même pas l'alibi d'une éducation tyrannique ou d'un quelconque parti pris moral. Il n'avait jamais méprisé le corps, la nudité ou le plaisir... Et, à moins de tricher, il lui fallait admettre qu'il n'aimait pas seulement Sybil d'un amour de tendresse ou de bienveillance, mais aussi d'un amour de désir. Sauf que, pour des raisons qui lui échappaient, son désir et la satisfaction de son désir semblaient avoir pris des voies divergentes et appartenir à des mondes incompatibles. En conséquence de quoi, tout ce qui aurait dû lui inspirer du plaisir ne lui inspirait plus que du remords.

Ce qui le ramena à cette conviction qu'il avait toujours eue, que ses réticences et ses reculades à répétition demeureraient incompréhensibles aussi longtemps qu'on ne les mettrait pas en relation avec ce qui s'était passé avec Emma. Car c'est elle qui lui avait fait assimiler le désir à une catastrophe, et c'est à elle qu'il devait cette sensibilité d'écorché vif, cette mentalité d'assiégé obsédé par la construction de ses défenses.

Il était devenu peu à peu ce garçon craintif, prudent et insipide à souhait que Sybil connaissait trop bien. Parce qu'il n'y avait plus de place en lui désormais pour un état affectif aussi périlleux que l'amour... Il avait beau savoir que Sybil était tout le contraire d'Emma, qu'elle était tendre, empressée, conciliante, il ne pouvait s'empêcher de garder à son endroit une espèce de quant-à-soi derrière lequel il cachait son désir transi.

En gare de Reims, il était à peine huit heures et le soleil couchant, prodigue et incroyablement doux, illuminait déjà les wagons. Pendant que sa voisine de droite, une grosse dame qui semblait couver un œuf dans les replis de son abdomen, se tournait de gauche et de droite pour se baigner dans sa lumière, Homer entrevit soudain la nécessité d'adopter un autre point de vue sur son expérience avec Emma et de considérer que sa faillite était moins la cause que la conséquence d'un mal plus profond, d'une peur obscure (et naturellement d'une peur de cette peur) enfouie dans son passé.

Mais à chaque fois que ses pensées approchaient de ce point capital, elles marquaient un temps d'arrêt, avant de refluer et de se disperser. Si bien qu'il n'était pas plus éclairé.

Tout juste entrevoyait-il par instants comme une zone de sommeil, une zone inerte tout au fond de lui, qui devait correspondre à son immaturité, peut-être même à son impuberté, laissant supposer qu'il y avait quelque chose en lui qui n'avait jamais grandi... Quelque chose qu'il ne connaissait pas, qui n'atteindrait jamais sa forme adulte et qui incontestablement contrariait ses rapports avec les femmes et les hommes de son âge... Il était en somme prisonnier de son enfance comme d'autres sont prisonniers des glaces.

C'est pour cela, imaginait-il, qu'il tentait sans cesse de gagner du temps. En réalité, il ne disait pas non aux propositions qu'on lui faisait, il repoussait toujours à plus tard.

Et le plus étrange, c'est que Sybil ne s'en formalisait pas et paraissait d'accord avec ce nouvel ajournement, parce qu'elle savait sans doute qu'il n'était pas prêt et qu'il ne servait à rien de forcer le cours des choses. Elle l'écoutait patiemment, dans une sorte d'expectative amusée, sans lui poser aucune question indiscrète, sans chercher à élucider les raisons de son comportement... Alors que lui était nettement plus inquiet, car il commençait à prendre conscience que son crédit n'était pas illimité.

Outre que les politiques attentistes sont les plus difficiles à défendre, il n'échappait pas à Homer qu'il ne pouvait guère lui demander de l'aimer et de lui dévouer sa vie et ses pensées en lui offrant si peu en contrepartie. Elle n'avait pas vocation à rester éternellement une amie secourable ou une sœur de charité... Elle méritait mieux, infiniment mieux.

Et puis, aujourd'hui, quelle femme sensée accepterait de vivre de promesses ? se disait-il, tout en regardant en contrebas les alignements de pavillons signalant l'approche de la région parisienne, avec leurs jardinets, leurs cabanons et leurs balançoires vides au crépuscule... Aucune, bien entendu.

Après, Homer partira à son tour… Une année passera, puis une autre année, puis encore une autre année… Et au fur et à mesure, elle perdra la notion du temps, confondra les jours, parfois même les mois. En tout cas on sera revenu en hiver, elle en est certaine.

À cause des routes enneigées autour de Bottmingen, elle n'aura pas le courage de descendre en ville et encore moins de circuler en voiture dans les environs. Elle qui conduit déjà si rarement… Elle ne sortira plus.

Ses contacts humains se réduiront progressivement à leur plus simple expression : le livreur de l'épicerie et le facteur. Car elle recevra encore, de loin en loin, une carte postale de son fils ou de son mari, qu'elle relira pendant quelques jours avant de l'accrocher au mur de sa chambre.

Sinon, elle restera des journées entières assise dans son fauteuil, passive, invertébrée, se souciant si peu du cours du monde qu'elle n'ouvrira plus un journal. Le téléphone sonnera dans le vide... Et de temps en temps elle balancera sa tête, de gauche et de droite, à la manière des éléphantes accablées d'ennui dans leur enclos.

Quand elle sera fatiguée de mariner dans son fauteuil, elle fera lentement le tour de la maison, une pièce après l'autre... Elle aérera sa chambre, rendra visite à celle de Homi, feuilletant ses livres, respirant ses vêtements, tapotant les touches de son piano.

En bas, elle se préparera un café au lait et donnera du pain et des graines aux oiseaux, avec une lichette de beurre. Elle les regardera se chamailler derrière la fenêtre. Puis elle fumera deux ou trois cigarettes pour tuer le temps et elle ira prendre un bain.

– Eh bien, lui dira le miroir, tu n'as pas l'air très vaillante en ce moment. Qu'est-ce qui t'arrive ?

Elle observera alors son reflet dans la glace, sa peau terne, ses cheveux négligés, ses joues chaque jour un peu plus creuses, ses yeux un peu plus larges, et de découragement, elle éteindra la lumière... Elle se coiffera de mémoire, en songeant à se raser la tête et à faire définitivement une croix sur sa féminité.

Ensuite, viendra forcément un jour où, fatiguée d'attendre et de remâcher ses pauvres motifs d'espérance, elle fera une croix sur tout le reste... Elle se dira qu'à présent elle a fait le tour de la question, qu'elle a été amoureuse, qu'elle a été mariée, qu'elle a élevé un enfant et que, tout compte fait, elle peut bien s'arrêter là.

« Allez, qu'on baisse le rideau et qu'on n'en parle plus », se répétera-t-elle pour s'encourager.

Elle ne sait pas comment elle s'y prendra... Elle sait seulement qu'à un moment donné, elle sera allongée sur le dos, dans son lit, et que tout deviendra de plus en plus clair autour d'elle, puis de plus en plus sombre et à nouveau de plus en plus clair, et que ce sera terminé.

On l'enterrera avec ses rêves de communisme... Le brouillard ce jour-là restera accroché au flanc des montagnes.

Les animaux, interdits de cimetière, se tiendront rassemblés tout le long du parcours. Les animaux du quartier – les chiens, les chats, les écureuils – mais aussi les bêtes sauvages, les renards et les biches sortis du bois, ainsi que les oiseaux, les moineaux frileux et les corneilles tout endeuillées sur leurs fils électriques.

Arno sera bien sûr en tête du cortège, solennel, inchangé, alors que Homer à ses côtés sera devenu encore plus grand, pareil à un jeune géant. Il marchera tête baissée, les mains derrière le dos, sans dire une parole... Peut-être amoureux, peut-être solitaire.

Derrière suivront ses parents et ceux d'Arno, avec les oncles et les tantes, notamment l'oncle Adam et la tante Noémie, s'ils sont toujours de ce monde. Puis viendront les amis et les collègues d'Arno et ses rares amis à elle. Rémi Metzer, qui ne connaîtra personne, se tiendra un peu à l'écart, tout comme Sonia et son mari, puisqu'elle sera forcément mariée. On entendra sans cesse la neige craquer sous les pas.

À cause du froid, il n'y aura pas de discours. Le prêtre récitera quelques prières, dont l'*Ave* et le *Gloria*, et deux enfants chanteront pendant les intervalles. Il se remettra à neiger… Des hommes tousseront en battant la semelle, pressés de rentrer chez eux, tandis que certains proches de la famille tiendront à jeter une rose et à se recueillir un instant. Puis tous s'en iront par petits groupes rejoindre leurs voitures.

Après ce sera le silence été comme hiver.

52

Des champs de nuages sombres étant apparus au-
dessus d'eux, en direction des falaises, annonciateurs de
pluie, peut-être même d'orage ou de tempête, ils durent
convenir tous les deux, en s'amusant presque de leur
déveine, qu'ils avaient mal choisi leur journée pour aller
à la mer... Un parfum de marée flottait dans les rues
vides, tandis qu'on entendait le grondement de l'océan.

– Avant qu'il ne pleuve, dis-moi ce que Teresa t'a
raconté, la pressa-t-il, car elle le faisait lanterner depuis
une demi-heure.

– Elle m'a dit que Giovanni était aux abois et qu'il
allait sans doute falloir trouver à tout prix un plan B.

– Un plan B? Quel plan B? dit Homer, qui commençait à se demander si son manège allait durer longtemps.

À son air chiffonné et à la mauvaise grâce qu'elle
mettait à lui répondre, il se doutait que ce qu'elle avait

à lui dire ne lui ferait certainement pas plaisir. Mais elle se déroba encore une fois. Le fracas des vagues décourageait de toute façon la conversation.

Au loin, sur le trait noir de la ligne d'horizon, étaient posées deux petites embarcations de pêcheurs, si légères, si vulnérables, qu'elles semblaient destinées à disparaître... Et de l'autre côté du trait noir, régnait une lumière pure, inaccessible, qui aimantait leurs regards.

Comme une pluie fine commençait à tomber, il ne restait pratiquement plus personne sur la plage, excepté un couple d'Allemands exaltés par les embruns, une dame solitaire courant après son chapeau et un groupe de Chinois rassemblés autour d'une caméra sur pied. Sybil, qui adorait parler aux gens, leur demanda en anglais ce qu'ils étaient en train de filmer.

– *The wind*, répondit un des Chinois en agitant son micro et en faisant *whouou... whouou*.

De fait, le vent était tellement fort et assourdissant qu'ils furent contraints de revenir vers l'entrée de la plage, échevelés et courbés en deux sous cette pluie oblique, jusqu'à ce qu'ils trouvent un abri derrière une villa et puissent reprendre leur conversation... Sybil lui avoua alors qu'elle n'avait pas dormi depuis deux nuits, tant l'histoire de Giovanni la minait.

– Mais, que je sache, tu n'es ni sa mère ni sa sœur, s'impatienta-t-il, car il l'écoutait avec une inquiétude croissante.

Peut-être... Il n'empêche qu'il lui paraissait moralement impensable de l'abandonner à son sort. Il était si fragile et irresponsable qu'elle n'osait même pas imaginer dans quel état elle allait le trouver.

– Le trouver?... Parce que tu as l'intention de le revoir? sursauta Homer, qui entendit un minuscule coup de tonnerre dans son cerveau.

– J'ai pensé qu'il valait mieux que je prenne un billet d'avion pour Nicosie, avant qu'il ne soit trop tard, lui expliqua-t-elle en le regardant dans les yeux comme si elle quêtait un avis, une approbation.

Qu'est-ce qu'elle voulait qu'il lui dise? Il n'allait pas lui dire qu'il était content, ni la supplier de renoncer à sa décision et d'annuler son billet. Elle était assez grande pour savoir ce qu'elle devait faire... Il aurait simplement préféré être averti plus tôt, au lieu d'être mis ainsi au pied du mur. Car il la trouvait quand même un peu saumâtre... Tout s'écroulait au moment exact où il croyait toucher au but.

La pluie se transformant en averse, puis en trombes d'eau, ils se réfugièrent au pas de course à l'intérieur du premier restaurant venu, au moment où les commerçants repliaient leurs stores et rentraient leurs présentoirs. La salle était profonde et si mal éclairée qu'ils tombèrent d'accord pour s'installer dans un box, derrière la vitre. Au moins ils jouiraient d'une vue dégagée sur le bord de mer.

– Depuis tout à l'heure, tu as l'air tendu comme un ressort. Essaie d'être patient et de me comprendre un peu, lui conseilla-t-elle en le dévisageant. Tout ce que je fais, je le fais aussi pour Benjamin, pour lui donner des nouvelles de son père et le rassurer à son sujet.

« Et moi ? Qu'est-ce que tu fais de moi ? » faillit-il protester en se levant pour lui dire le fond de sa pensée, mais il se laissa tout de suite retomber sur sa chaise.

– Je suis sûr que Giovanni n'est même pas digne de toi, lui dit-il finalement, pendant qu'ils avalaient un inqualifiable menu touristique.

– C'est possible, mais tu ne comprends rien aux raisons que j'ai de vouloir lui apporter un peu d'aide, parce que tu te comportes toujours en petit garçon jaloux et possessif, lui répondit-elle, en posant deux doigts sur son poignet, comme on fait pour arrêter une brûlure.

Déterminé pour le coup à la laisser parler sans l'interrompre et à ne surtout plus rien lui montrer de son désaccord, Homer l'écouta d'une oreille lui énumérer les différentes raisons qui justifiaient son voyage. Raisons toutes plus respectables les unes que les autres, habitée qu'elle était, selon son habitude, par un zèle et une préoccupation consciencieuse qui lui étaient totalement étrangers... Pour ajouter à son accablement, la mer était démontée, il pleuvait toujours à seaux et des bourrasques de vent sorties d'une scène gothique faisaient claquer portes et fenêtres.

– Je sais de quoi tu as peur. Mais je te promets qu'il n'est pas question que je reste là-bas, ni que je propose à Giovanni de revenir en France. On recommence rarement une erreur aussi coûteuse... Très, très rarement, insista-t-elle, avec un air déterminé que démentaient les deux petites larmes qu'elle essayait de refouler.

Ce qui conforta évidemment Homer dans l'idée que son appréhension n'était pas tout à fait injustifiée... Et en même temps, cette jalousie primaire le ramenait bizarrement à des scènes de son passé qu'il ne souhaitait surtout pas revivre.

Aussi se borna-t-il à la mettre en garde, avec tout le tact possible, contre les mensonges et les revirements de son mari, qui était quand même expert en la matière.

— Tu m'as d'ailleurs dit toi-même que c'était un grand manipulateur, lui rappela-t-il en se reservant du vin.

Sybil parut sincèrement étonnée. Il lui semblait, ironisa-t-elle, qu'il avait eu plusieurs fois l'occasion de se rendre compte qu'elle était passée depuis longtemps à autre chose.

— Je vais te raconter pour ta gouverne une histoire bouddhiste ou taoïste, je ne sais plus. Peu importe... Ce sont donc deux moines, commença-t-elle, en train de cheminer tranquillement le long d'une rivière, lorsqu'ils rencontrent une jeune femme qui les supplie de l'aider à traverser. Le plus jeune des moines, n'écoutant que son courage, la transporte dans ses bras, malgré le courant, jusqu'à la berge d'en face. Plus tard, alors qu'ils marchent à nouveau tous les deux dans la campagne, l'autre moine, qui avait longtemps ruminé, dit à son

300

ami : « Il me semble que tu la serrais de bien près, cette jeune femme, c'en était presque gênant. » Le plus jeune, étonné, lui réplique alors : « Je t'assure que je l'avais complètement oubliée. Mais, apparemment, toi, tu t'en souviens encore. » L'autre ne trouva rien à répondre et ils reprirent leur chemin.

– C'est tout ?

– C'est tout… Mais, tu vois, je dois être pareille à ce moine innocent. Je n'ai aucune arrière-pensée.

L'histoire avait au moins réussi à lui arracher un sourire… Et, probablement sous son influence, Homer, dont les pensées semblaient imiter le balancement des vagues, commença à réviser son jugement et se fit après coup la réflexion qu'elle avait finalement le droit de s'inquiéter d'un homme dont elle avait partagé la vie durant des années et dont elle portait toujours le nom… Encore que le comportement de celui-ci aurait dû lui ouvrir les yeux et la décourager de chercher une fois de plus à le tirer d'une situation où il s'était mis tout seul : Emma n'était tout de même pas partie par hasard.

Mais, outre que cela ne le regardait pas, il voyait mal à quel titre il pourrait reprocher à Sybil de tenter de secourir son mari, qui l'attendait tel un naufragé accroché à son radeau… De toute façon, elle serait intraitable et il valait mieux, en se ralliant provisoirement à la cause de Giovanni, préserver ce qui était encore préservable, décida-t-il, en se sentant instantanément devenir meilleur.

Quand ils sortirent, les nuages noirs se déchiraient petit à petit, et tous deux flânèrent côte à côte sur le front de mer, au milieu des flaques d'eau irisées comme des éclats de verre.

– Non seulement je peux t'assurer que je reviendrai, cria-t-elle dans le vent, mais je suis sûre que je reviendrai libérée.

– Alors, ainsi soit-il! cria Homer.

Une fois dans la voiture ils ne parlèrent presque plus, contemplant l'uniformité austère du paysage, avec son herbe rase, son plateau crayeux à perte de vue et ses bosquets d'arbres secoués par la bourrasque… En plus, il s'était remis à pleuvoir. À cet instant, Homer ne savait plus où ils se trouvaient, mais rouler le consolait.

Comme il avait eu son compte d'émotions, il finit par s'endormir, la joue appuyée contre la vitre, sous la protection de sa conductrice attitrée, et se réveilla devant la gare de Pontoise.

– Dis-toi que le meilleur est à venir, lui recommanda Sybil en l'embrassant à nouveau sur les lèvres… Car elle persistait et signait.

Dans le train, Homer s'aperçut qu'elle ne lui avait même pas dit quel jour elle partait.

53

À leur retour du Maroc, à peine la porte ouverte et leurs valises posées dans l'entrée, Ana a pris la décision de tout chambouler dans cette maison... Elle s'est rendu compte qu'ils ne pouvaient plus continuer à vivre dans un endroit aussi sinistre et qu'il allait lui falloir coûte que coûte rafraîchir et égayer les pièces, changer les meubles de place, refaire les peintures : tout, plutôt que de rester dans ce mausolée poussiéreux, propriété de la famille Hilmann depuis 1907.

Elle a donc commencé par tout nettoyer de fond en comble, puis elle a redistribué les meubles dans les pièces, en se débarrassant au passage d'un certain nombre de vieilleries, dont deux chaises boiteuses et un canapé à moitié éventré qui dormaient au dernier étage.

Pour ce qui concerne les peintures du salon et des chambres, Ana, saisie d'une confiance inédite, a décrété qu'elle n'avait aucunement besoin d'un artisan et qu'elle était capable de tout faire elle-même.

En réalité, elle a tout simplement découvert que l'activité physique avait le don de l'apaiser et de remplacer avantageusement les ruminations sur son sort d'épouse délaissée... Elle s'est suffisamment reproché au Maroc sa débilité geignarde et sa propension à tout voir en noir pour ne pas avoir envie de recommencer en Suisse.

Et puis, à l'instar de quantité de gens superstitieux, Ana est convaincue que les événements espérés surviennent toujours quand on n'y pense pas, et que plus elle se morfondra en attendant le retour d'Arno, moins il y aura donc de probabilité qu'il réapparaisse à la date prévue.

Cela dit, en y réfléchissant bien, elle n'est pas non plus très sûre d'avoir envie de le voir revenir à la maison et de reprendre la vie commune comme si de rien n'était.

En tout cas, pas tout de suite... Alors qu'elle est enfin débarrassée des soucis familiaux et de la plupart de ses obligations sociales. Elle a la chance d'être libre comme l'air, libre de faire de la peinture quand elle le veut, de prendre un bain de minuit si ça lui chante, de regarder un film si elle a envie de regarder un film, et tout à l'avenant.

Homer ne reprenant pas les cours avant la mi-août, non seulement elle échappe aux corvées d'école, mais elle n'est plus obligée d'être constamment en représentation et de se montrer aux yeux des autres telle qu'ils voudraient qu'elle soit : une épouse et une mère exemplaire, docile, rangée, respectueuse de ceux qui sont autour d'elle, en priorité de son mari, des parents de son mari et même de l'institutrice de son fils.

Arno risque d'ailleurs de la trouver drôlement changée en septembre. Mais c'est lui qui en sera la cause... En même temps – sans en faire non plus une idée fixe – elle appréhende un peu sa réaction à son retour, lorsqu'il découvrira la maison bouleversée et sa chambre repeinte en rouge.

Ce qui lui fait penser, à ce propos, qu'elle n'a toujours pas pris de décision concernant celle de Homi.

– Viens voir ici, l'appelle-t-elle, parce qu'il est plongé depuis ce matin dans son volume des *Trois Mousquetaires*. Est-ce que tu peux me dire enfin les couleurs tu as choisies pour les murs de ta chambre ?

– Bleu clair autour de la fenêtre et bleu foncé pour les autres murs, lui dit-il par-dessus son livre.

Au moins il a retrouvé sa langue. Et, en prime, il s'exprime en français.

– Fais-moi alors penser à aller demain, sans faute, chercher les pots de peinture chez Kruger.

– Si papa reste au Canada, tu crois qu'on deviendra pauvres ? lui demande-t-il de but en blanc.

Visiblement, malgré son détachement apparent, ça doit lui trotter dans la tête depuis un bon moment.

– Il n'en est évidemment pas question. Je t'ai déjà dit que c'était provisoire et que la mission de ton père doit se terminer dans quelques semaines, lui répond-elle avec assurance.

Il n'empêche qu'une fois au fond de son lit, les yeux grands ouverts dans l'obscurité, Ana réalise avec une terreur incrédule que, si jamais Arno l'oubliait ou s'il rencontrait une autre femme – ce qui, eu égard à leurs relations actuelles, n'aurait rien d'impossible –, elle pourrait très bien se retrouver abandonnée pour le restant de ses jours.

– Pour le restant de mes jours, reprend-elle en écho, en rallumant la lumière, comme si elle avait besoin de vérifier le sens de l'expression.

54

Dans l'ordre temporel, la scène de leur séparation à l'intérieur de l'aéroport ne dura pas très longtemps, mais rapportée à la mesure de leurs vies, elle représentait infiniment plus que la quarantaine de minutes qu'ils passèrent ensemble.

Après l'enregistrement de ses bagages, Sybil avait consenti à rester encore un instant, s'asseyant même à côté de lui, son sac sur les genoux, l'air contrainte et un peu embarrassée, comme si elle craignait qu'il lui fasse une scène en public.

— J'espère bien sûr que tu m'enverras de tes nouvelles, mais tu n'es pas non plus obligée de le faire tous les jours, la rassura Homer, qui s'était composé le visage d'un homme parfaitement serein.

— Je te l'ai déjà dit : selon les circonstances, soit je te téléphonerai, soit je t'enverrai un message à mon arrivée.

– Je serai patient, lui promit-il en se fendant d'un sourire.

Elle parut aussitôt plus détendue et ils purent discuter calmement, à voix basse, comme deux personnes qui ont décidé de se séparer dignement, convenablement, sans juger utile d'attirer l'attention des autres voyageurs sur leur cas.

Vu leur émotion, ils n'avaient du reste pas grand-chose à se dire et se sentaient bien ainsi... Leur faculté de compréhension mutuelle, acquise à force de conversations à demi-mot, leur suffisait amplement... Et ils apprécièrent ce jour-là, en particulier, de pouvoir rester encore un moment tous les deux, sans parler, occupés à observer l'agitation des gens autour d'eux, tels des badauds anonymes assis sur le même banc.

– Il faut que j'y aille, lui dit subitement Sybil, en le serrant dans ses bras. Je suis sûre que tout va bien se passer.

– Moi aussi, répondit Homer, qui ferma les yeux pour lui signifier de partir pendant qu'il ne la regardait pas.

Elle était partie.

Et depuis – c'était presque devenu une activité à temps complet – il l'attendait en comptant les jours... Comme promis, elle lui avait téléphoné de Nicosie pour lui dire que son voyage s'était bien déroulé et qu'elle le recontacterait plus tard par texto... Ne voyant rien arriver, Homer avait fini par lui envoyer un message, deux messages, puis il l'avait appelée à des heures différentes, de jour comme de nuit.

Au début il tombait invariablement sur son répondeur, jusqu'à ce que celui-ci se trouve désactivé sans explication, remplacé par une petite sonnerie qui tremblotait dans le vide... Homer continuait néanmoins de l'écouter quelques secondes, assis sur sa chaise, le rythme de ses battements cardiaques calé sur celui de la sonnerie, avant de raccrocher.

Il en était en fait de la téléphonie comme de toutes les techniques destinées à contrôler l'incontrôlable : elle lui faisait de plus en plus peur... Même s'il restait bien conscient qu'une pointe de complaisance et de dramatisation hystérique s'en mêlait probablement. Il n'empêche... Son univers si bien ordonné, si entièrement stationnaire, se trouvait du jour au lendemain bouleversé à jamais.

Dans son désemparement, il en vint petit à petit à soupçonner Sybil de lui avoir menti et d'avoir dès le départ mené une sorte de double jeu. Double jeu dont il comprenait d'ailleurs assez mal les tenants et les aboutissants. En tout cas, en relisant à l'envers l'histoire de sa relation avec elle, Homer avait maintenant l'impression d'apercevoir Giovanni caché derrière toutes les portes... Un jour de grande solitude, il se persuada même qu'elle était revenue avec lui en catimini et faillit se rendre à la campagne pour les prendre sur le fait.

À ces épisodes paranoïdes succédaient heureusement des retours sur soi plus calmes, légèrement nostalgiques, au cours desquels il retournait sous l'influence consolatrice de Sybil. Malgré les trois mille kilomètres qui les séparaient, l'emprise qu'elle exerçait sur lui demeurait si forte qu'il avait quelquefois le sentiment de vivre sous son regard et de recevoir d'elle, au prix d'une concentration extraordinaire de ses sens, une clarté lointaine qui le réchauffait doucement.

Le septième ou le huitième jour, alors qu'il marchait dans le centre de Cologne, en vérifiant sur son écran que personne ne l'avait appelé pendant son travail, Homer eut d'un seul coup la certitude qu'elle ne l'appellerait plus jamais.

Pour lui, c'était clair, évident, presque éblouissant... De sorte qu'au lieu d'aller dîner en compagnie de ses collègues et de se donner en spectacle, il courut se réfugier dans sa chambre d'hôtel, ferma les volets et s'étendit sur le lit, en tâchant de remettre de l'ordre dans ses pensées.

Il se rappela notamment une phrase qu'elle avait prononcée à propos de quelqu'un d'autre : « J'aime bien les gens qui savent ce qu'ils veulent. » Sur le moment, il n'avait pas relevé l'allusion, mais elle avait doucement fait son chemin en lui... Et il comprit ce soir-là, dans cette chambre d'hôtel, que la sanction était tombée : il était condamné parce qu'il ne savait pas ce qu'il voulait.

Comme il l'appréhendait depuis des semaines, les effets retardateurs de son manque de courage, de tous ses calculs et de ses atermoiements, avaient fini par décourager Sybil et lui faire perdre confiance. Une fois loin de lui, elle s'était probablement dit qu'il ne change-rait jamais et qu'il valait mieux arrêter cette histoire.

Et devant son tribunal intérieur, Homer était obligé de convenir qu'il n'avait que ce qu'il méritait, puisqu'il était le seul et unique responsable de leur échec... Ce n'était bien entendu pas faute de l'aimer, mais sa tiédeur, son manque d'assurance, son angoisse congénitale l'avaient conduit à se complaire dans un immobilisme qui – il devait l'avouer – n'était pas sans agrément : le temps était arrêté, il pouvait ne rien déci-der, ne pas se déclarer, tout en laissant tranquillement venir les choses. Car il croyait qu'elles viendraient toutes seules. Ce qui était bien naturellement une vue de l'esprit.

Il était également possible (il était prêt à cet instant à envisager toutes les hypothèses, même les plus embar-rassantes) que l'admiration qu'il éprouvait pour Sybil et l'intimidation qu'elle exerçait sur lui aient eu pour conséquence fâcheuse de le rendre inapte – physique-ment inapte – à l'aimer... Il y avait des précédents.

Quoi qu'il en soit, il ne pouvait rien lui reprocher, elle avait patienté sans ciller, lui avait envoyé de nom-breux signaux, puis, comme la situation perdurait, l'idée avait dû s'imposer à son esprit qu'il n'avait pas l'intention de bouger, parce qu'il avait en quelque sorte remplacé l'amour par sa préméditation permanente. Et elle avait trouvé ça lassant.

Lorsqu'il ressortit tard le soir à la recherche d'une brasserie, du côté de la place de la gare, Homer, qui poursuivait en marchant son examen de conscience, s'avisa brusquement de deux choses : d'abord, qu'il avait connu Emma trop tôt et Sybil trop tard, comme s'il avait toujours été à contretemps. Et bien qu'on puisse penser qu'il s'agissait d'une illusion d'optique et que rien ne prouvait qu'en rebattant les cartes le résultat aurait été meilleur, il restait persuadé que leur ordre d'apparition dans sa vie avait eu un rôle déterminant dans son fiasco.

En second lieu, il s'avisa qu'il allait sans doute devoir dès à présent envisager son avenir sans Sybil et se préparer mentalement à une prolongation de son célibat... L'idée qu'il pourrait un jour, dans cette vie de somnambule qu'il menait, rencontrer une autre femme – une sorte de remplaçante engagée au pied levé –, et l'aimer suffisamment pour avoir envie de partager sa vie avec elle, lui paraissait en effet un pur non-sens.

Plus tard, quand il serait désœuvré, songea-t-il, il aurait tout le temps de regretter les moments dont il n'avait pas su profiter et de rejouer les scènes qu'il avait ratées. Il pourrait même en récrire les dialogues... Car leur vie ensemble avait été en fin de compte une longue conversation, continuellement recommencée, jusqu'à ce que l'un des deux manque à l'appel, et que l'autre – lui, en l'occurrence – se retrouve seul, lesté de tout ce qu'il n'avait pas réussi à lui dire.

55

Une fois Homer déposé chez ses grands-parents, elle s'est dirigée sans conviction vers la Marktplatz, avant de se résigner à prendre le tram, parce qu'elle ne se sent pas de continuer à marcher en ville par cette chaleur. Derrière les vitres, on dirait qu'un souffle brûlant a vidé les rues.

À la recherche d'un endroit où asseoir sa solitude, elle a choisi finalement le grand café près du pont, au coin de Petersgraben... À l'intérieur de la salle plongée dans la pénombre, l'air paraît frais et il n'y a quasi personne, hormis le patron, la serveuse et un gros garçon sans âge, assis sur un des tabourets du comptoir, qui lui jette un regard oblique.

Ana, qui n'ose pas lui rendre son regard et encore moins lui adresser la parole (elle se demande ce qu'elle pourrait lui dire), imagine en revanche très bien le tableau de sa vie : une mère dévoratrice, un père fantoche, des petits camarades odieux. Avec toutes les conséquences qui en découlent.

Instruite par une longue expérience, Ana évite le plus possible ce genre de garçon dont elle pressent trop clairement la pénurie affective et les intentions qui vont avec… Elle essaie donc de ne pas rester dans son champ de vision.

Protégés par une vitrine réfrigérée installée au milieu de la salle, sont exposés des forêts-noires et d'énormes choux à la crème dont elle se surprend à se délecter, mais seulement par la pensée, car elle n'a aucune envie réelle de manger une pâtisserie à cette heure… Et puis surtout elle a d'autres préoccupations.

En relisant la lettre d'Arno, qu'elle a dépliée sur sa table, Ana est en train de s'apercevoir qu'il écrit le français exactement comme il parle l'allemand, c'est-à-dire de manière ampoulée et très contrôlée, comme s'il soupesait chacun de ses mots de peur de commettre une imprudence. Elle ne s'en était jamais fait la remarque… Il faut dire que si depuis leur mariage il lui a envoyé une dizaine de lettres, ce doit être le bout du monde.

Il lui raconte donc par le menu son quotidien à Montréal, son hôtel confortable, sa découverte de la ville souterraine, ses promenades à vélo sur le port, son goût de plus en plus prononcé pour les jardins botaniques et les musées d'histoire naturelle, si conforme à sa curiosité pour les sciences.

Pour ce qui est de son travail, Arno se montre nettement moins prolixe et se contente de noter que, bien que ses collaborateurs canadiens soient des gens affables et plutôt attachants, il les trouve manifestement plus concernés par leurs parties de pêche le week-end que par les résultats de l'agence... À ce sujet, il est malheureusement fort probable, lui annonce-t-il, que sa mission soit prolongée jusqu'en octobre, puisqu'il devra aller passer trois semaines supplémentaires à Toronto.

Si elle attendait des regrets ou des marques de compassion, Ana en sera pour ses frais... À présent qu'il est loin d'elle, il se sent visiblement délié de ses promesses.

Tout juste s'inquiète-t-il de la déception possible de Homer, dont il n'oublie pas la fragilité, lui dit-il, et de la façon dont, de son côté, elle pourrait occuper utilement le temps dont elle dispose.

Preuve qu'Arno tient pour quantité négligeable toutes les heures qu'elle passe à lire ou à jouer avec son fils.

Aussi, après y avoir bien réfléchi, lui conseille-t-il de profiter de son absence pour reprendre ses études où elle les a laissées... Elle pourrait ainsi s'inscrire dès la rentrée à la faculté de droit ou bien encore en sciences politiques, puisqu'elle s'intéresse à la vie politique, lui écrit-il sérieusement (elle a l'impression de l'entendre parler), oubliant qu'elle n'est plus en classe de terminale.

Car, bizarrement, le ton de sa lettre est à la fois catégorique et empreint d'une certaine douceur paternelle à son égard, mais d'une douceur un peu distraite, parce qu'il ne peut visiblement s'empêcher, tout en surveillant son expression écrite, de penser à autre chose.

Ce qui ne rebuterait pas nécessairement Ana, si elle ne constatait en même temps qu'il n'y a pas un seul mot d'amour dans sa lettre, comme s'ils étaient conjugalement morts l'un pour l'autre.

Il n'y a même pas un clin d'œil, une plaisanterie, un petit signe de complicité... Et évidemment aucun baiser à la fin.

Arno a préféré conclure par un « À bientôt » qui ne coûte pas grand-chose et qu'elle soupçonne en plus d'être assez théorique.

La lettre rangée dans sa poche (c'est la troisième fois qu'elle la lit), Ana reste un moment les yeux dans le vide, regardant sans les voir le gros garçon assis sur son tabouret et le ventilateur rouge, en face d'elle, dont l'air lui rebrousse les cheveux... Dehors, sur Blumenrain, la rue est toujours aussi déserte. Elle n'aperçoit qu'une vieille dame tirant un gros chien rhumatisant et hargneux, comme a dû l'être son mari.

– Est-ce que ça vous ennuie si je pleure ? dit tout à coup Ana à la serveuse. Je n'arrive plus à me retenir.

– Mais non. Il n'y a pas de honte à pleurer. Je vais vous chercher quelque chose.

– Laissez. Je vous assure que je n'ai besoin de rien... C'est juste un moment de faiblesse.

– Je comprends, lui sourit-elle.

56

Le matin du onzième jour, qui se trouvait être un dimanche, Homer composa son numéro pour la dernière fois (c'est ce qu'il se répétait superstitieusement à chacune de ses tentatives pour la joindre à Chypre) et n'entendit ni le répondeur ni la petite sonnerie habituelle. Il n'entendit rien... Sybil était subitement devenue aussi inaccessible que si elle était prisonnière d'une île engloutie. Il raccrocha immédiatement, glacé par sa solitude.

Sachant, calcula-t-il, que si la température du corps humain – habituellement à trente-sept degrés – chute seulement de trois degrés, des formes de confusion mentale risquent d'affecter la personne et de la conduire dans un service spécialisé, il se préparait de toute évidence de sombres jours.

Il s'était d'ailleurs aperçu qu'il n'était pas du tout dans son assiette et consacrait maintenant la moitié de son énergie à lutter contre une sensation de torpeur envahissante. L'autre moitié lui servant à frissonner sur sa chaise.

Cet état d'abattement, avec son concomitant physique, avait débuté à son retour de Cologne... Il était resté deux jours chez lui, prostré sur son lit, à souffrir comme un insensé pendant qu'il inventoriait avec un soin maniaque tout ce qu'il allait perdre en perdant Sybil.

Autrefois, lorsqu'il était encore étudiant, ses rares chagrins d'amour étaient si vite oubliés qu'ils n'avaient pas le temps de se métaboliser. Mais là, c'était une autre histoire... La seule pensée qu'ils ne se promèneraient plus ensemble, qu'ils ne se parleraient plus, qu'elle ne l'embrasserait plus sur les lèvres en se soulevant sur la pointe des pieds, suffisait à lui donner un avant-goût du néant.

Par moments, tout en essayant de se convaincre que rien n'était perdu et que le téléphone allait bientôt sonner, Homer se mettait à tourner en rond dans son appartement, ouvrant les fenêtres, les refermant, les rouvrant à nouveau, sans plus avoir la force de respirer.

Si Sybil n'avait pas été aussi mystérieusement injoignable, réfléchissait-il, il aurait aimé lui demander une chose, une seule petite chose : pourquoi l'avait-elle renvoyé ainsi sans autre forme de procès ?... Elle aurait quand même pu s'expliquer.

La sanction était d'autant plus disproportionnée que, jusque-là, elle avait été en toutes circonstances d'une indulgence inespérée... Plusieurs fois, à la suite d'une de ses gaffes coutumières, il avait craint un éclat de sa part, avec des mots définitifs, détruisant au passage le peu d'estime de soi qu'Emma lui avait laissé. Or elle l'avait toujours ménagé... Il était donc en droit de s'interroger sur le bien-fondé de son attitude actuelle.

Mais quelques instants plus tard, sa révolte avait déjà pris fin. À cause de cette prédisposition maladive à se sentir perpétuellement coupable, Homer était déjà retourné à sa résignation et à son impuissance... Sybil était libre de faire ce qu'elle voulait. Il n'avait rien à contester, rien à revendiquer... Il avait quarante-trois ans depuis jeudi et il était désormais condamné à rester seul, tassé sur une chaise, avec sa mâchoire pendante comme celle d'un idiot.

Faute d'appétit, il dîna le soir d'une tomate et d'une grappe de raisin, but plus que de raison et s'affala sur son canapé pour regarder un film de guerre... Il remarqua incidemment que son état de dissociation lui permettait d'être à la fois un pilote américain larguant ses bombes chirurgicales et un islamiste enturbanné, caché dans son abri de fortune, entouré de gravats et de corps démembrés.

Quand il éteignit, il était minuit passé et on entendait un léger grondement d'orage au-dessus de Paris. Il alluma une cigarette et resta un moment en vigile à la fenêtre, en proie à un sentiment de dépersonnalisation qui lui donnait presque le vertige. Puis, il alla se coucher.

Une fois dans les draps, Il demeura allongé dans le noir, les yeux fixés sur les chiffres à cristaux liquides de son réveil, tandis que des soupirs derrière la cloison semblaient indiquer que ses nouveaux voisins avaient clairement le projet de se perpétuer... Ce qui, par contraste, lui donna le sentiment démoralisant d'être un célibataire en voie d'extinction.

Plutôt que de se tourmenter plus longtemps, Homer décida de fermer les yeux et de partir en quête d'un souvenir agréable, qui lui occuperait l'esprit jusqu'à ce qu'il s'endorme... Mais il avait beau chercher, rien de précis ne lui revenait. Ou bien, à peine revenu, le souvenir s'effaçait aussitôt.

Pendant qu'il persécutait ainsi sa mémoire, il avait l'impression de descendre les marches d'un escalier, palier par palier, puis de se déplacer à tâtons le long d'un couloir obscur, guidé par la musique d'une radio... Avant que la peur de se perdre ne le fasse revenir sur ses pas. Sans avoir pu identifier l'air qu'on était en train de jouer.

Pourtant, il aurait tout donné pour avoir un petit moment de détente dans le passé.

Au milieu de la nuit, alors qu'il était déjà persuadé que, soit il ne trouverait jamais le sommeil, soit il finirait par s'endormir bredouille, les souvenirs refluèrent d'un seul coup, si nombreux, si pressés, qu'il eut toutes les peines du monde à les contenir... Et parmi ces milliers d'images et de souvenirs fantômes, qui la plupart du temps ne reviennent jamais à la vie, parce que la vie n'a pas besoin d'eux, se détacha soudain la scène où Sybil était à la piscine.

À cause du travail de condensation, l'épisode se réduisait à quelques images, à quelques instants, que Homer se mit évidemment à revivre seconde après seconde, tout en se rendant alors compte que sa nuit était sauvée.

Dans son maillot à damiers blancs, Sybil nageait la brasse à côté de lui, toute menue, sans doute diminuée par la distance du souvenir... Puis, sans solution de continuité, elle était assise au bord du bassin, lui tendant sa crème solaire pour qu'il lui en enduise les épaules. Il s'exécutait bien sûr sans se faire prier, respirant en même temps l'odeur de sa peau.

Ce qui en revanche le déconcertait, c'est qu'à chaque fois que Sybil s'adressait à lui, sa voix restait inaudible... Il connaissait pourtant sa voix, il se souvenait parfaitement de ses inflexions et de son timbre voilé, mais il avait beau tendre l'oreille lorsqu'elle bougeait les lèvres, il n'entendait rien, comme s'il était frappé de surdité ou que la bande sonore de la scène avait été perdue, peut-être endommagée par l'acidité de son chagrin.

Homer s'endormit d'un coup et se réveilla alors qu'il faisait déjà jour, en se rappelant qu'on était lundi et qu'il devait prendre un train à Montparnasse... Il avait mal au crâne. Le désordre de son lit et les auréoles de transpiration sur ses draps témoignaient de sa nuit agitée.

Il se leva alors tant bien que mal et, au moment d'entrer dans la salle de bains, eut un mouvement de recul en apercevant, dans la glace en face de lui, ce grand échalas, avec sa toison rousse et son sexe ratatiné comme au jour de sa mort.

Le choc passé, Homer se lava et s'habilla précautionneusement dans la lumière rationnelle du matin, en tâchant de rassembler les morceaux épars de sa conscience (il fut quand même obligé de s'y reprendre à quatre fois pour nouer sa cravate).

Dehors, alors qu'il cherchait un endroit pour déjeuner rapidement, il entendit le chant flûté d'un oiseau – probablement un merle juché sur une branche ou sur un mur – qui lançait ses trilles par-dessus la rumeur de la rue. Un autre, qui l'écoutait caché dans une cour, lui répondit longuement, intarissablement... Et Homer s'arrêta net, comme saisi d'un sentiment de perfection, pendant qu'il remuait la tête sous cette douche mélodieuse.

57

Hésitante, regardant tour à tour son papier à lettres et les conifères du jardin par la fenêtre ouverte, Ana s'est finalement résolue à confier à Arno à quel point ils ont été déçus, Homer et elle, d'apprendre qu'il devait prolonger son séjour au Canada, et combien la maison leur paraît encore plus vide depuis qu'ils savent qu'il ne rentrera pas avant le mois d'octobre.

Mais elle lui promet qu'elle ne lui en veut absolument pas. Elle peut bien faire chaque matin son examen de conscience et se regarder calmement devant la glace en triant ses sentiments, elle ne parvient pas à découvrir en elle la moindre trace d'amertume ou d'irritation… Non, ce qu'elle regrette le plus, lui écrit-elle, c'est qu'il ne puisse pas être avec son fils en ce moment. Elle aimerait qu'il le voie en train de courir dans l'herbe ou de pédaler sur son vélo, les cheveux au vent, tout bronzé par le soleil d'Afrique : il est vraiment éblouissant.

En outre, lui assure-t-elle, il a encore grandi pendant les vacances et semble pour le coup devenu plus mature et plus communicatif.

Arrivée à ce point de son compte rendu, Ana s'arrête d'écrire et reste un moment le stylo en l'air, les yeux à nouveau fixés sur le jardin, parce qu'elle pressent qu'elle est arrivée à un tournant critique.

Homer, est-elle obligée d'expliquer à Arno, continue d'avoir en effet quelques passages à vide, certes de moins en moins nombreux, mais quand même pas tout à fait anodins... Et comme les premières semaines, à leur retour du Maroc, il n'arrêtait pas de tourner en rond dans la maison, tel un gamin désemparé, elle a pris avec lui une grande décision : ils sont allés tous les deux à Mulhouse et ont adopté, dans un refuge qu'on leur avait recommandé, deux chiens désopilants. Un gros roux, très colérique, et un petit noir et blanc, très froussard, qu'ils ont baptisés comme de juste Laurel et Hardy.

Sans qu'elle ne parvienne jamais à savoir, bien entendu, lequel est Laurel, lequel est Hardy.

Elle sait pertinemment, lui dit-elle, que les chiens et les chats l'ont toujours insupporté et elle est donc tout à fait consciente d'avoir bravé un interdit, maintes fois réitéré. Mais encore faut-il savoir faire la part des choses et garder à l'esprit, lui rappelle-t-elle, qu'il est question dans le cas présent de la santé morale et du bonheur de leur fils.

Elle se permet d'ajouter, à ce propos, que ce n'est sans doute pas un hasard si tout le monde, unanime-

ment, le trouve plus épanoui depuis quelques jours :
« Sauf tes parents ! »

Ana tient en effet à lui raconter, parce qu'elle en a
gros sur le cœur, que ses parents, Marlène et Hubert
– qui n'en manquent pas une –, n'ont rien trouvé de
plus intelligent, lundi dernier, que de faire la leçon à
Homi – parce que ses chiens aboyaient trop fort, soi-
disant – avant de le menacer de les ramener au refuge.

Et le lendemain, ils ont remis ça au téléphone, avec
elle. Il n'y avait plus moyen de les arrêter.

En conséquence de quoi, lui écrit-elle fermement,
elle aimerait bien, au cas où ses chers parents viendraient à lui demander son avis sur cette question sensible, qu'il ne prenne surtout pas leur parti, mais celui
de sa femme et de son fils, qui lui en seront éternellement reconnaissants.

Et lui envoient en attendant mille baisers.

« Tu me manques et tu me manques », a-t-elle failli
ajouter, avant de se raviser en se rappelant la répugnance
d'Arno à l'égard des états d'âme.

Ana se doute bien naturellement que, d'un simple
point de vue tactique, il vaut mieux éviter ce genre de
déclaration inconsidérée et s'abstenir, dans le même
ordre d'idée, de lui poser la moindre question sur son
retour, au risque de lui révéler son inquiétude… Même
si son retour lui paraît de plus en plus hypothétique et
qu'un jour sur deux elle tremble comme une feuille, le
nez collé aux carreaux, en prenant la mesure de sa solitude.

Tout cela, elle le sait, irriterait Arno presque autant que si elle avait la mauvaise idée de lui annoncer, en post-scriptum, que sa maison a été transformée de fond en comble (pour un résultat assez incertain, qui plus est).

Mais en même temps, s'insurge-t-elle, en se relisant, si on ne veut pas ou si on ne peut pas tout dire, à quoi bon écrire? À quoi bon envoyer des lettres?

58

À la sortie de la gare, il n'y avait ni bus ni taxi à
cette heure de l'après-midi, et comme dans sa précipi-
tation il avait oublié son parapluie, il arriva trempé...
Sybil, qui semblait n'être jamais partie, l'aida avec son
empressement habituel à se défaire de son imper-
méable et de ses chaussures et l'emmena ensuite dans
le salon où elle avait fait du feu. Il nota alors qu'elle
portait à nouveau sa belle robe lavande, avec la petite
étole noire.

– Eh bien, tu vois que tu as survécu, lui dit-elle, en
lui tendant enfin ses lèvres.

– C'est drôle, j'avais parié qu'on se retrouverait
aujourd'hui, répondit Homer, d'une voix un peu
enrouée par l'émotion.

Il crut cependant utile d'ajouter, par souci d'hon-
nêteté, qu'il n'avait pas toujours été aussi confiant et
qu'il était même passé, à partir du cinquième ou

sixième jour, par des phases d'inquiétude dont elle n'avait pas idée.

— Alors, n'en parle pas, lui dit-elle, en passant sa main sur son visage comme pour effacer son inquiétude... Tout est bien qui finit bien.

— Si on veut, lui concéda Homer, qui se sentait un peu décalé, comme s'il était toujours en train de l'attendre.

Puis ils ne dirent plus rien, parce que la joie les réduisait brusquement au silence. Ils étaient restés debout, l'un en face de l'autre, tout embarrassés d'eux-mêmes... L'habitude qu'ils avaient de converser à bâtons rompus, durant des heures, conférait un prestige étrange à ce grand silence qui était en train de s'installer entre eux. On aurait dit que chacun, redoutant qu'une moitié d'après-midi ne puisse contenir tout ce qu'ils avaient à se dire, hésitait à prendre la parole.

Là-dessus, Sybil s'étant éclipsée dans la cuisine, Homer prit le parti de se mettre au piano, juste le temps de lui faire entendre une petite fugue du *Clavecin bien tempéré*.

— Continue, je ne l'ai pas jouée depuis des années, lui demanda-t-elle, en rapportant le vin de Chypre qu'elle avait promis de lui faire goûter.

Il enchaîna donc avec la fugue n° 2 en C mineur, tandis que le ciel tonnait et que des bourrasques de pluie fouettaient les vitres. Dans cette atmosphère aquatique, on aurait très bien pu le prendre pour le capitaine Nemo jouant sur son orgue, tout au fond des mers. Les saules pleureurs du jardin simulant de manière plausible la flore sous-marine.

– À nos retrouvailles ! lança Sybil en choquant leurs verres.

– À nos retrouvailles, répondit-il en écho.

Le chat Maurice s'étant levé poliment pour leur laisser la place, ils s'assirent chacun à un bout du canapé, avant d'éclater de rire et de se rapprocher de conserve... Seulement, quand la distance entre deux corps décroît, la tension augmente en proportion, et ils furent donc soulagés de pouvoir échanger quelques remarques anodines sur la qualité des vins chypriotes, en attendant d'aborder la question épineuse du sort des deux autres.

Concernant Emmanuelle, Sybil n'avait au demeurant pas grand-chose à lui communiquer, sinon qu'il semblait acquis qu'elle avait bien quitté l'île et vivait désormais en Espagne avec son nouveau fiancé... Le cas de Giovanni était plus alarmant. Elle ne lui cacha pas qu'elle s'était sentie assez démoralisée en le découvrant bouffi et alourdi d'une dizaine de kilos excédentaires, à cause des quantités d'alcool qu'il se croyait obligé d'avaler... À ce régime, il allait devenir une épave, lui avoua-t-elle, mais de manière un peu plus contournée (c'est Homer qui traduisait).

– Je n'avais vraiment pas l'esprit à te téléphoner, tu comprends ?... En plus, je me suis fait voler mon portable dans un bus.

– Je comprends, dit-il, sans insister... Mais, dis-moi, vous faisiez quoi, vous parliez de quoi exactement, tous les deux pendant des jours?

– De pas grand-chose, surtout d'histoires d'argent. Giovanni est convaincu qu'une fois que les affaires auront repris dans l'île, grâce à l'argent russe, ceux qui auront eu la bonne idée de rester seront les mieux servis.

– Et tu y crois?

– Je n'y connais rien. Tout ce que j'espère, c'est qu'il trouvera une autre femme avant qu'il ne soit trop tard et qu'il sortira enfin de sa dépression.

– Il n'a pas essayé de te retenir en te faisant du chantage? demanda alors Homer, sans pouvoir s'empêcher, tant il débordait de tendresse, d'appliquer sa jambe contre la sienne.

– Non. J'imagine qu'il était résigné... De mon côté, j'ai senti que c'était fini, que j'avais lâché prise et que je ne pouvais rien pour lui.

Elle parlait sur un ton qui lui fit pressentir qu'elle avait effectivement décidé de refermer le couvercle sur cette histoire.

Après un intervalle de silence, ils revinrent donc à des considérations plus pratiques concernant leurs vacances (Sybil avait encore changé de projet et parlait à présent d'un endroit, entre Rome et Naples, où ils pourraient peut-être disposer d'une maison), puis ils se turent à nouveau, assis gauchement, côte à côte, leur verre à la main.

Dans ce genre de situation, la mauvaise foi étant la chose du monde la mieux partagée, aucun des deux ne fit bien sûr allusion à l'activité inaccoutumée de leurs jambes, pressées l'une contre l'autre... Jusqu'au moment où Sybil tourna la tête de son côté et le regarda silencieusement dans les yeux : la transfusion amoureuse prit à peine quelques fractions de seconde.

– Maintenant, on peut fermer les yeux si tu veux, lui proposa-t-elle en l'embrassant.

– D'accord, on ferme les yeux, dit Homer, qui savait qu'il avait épuisé tous ses recours suspensifs et ne pouvait décemment se dérober une fois de plus.

– Mais surtout, tu ne triches pas, insista-t-elle, en pressant sa main sur ses paupières.

– Promis.

Passé un bref moment de peur primitive, il engagea donc son bras autour de sa taille, tout en embrassant ses lèvres et son cou odorant... Si bien qu'en réaction, Sybil le serra avec une telle force, une telle impétuosité, qu'elle finit par le renverser sur le canapé.

Homer, qui avait scrupuleusement gardé les yeux fermés, l'attira alors sur lui et l'aida à rouler tantôt d'un côté, tantôt de l'autre, dans un léger mouvement de balançoire qui la faisait rire, tandis qu'il passait sa main sous sa robe... Malgré sa dextralité, il effectuait cette opération de reconnaissance avec sa main gauche, parce que dans son esprit la main droite était principalement dévolue au travail, et la gauche au plaisir sensible.

Quoi qu'il en soit, Sybil, qui utilisait les deux mains, n'était pas en reste de son côté, et leurs gestes d'aveugles avaient en même temps quelque chose de fébrile et d'étonnamment maîtrisé, comme s'ils avaient déjà répété la scène de multiples fois.... D'autre part, c'était une scène assez longue, et Sybil paraissait si fragile, comprimée contre lui, que Homer était obligé de s'interrompre par instants, le cœur battant à tout rompre.

Au bout des vingt ou trente minutes les plus intenses de son existence, il entendit sous lui la voix étouffée de Sybil qui le suppliait de la libérer tout de suite.

— Tu as du mal à respirer ? s'inquiéta-t-il, en rouvrant les yeux.

— Non. Mais je n'ai pas le cœur à ça, lui confessa-t-elle, avant de se rajuster.

Bien entendu, il faillit insister, mais son regard dissuasif lui confirma qu'elle était on ne peut plus sérieuse. Et, pour sa part, il devait admettre qu'il l'avait tant fait attendre qu'il pouvait difficilement lui reprocher sa volte-face : elle lui rendait la monnaie de sa pièce.

— Je sens que tu es déçu et que tu m'en veux, lui dit-elle en l'aidant à se relever. Tu dois penser que je me suis amusée de toi.

— Absolument pas, protesta Homer, qui n'avait jamais entretenu pareille idée.

Quand ils sortirent, les averses avaient cessé depuis longtemps et ils marchèrent côte à côte, au rythme de leurs pensées, jusqu'au vieux pont du Loing, rassurés de se trouver encore en été, alors que le soleil brillait à nouveau et qu'on entendait partout le bruit des rigoles creusées par la pluie.

— Nous sommes des amoureux bizarres, lui fit-elle remarquer, en s'adossant au parapet. Je n'en reviens toujours pas de la chance que nous avons eue de nous rencontrer... Mais peut-être que nous le méritions, en fin de compte.

— En général, la chance n'a rien à voir avec le mérite, sinon ce ne serait pas de la chance, répondit Homer, pendant qu'il observait sur la berge un homme à chapeau vert qui se tenait en équilibre, une jambe tendue en avant, comme s'il essayait de repousser la rivière du pied.

— Tu m'en veux toujours ?

— Je t'ai dit que non. Mais promets-moi que nous recommencerons bientôt.

— On verra, fit-elle, en lui prenant la main et en la mordillant d'abord doucement, tendrement, puis de plus en plus fort.

59

Ils sont déjà tous là. À son entrée, ils s'avancent vers elle, ils l'encerclent, lui demandent des nouvelles d'Arno et de Homer, tout en la félicitant d'avoir une mine aussi radieuse.

– Merci... Mais je ne savais pas qu'il y aurait autant de monde... s'excuse-elle, un peu gênée... Le cousin Hans lui serre gentiment les doigts, tandis que l'oncle Adam, toujours empressé, lui glisse à l'oreille qu'elle a encore rajeuni.

Le plus troublant, c'est qu'ils lui parlent tous à voix basse, avec des airs de complot, comme s'il s'agissait d'une réunion secrète.

Une fois les effusions terminées, ils s'écartent d'elle, à la manière d'un ballet parfaitement réglé, et Marlène, qui se tenait jusque-là en retrait, sans venir l'embrasser, la prend alors par le bras.

– Vous voulez bien m'accompagner dans le salon? lui dit-elle en allemand, un léger tranchant dans la voix. Hubert nous attend.

Ana, qui sent comme une crampe à l'estomac, se laisse conduire jusqu'à la grande salle lambrissée, étrangement caverneuse, où les autres ont commencé à prendre place autour de la table.

– Asseyez-vous, lui dit Marlène.

Elle s'assied… Elle n'est pas en train de rêver.

Toute la famille d'Arno est réunie autour d'elle. Soit, en plus de Marlène et Hubert, ses parents, et en suivant le sens des aiguilles d'une montre, les cousins jumeaux Hans et Mathias, l'oncle Adam et son fils aîné, Sacha, la femme de celui-ci, Ulrike, la mère de Marlène, Mme Würtrich, ses deux sœurs, Martha et Eugénie, ainsi qu'une inconnue, une grande gigue cafardeuse, toute de noir vêtue, qu'elle imagine être une cousine lointaine du côté d'Hubert.

Sans savoir pourquoi – peut-être à cause de leur façon de la regarder et de chuchoter entre eux – Ana trouve que leur assemblée ressemble plus à un jury d'examen qu'à une réunion de famille.

– Ana, nous sommes tous ravis de t'avoir parmi nous, lui promet l'oncle Adam afin de la rassurer un peu.

– C'est très gentil de votre part, oncle Adam, le remercie-t-elle, sans parvenir à se détendre.

Au silence qui suit sa réponse, on devine que la plupart des autres n'ont absolument aucune envie de prendre la parole. Probablement parce qu'ils estiment que c'est à Hubert, qui les a convoqués en tant que chef de famille, de faire le travail. Ensuite ils voteront tout ce qu'il voudra leur faire voter.

— Bon, dit Hubert en sortant une feuille de sa poche, parlons peu mais parlons bien... Arno nous a récemment alertés, depuis Montréal, continue-t-il en allemand, au sujet de certaines difficultés rencontrées cette année par son fils à l'intérieur de son école, où l'atmosphère paraît en tout point détestable. Il m'a donc signifié fermement – je ne suis que son porte-parole – son désir de le voir changer d'établissement à la rentrée, à condition qu'il s'agisse, m'a-t-il bien précisé, d'un établissement confessionnel, pouvant accueillir des élèves en internat.

Ana, dont la jambe droite s'est mise à trembler, préfère ne pas intervenir. Attendant la suite.

— Avec ma femme, nous avons donc commencé à prospecter dans les environs et le problème ne devrait pas être trop difficile à résoudre... Sauf que sa mère, ici présente, persiste dans son opposition et met tellement de mauvaise volonté dans ses propres démarches que l'enfant actuellement n'est inscrit nulle part. À huit jours de la reprise des cours.

— C'est donc sa mère qui est chargée de l'inscrire? demande l'inconnue en noir.

— Non. Arno tient à ce que Marlène et moi prenions les choses en main, puisqu'il a été démontré que sa mère, soit par négligence, soit par malignité, refuse d'écouter nos conseils.

– Si je comprends bien, vous voulez seulement notre approbation, dit l'inconnue, qui semble soulagée.

– C'est cela. Arno ne veut pas que la décision ait l'air d'un coup de force...

– Il me semble que c'en est pourtant un, l'interrompt Ana, en se levant de sa chaise... Si vous me permettez de dire quelques mots, je voudrais vous faire observer qu'Arno ne m'a jamais parlé d'internat, mais je me doutais qu'un jour on en arriverait là... Au fond, la manœuvre est très claire : il s'agit, avec votre accord, de me dépouiller de ma responsabilité maternelle. Sinon, rien ne justifierait ce choix absurde de l'internat. Arno sait très bien que son fils est un enfant nerveux, anxieux et fortement dépendant de sa mère. Ce sont les médecins eux-mêmes qui le disent... Mais visiblement tout est bon pour me mettre à l'écart.

– Votre responsabilité maternelle ! mais qu'est-ce que ça signifie ? s'étouffe Marlène en se levant à son tour. Je n'arrive pas croire que je suis en train de vous écouter, Ana.

Afin de dire le plus de méchancetés possible dans un minimum de temps, la mère d'Arno, qui a dû répéter son discours, se met alors à parler très vite, sans aucune hésitation et sans avoir besoin de lire ses notes comme son mari. Et tout y passe : les pantalons trop courts de Homer, la propreté douteuse de la maison, les meubles sens dessus dessous, les peintures horribles dans les chambres, les chiens allongés sur les lits ou bien cavalcadant dans le jardin... Et ainsi de suite.

– Si ce ne sont pas des preuves criantes de laisser-aller, je voudrais bien qu'on m'explique ce que c'est, termine-t-elle, en tapant sèchement du poing sur la table.

Ana n'en attendait pas moins d'elle. Les autres non plus certainement... Pourtant ils ne bougent pas. Mme Würtrich a l'air de somnoler, tandis que ses voisins regardent droit devant eux, complètement inexpressifs. Au mieux, ils s'en lavent les mains, au pire, ils approuvent parce qu'ils sont là pour ça. La plupart sont plus ou moins gênés aux entournures et donc dépendants, directement ou indirectement, des subsides et des petites attentions de Marlène et Hubert.

Ana, excédée par tant de servilité, a failli se lever à nouveau, afin de répliquer à sa belle-mère que, Arno ou pas, elle ne laissera personne lui prendre son fils et continuera de l'élever comme elle l'entend... Avant de se raviser, de peur de choquer tout le monde.

En plus, elle aime sincèrement l'oncle Adam et la cousine Ulrike – bien qu'ils ne soient pas plus courageux que les autres – et elle ne veut surtout pas les mettre dans l'embarras... De toute façon, elle sait que les jeux sont faits. Homi ira dans son internat et ne reviendra plus qu'aux vacances.

On verra ce qu'il en résultera.

Pendant ce temps-là, Hubert s'est remis à pérorer et à dresser la liste exhaustive de tous les manquements de sa belle-fille, escomptant sans doute qu'elle se mettra à plat ventre pour lui demander grâce... Mais elle ne l'écoute plus.

Dans cet état de détachement, où tout glisse sur elle, Ana a du reste la sensation bizarre d'être à la fois au milieu des autres et loin d'eux, ailleurs, penchée à la fenêtre de la maison d'en face, ou bien encore plus haut, en train de les regarder du ciel, sans plus les reconnaître.

60

À la descente du bateau, ils se sentirent soulagés d'être enfin seuls dans cette ville immense qu'ils ne connaissaient pas. Ils cherchèrent une consigne à l'intérieur de la gare maritime afin d'y déposer leurs bagages, puis s'assirent un moment en face de l'appontement, leur plan déplié sur les genoux. Ils étaient tous les deux d'avis qu'il valait mieux commencer par chercher un hôtel avant de profiter du spectacle de la rue napolitaine. La question de l'hôtel était d'ailleurs suffisamment sensible pour qu'ils aient besoin d'en débattre... Devant eux, la mer oscillait toute bleue, sans rien sur elle, pendant que de légers nuages d'altitudes défilaient comme des présages au-dessus du môle.

– On pourrait peut-être commencer par les hôtels qui donnent sur le golfe et se diriger ensuite vers le centre-ville, lui dit Sybil en rangeant la carte.

Malgré son scepticisme, Homer la suivit de bon gré sur le front de mer, jusqu'à ces grands palais que personne ne pouvait manquer, avec leurs oriflammes au vent et leurs portiers en costume d'apparat… Derrière les vitres, des groupes d'hommes d'affaires paraissaient chuchoter dans la pénombre du hall d'accueil, pareils à des acteurs attendant le lever du rideau.

Sybil lui annonça sans surprise que tout était complet – et de toute façon hors de prix –, et ils reprirent donc leur déambulation tranquille, seulement conscients de la légèreté de l'air et des ondes bénéfiques émises par les passants autour d'eux.

À partir de la via Roma, ils se mirent à chercher l'ombre sous les stores des magasins et s'engagèrent plutôt dans les rues étroites du quartier historique, découvrant par les fenêtres ouvertes tantôt un lit d'enfant avec un édredon, tantôt une cuisine vieillotte, digne du musée des arts et traditions populaires… Pendant qu'ils consultaient à nouveau leur plan en marchant, ils se retrouvèrent à l'intérieur d'un cloître, avec un jardin planté de palmiers et d'hibiscus qu'entretenait un moine qui semblait parler tout seul.

Comme le quartier était à peu près dépourvu d'hôtels, ils repartirent en sens inverse en empruntant le large corso Umberto, où ils n'eurent pas plus de succès : soit les hôtels étaient en travaux, soit tout était déjà réservé… Par chance, le plaisir d'être ensemble dans cette ville et l'impression qu'ils ne seraient jamais plus jeunes qu'à cet instant compensaient ces désagréments... À part soi, Homer s'amusait même à l'idée qu'ils allaient revenir de leur voyage en amoureux sans avoir rien consommé.

À la gare, le syndicat d'initiative se révéla fermé et, de découragement, ils prirent un bus qui les ramena vers le bord de mer. Ils déjeunèrent (il était plus de trois heures) à une terrasse protégée du soleil, où ils pouvaient respirer l'air aromatique des petits jardins à flanc de colline, tout en écoutant le bruit de la mer, égal à lui-même... Sybil, qui mourait de soif, commanda tout de suite un Campari et Homer l'imita. Pour le reste, ils n'avaient pas le choix : ce serait calamars et aubergines grillées.

Pendant que Sybil lui parlait des recettes italiennes que la mère de Giovanni lui avait appris à cuisiner, quand elle était jeune mariée, Homer, dont le regard était sollicité par une longue adolescente aux yeux noirs, l'écoutait de manière un peu intermittente. Le visage de la jeune fille, strié par les ombres de la pergola, avait quelque chose de malicieux et d'excitant qui lui rappelait Alicia, avec son t-shirt LOVE ME OR KILL ME. Elle déjeunait en compagnie d'un grand blond à lunettes de soleil, dont Homer essayait de se persuader – en dépit de certains gestes équivoques – qu'il s'agissait de son frère.

La scène dura à peine quelques minutes, le temps qu'il s'aperçoive que Sybil, sans doute agacée par la volatilité de son attention, avait cessé de lui parler... Elle était en train de l'observer, penchée par-dessus la table, comme si elle voulait lui prêter ses yeux pour qu'il puisse se regarder.

– Désolé, je pensais à autre chose, s'excusa-t-il en cherchant son portefeuille pour régler l'addition.

– Elle n'a même pas fait attention à toi.

C'était malheureusement vrai... Mais grâce à cette détente et cette insouciance qu'il éprouvait à voyager avec elle, Homer réussit à rire de lui-même. Et l'incident fut toute de suite clos.

Ils repartirent à pied en direction du centre, toujours en quête d'une chambre introuvable. Les réceptionnistes, qui avaient dû se donner le mot, leur répondant immanquablement que tout était complet jusqu'à la fin du mois... Ils retournaient alors dans la rue, tels des amants sans feu ni lieu, partout suspectés, partout refoulés.

L'*albergo dei Mellini* se trouvait au-dessus d'un restaurant devant lequel ils étaient passés plusieurs fois sans avoir rien remarqué. Vue de la cour, la maison paraissait de fait nettement plus haute que de l'extérieur. Le dernier étage, réservé à l'hôtel, était entouré d'une galerie vitrée qui donnait une certaine allure au bâtiment. Comme personne ne se présentait, ils attendirent un moment, la tête levée, sans savoir quoi décider, tandis que des bruits de vaisselle résonnaient dans la cour.

Là-dessus, un petit homme taciturne vint leur annoncer qu'il lui restait bien deux chambres inoccupées, mais qu'une seule – ils n'auraient donc pas à

343

délibérer – était équipée d'une salle de bains. Puis il les conduisit dans les étages, jusqu'à un long couloir silencieux menant à la porte de leur chambre. Malgré les volets qui étouffaient la lumière, ils distinguèrent une pièce relativement spacieuse, sommairement meublée d'un grand lit matrimonial, surmonté d'un crucifix, de deux chaises paillées et d'une table en bois clair. Des images pieuses avaient été punaisées au mur du fond.

Le petit homme s'agitant pour leur montrer le fonctionnement du chauffe-bain, tous les deux se tenaient le plus convenablement possible, sans chercher à se donner la main, encore moins à s'embrasser, parce qu'ils le soupçonnaient d'être assez sourcilleux et qu'ils avaient en même temps le sentiment intimidant de se tenir en équilibre sur une ligne qui allait diviser leurs vies... C'était évidemment une ligne imaginaire, mais si précise et si définitive que rien ne serait plus jamais pareil.

– Il demande combien de nuits on a l'intention de rester, dit Sybil, qui servait d'interprète.

Homer, qui détestait toujours autant prendre des décisions, et a fortiori des décisions de ce genre, lui suggéra à voix basse qu'ils avaient encore la possibilité de dire stop avant qu'il ne soit trop tard. Personnellement, à cause du crucifix et des bondieuseries, la chambre ne l'inspirait pas trop.

Sans dire une parole, elle s'écarta alors de lui et le regarda comme si elle n'y croyait pas... Cette commu-

344

nication directe eut le mérite de lui faire comprendre instantanément, et sans s'embarrasser de formules, qu'elle trouvait que leur pusillanimité avait assez duré et qu'il était peut-être temps de se comporter en adultes.

– On va dire deux nuits... Non, trois nuits, corrigea-t-il, encouragé par son sourire.

Surpris par l'onde d'excitation qu'il sentait dans ses membres, Homer se demanda ensuite, en redescendant le grand escalier, pourquoi il n'avait pas dit quatre. Mais ils pourraient probablement négocier une nuitée supplémentaire en temps voulu... Toujours est-il qu'il avait réussi à prendre une décision et que finalement il ne s'en était pas si mal tiré, lui fit-il observer dans la rue. À cette heure de la journée, les oiseaux faisaient un tel tapage dans les arbres qu'ils étaient presque obligés d'élever la voix pour s'entendre.

– C'est vrai, admit-elle, tu t'en es assez bien sorti. Mais ce serait encore mieux si tu étais un peu plus téméraire et si tu ne me demandais pas sans cesse mon avis, au lieu de suivre simplement ton impulsion.

Homer lui promit que dorénavant il se le tiendrait pour dit.

– C'est toi qui m'as délivrée de mon mari et de mon triste passé, ajouta-t-elle d'une voix théâtrale, en lui donnant un petit acompte au coin des lèvres.

De quelle planète, de quel monde inconnu venait-elle pour diffuser une telle tendresse? se demanda-t-il

plus tard, en reconnaissant les murs de la gare maritime.

– Au fait, tu as gardé le ticket de la consigne?

– Il est toujours dans ma poche, dit Homer, qui
s'aperçut en même temps que sa peur avait disparu.

61

Malgré l'obscurité, l'air était encore assez doux. Ils étaient sortis fumer une cigarette sur la terrasse, pendant que derrière eux les autres dansotaient entre les tables, leur verre à la main. Ils devaient être une trentaine, dont Rachel Pertini et Jean-Philippe Nervois-Peyron que personne ne savait en si bons termes.

De leur point d'observation, au onzième étage, ils apercevaient le canal de l'Ourcq et les lumières de Paris de l'autre côté du périphérique, avec des tranchées d'ombre et de grands nuages qui voilaient la lune par intermittence.

– C'était quoi ta question, tout à l'heure? dit Massimo en ouvrant une bouteille de champagne.

– C'était à propos de ce film, *Melancholia*. Je ne sais plus si tu l'as vu… Ce sont deux sœurs qui attendent la fin du monde dans une grande propriété, en face de la mer.

Massimo lui avoua tout de suite, en remplissant leurs coupes, qu'il n'avait pas été trop convaincu par le film, notamment par les deux actrices, qu'il trouvait hystériques. Il avait horreur des hystériques... En revanche, il se rappelait très bien la grosse planète bleutée qui s'approchait tout doucement de la terre avant l'explosion finale.

– Pourquoi tu me parlais de ça ?

– Bichette nous a interrompus... Je te parlais de ça, car je voulais savoir si tu t'étais déjà demandé à quoi tu penserais à ce moment-là, lui dit Homer en le regardant... Quand tu réciteras une dernière fois le chapelet de ta vie, grain par grain, instant par instant, sur lequel tu voudras t'arrêter, parce qu'il t'a fait battre le cœur plus que les autres ?

– Tu veux dire de joie ?

– De joie, de peur, de ce que tu veux... À quel souvenir tu te raccrocheras ?

– À quel souvenir je me raccrocherai ? répéta Massimo, pour gagner du temps. Il alluma une autre cigarette et resta un moment silencieux, accoudé à la rambarde de la terrasse, comme s'il guettait à son tour l'apparition de la planète.

En définitive, il n'y en avait pas tant que ça, remarqua-t-il. Mais, s'il devait à tout prix choisir, ce serait sans doute le souvenir d'un après-midi qu'il appellerait à son secours... Précisément, d'un samedi après-midi, quand il avait douze ou treize ans et qu'il nourrissait secrètement l'espoir de devenir un jour footballeur professionnel.

Ce qui était un doux rêve, concéda-t-il, étant donné qu'il était plutôt gringalet et qu'une grande partie de la saison, il usait le fond de son short sur le banc des remplaçants, quand il y avait un banc... La plupart du temps, il passait ses après-midi, les fesses dans l'herbe, à imaginer qu'il faisait tout à coup son entrée sur le terrain.

En gros, lui détailla-t-il, soit il effectuait d'emblée une tête plongeante, si parfaite qu'il avait l'impression durant une poignée de secondes de rester suspendu à l'horizontale, tandis que la balle s'engouffrait au ras du poteau de but, soit il déboulait sur l'aile gauche (il était gaucher), effaçait un défenseur, deux défenseurs, et déclenchait une frappe si soudaine et si violente (lui qui avait la force d'un moucheron) que la balle allait se ficher sous la barre transversale, devant le gardien impuissant.

– Tu avais une imagination épique à douze ans.

– Oui, j'ai beaucoup plus rêvassé que je n'ai joué, reconnut Massimo, auquel des poches sous les yeux et quelques mèches grisonnantes donnaient une sorte de beauté fatiguée.

Mais cet après-midi-là, justement, rien ne s'était passé comme à l'accoutumée, dit-il... Un peu avant la mi-temps, un joueur adverse avait malencontreusement envoyé le ballon à perpète et on s'était alors aperçu qu'on n'en avait pas apporté d'autre. Comme il était en train de bayer aux corneilles, son entraîneur, M. Bitouni, lui avait naturellement demandé d'aller le chercher pour dépanner ses camarades.

Il devait être entre cinq heures et cinq heures et demie, se souvenait-il étrangement, quand il était entré dans le petit bois qui jouxtait le terrain. Pendant qu'il battait les taillis et les buissons épineux, à la recherche de ce ballon introuvable, il entendait les voix des autres qui l'appelaient : « Massi ! Massi ! Reviens ! » Au lieu de rebrousser chemin ou tout simplement de leur répondre qu'il n'avait pas le ballon, il avait continué à s'enfoncer dans le bois, jusqu'à ce qu'il n'entende plus rien... Il n'y avait plus que le grand silence de la forêt, avec des cris d'oiseaux, très faibles

– Tu t'étais perdu ? dit Homer.

– Non, je pense que j'étais en train de traverser le miroir et que je n'avais aucune envie de revenir en arrière.

Cela dit, reconnut-il, il s'étonnait quand même un peu que personne ne vienne le chercher. Il fallait croire que ses coéquipiers avaient fini par se faire prêter un ballon et, pour le coup, se souciaient moyennement de sa disparition, vu qu'il comptait pour du beurre.

Ce qui en réalité lui convenait parfaitement, lui assura Massimo... Tout ce qui le faisait frissonner à cet instant, comme il n'avait jamais frissonné : le silence des bois, l'émotion de l'inconnu, l'excitation de la liberté, le poussait au contraire à leur tourner le dos et à s'éloigner toujours un peu plus de son ancienne vie : car c'est de cela qu'il s'agissait.

Au bout d'une heure ou deux, à force de s'exalter tout seul et de marcher au hasard, en enjambant des

350

fourrés et des branches mortes, il avait fini par sortir du bois sans s'en rendre compte... Il faisait encore soleil, s'était-il étonné.

En fait, dit-il, il connaissait à peine la région. Il savait seulement que la gare de Nevers se trouvait à cinq ou six kilomètres et qu'il pouvait donc s'y rendre à pied. C'est finalement ce qu'il avait fait.

– Tu vois, dit Massimo en lui montrant ses deux mains, c'était il y a presque quarante ans et je tremble encore en t'en parlant... Depuis ça, je crois que j'ai toujours eu envie de m'enfuir.

– De t'enfuir d'où?

– Du lycée, de chez mes parents, de chez mes petites copines dont je squattais les appartements, de n'importe où... C'était devenu maladif.

Entre autres prouesses, dont il hésitait à se vanter, il avait disparu au beau milieu d'un repas d'anniversaire – de son propre anniversaire – en prétextant un coup de téléphone, et personne ne l'avait revu.

Une autre fois, des années plus tard, alors qu'il était au théâtre avec femme et enfants, il avait profité de l'entracte pour se faufiler par un escalier jusqu'à la sortie de secours, au moment où tout le monde regagnait sa place... Il avait alors poussé la porte ni vu ni connu et s'était retrouvé dehors, aspiré par l'obscurité et le bruit des rues.

C'était bien, affirma-t-il à Homer, en écrasant sa cigarette... C'était excitant, mais ça n'avait rien à voir avec le choc de la première fois, dans la forêt, quand il avait eu l'intuition qu'il ne serait plus jamais pareil.

– En fin de compte, j'ai bien fait de te parler de cette planète.

– Oui, c'est vrai. J'aime bien repenser à tout ça, dit Massimo, avec son sourire fatigué.

62

Qui est-ce qui a dit qu'Adam et Ève s'embêtaient déjà dans le jardin du paradis? se demanda-t-il tout à coup... Et que les rois avaient un jour cessé de régner parce qu'ils étaient minés par l'ennui?

Homer, qui avait encore une heure à patienter, était prêt à parier qu'il ne s'agissait pas d'un auteur allemand ni d'un Américain... Peut-être un Italien, présuma-t-il, pendant qu'il petit-déjeunait à la table d'une terrasse, tout en regardant les nuages s'amonceler au-dessus de Paris.

Accessoirement, il pouvait vérifier que malgré sa propension à s'ennuyer, il n'avait quand même pas tout perdu, puisque la beauté de la ville – avec sa lumière d'orage, par exemple – l'émouvait toujours.

Il avait rangé, dans son sac à dos, son parapluie pliant et ses petites affaires pour aller passer le week-end dans la maison de Sybil... Car, malgré tout ce qui avait pu se passer à Naples, ils n'avaient pas entièrement rompu avec leurs habitudes anciennes et continuaient de vivre séparément une grande partie de la semaine, comme s'il s'agissait d'une clause de leur contrat.

Cette conjugalité intermittente – une fois chez elle, une fois chez lui – n'était évidemment pas le résultat d'une volonté délibérée, mais plutôt la conséquence de toute une série de contraintes professionnelles qui entravaient leur existence... Sans compter que Homer, empêtré dans les fils de son passé, ou tout simplement enclin à l'isolement et à la tranquillité, était toujours aussi rétif à l'idée de mener une vie de couple institutionnalisée.

Il avait du reste remarqué que dans ses rêves (il rêvait de plus en plus souvent depuis quelque temps) il n'apercevait jamais Sybil... De toute évidence, la nouvelle qu'elle était devenue sa bien-aimée et qu'ils couchaient ensemble n'avait pas encore atteint les nappes souterraines de sa conscience... D'ailleurs, le soir, lorsqu'il rentrait du travail, il avait par moments de telles bouffées de solitude qu'il était obligé de l'appeler chez elle, juste pour entendre sa voix.

Il ne se sentait pourtant ni déçu ni malheureux... Il savait pertinemment que ce qu'il avait forcément perdu en intensité, il l'avait gagné en sérénité, et qu'en dépit de son caractère velléitaire, il avait en fin de compte obtenu ce qu'il désirait.

Sybil était bien la femme accomplie qu'il avait tant cherchée autrefois, quand il était arrivé en France, celle qui deviendrait un jour la compagne bienfaisante et le féminin exclusif de sa vie… Et puis, elle avait été objectivement si patiente avec lui, il avait accumulé une dette de reconnaissance si énorme à son égard, qu'il se voyait mal alléguer aujourd'hui qu'il n'avait pas assez réfléchi et qu'il s'était peut-être trompé. Ce n'était donc pas ça. Il ne s'était pas trompé.

Simplement, il avait péché par suffisance en croyant que c'était gagné, puisqu'ils partageaient le même lit… Que ça lui plaise ou non, il était obligé de constater que s'était développée chez Sybil, mois après mois, une forme de distance, une réserve d'indépendance, qui le déroutait… Au point que, dans une cellule intime de son esprit, il continuait à se demander si elle avait entièrement confiance en lui ou s'il l'avait trop souvent déçue pour qu'elle ne soit pas tentée de rester sur ses gardes.

Pour se rassurer, sans doute, Homer n'était pas loin de mettre son sentiment d'incomplétude sur le compte de la société elle-même et de la vie fragmentaire à laquelle elle nous condamne, faisant de nous des êtres toujours inachevés, passant leur temps à désirer et à renoncer à leurs désirs… Mais il y croyait à moitié.

Ce qui était sûr, en revanche, c'est qu'il n'était pas question de lui faire part de ses doutes et de se lancer dans une conversation qui l'inquiéterait, et dont il ne sortirait certainement pas grandi.

L'orage ayant fini par éclater, Homer descendit du train sous une pluie battante et fut soulagé d'apercevoir

Sybil sur le parking, qui lui faisait des signaux avec ses phares... Preuve qu'elle ne nourrissait aucun doute de son côté, elle l'accueillit aussi joyeusement qu'à l'accoutumée, en se pressant contre lui et en lui effleurant les lèvres avec ses doigts. Une nouvelle pudeur les incitait en effet à éviter en public les embrassements et les cajoleries de débutants, pour se comporter désormais en couple ordinaire.

Ils firent tout aussi ordinairement quelques courses au supermarché, puis rentrèrent la voiture au garage et se disposèrent à profiter, chacun à leur façon, de cette journée pluvieuse. Elle en téléphonant et en vaquant à ses occupations d'une pièce à l'autre, lui en somnolant sur le canapé, parce qu'il avait très mal dormi et avait maintenant l'impression de se dissoudre dans la matière liquide de cette matinée. En outre, il aimait le son de la pluie sur les jardins.

– Pourquoi tu me regardes comme ça ? lui demanda-t-il subitement en rouvrant les yeux.

– Parce que je suis contente de te regarder, répondit-elle, penchée au-dessus de lui.

Homer, définitivement réveillé, l'attrapa par la taille pour lui dire deux mots à l'oreille, auxquels Sybil répondit tout bas que c'était certainement possible.

Et un bonheur n'arrivant jamais seul, elle se laissa d'un coup basculer sur lui, la tête la première. C'est d'ailleurs elle qui lui avait appris un jour – il s'en souvenait très bien – que ce n'est pas parce qu'on n'a aucun don pour le bonheur qu'il faut renoncer à être heureux.

– J'ai l'impression que tes jambes ont encore pris cinq centimètres, s'amusa Sybil, qui s'était carrément assise sur lui et pinçait les cordes de son corps avec des gestes de harpiste.

Grâce à de tels instants, alors que l'excitation descendait jusqu'à sa moelle épinière, Homer redécouvrait à chaque fois à quel point vivre avec elle était devenu quelque chose de simple et d'inévitable.

– Tu sais, j'ai quelque chose de sérieux à te dire, lui annonça-t-elle ensuite, avec sa voix toute voilée.

– Je t'écoute religieusement, lui assura Homer, qui n'aimait rien tant que ces sortes de préliminaires à la conversation.

Quand elle était rentrée de Chypre et qu'il avait réalisé qu'Emmanuelle et Giovanni avaient définitivement disparu de leur horizon, une source d'inquiétude annexe était venue occuper son esprit : de quoi allaient-ils parler désormais ? Comment allaient-ils occuper leurs longues plages de conversations, autrefois dévolues aux deux autres ?... On aurait dit qu'ils regrettaient déjà, sans se l'avouer, les journées passées à les évoquer dans le jardin, allongés côte à côte sur leurs transats... S'il n'avait tenu qu'à lui de les ressusciter à cet instant et de les réunir à nouveau, nul doute qu'il l'aurait fait sans la moindre hésitation.

Heureusement, depuis ils avaient voyagé, leur vie avait changé, et ils étaient devenus des causeurs trop endurcis pour se laisser intimider par le grand trou de silence que les deux autres avaient laissé derrière eux.

La seule différence – il devait en convenir –, c'est qu'ils avaient maintenant un certain penchant à la répétition… Ils aimaient de plus en plus se rappeler leurs premières impressions quand ils s'étaient rencontrés, leurs premières sorties, ou bien une robe qu'elle avait portée à Naples et qu'il avait eu toutes les peines du monde à lui ôter, une réflexion qu'ils s'étaient faite en se réveillant, ou n'importe quoi d'autre, à cause de ce besoin obscur de démultiplier leur existence avec des mots.

– Je crois que je vais être obligée de quitter la maison et d'aller vivre ailleurs, lui déclara-t-elle soudain.

– Oh! fit Homer, qui s'attendait à tout sauf à ça.

Selon les dernières informations transmises par Teresa, lui expliqua-t-elle, Giovanni, qui avait manifestement un besoin pressant de liquidités pour monter une affaire avec un autre expatrié italien, avait subordonné l'acceptation du divorce à la vente de la maison.

– Alors, gémit-il, on n'aura plus de jardin, plus de repos, plus de promenades dans la campagne…

– Tu es incroyablement conservateur, l'arrêta-t-elle. D'abord cette maison n'est pas encore vendue, et puis, de toute manière, je n'ai pas l'intention de vivre sous une tente. Je pense que je vais louer quelque chose à Melun, à cause de mon travail, et je ferai en sorte que ce ne soit pas trop loin de la Seine.

Qu'à cela ne tienne, Homer aurait préféré que tout reste en l'état… À table, ils se boudèrent un moment et déjeunèrent sans appétit. Puis, comme il avait cessé de pleuvoir, ils décidèrent de sortir pour se changer les idées.

Ils marchèrent distraitement sous un ciel gris, tout chargé d'eau, jusqu'à l'entrée du pont. La rivière grossie par les averses de printemps charriait des branches et des débris épars. À certains endroits, elle débordait sur la berge, baignant le pied des ormes rouges sous lesquels ils avaient l'habitude de s'asseoir.

Les courts de tennis étaient encore détrempés. Ils assistèrent pourtant, derrière le grillage de l'un d'entre eux, à un match improbable entre un petit brun qui frappait comme un sourd et une grande rousse qui tenait sa raquette à la manière d'un accessoire de danse. « Quarante-zéro ! » criait le petit brun.

Ils longèrent ensuite une lisière de peupliers, goûtant la tranquillité pastorale des prairies abandonnées, puis s'engagèrent dans le petit chemin encaissé, bordé de fougères, et quand ils furent enfin dans leur sousbois, à l'abri du vent, Homer ne put se retenir de lui dire qu'ils voyaient probablement tout cela pour la dernière fois... Sybil l'interrompit à nouveau :

– Arrête de te plaindre, le sermonna-t-elle, en passant le bras autour de sa taille. Essaie, au moins une fois, d'être un peu dans le présent.

– Tu as raison, je ne me plaindrai plus, lui promit Homer, qui cambrait le dos pour s'abandonner à la pression de son bras.

63

Madeleine Serifis, qui se tenait assise en face de lui, dans le sens de la marche, l'avertit tout de suite que si elle prenait la liberté de lui faire de telles confidences, quand même très personnelles, c'était justement parce qu'elle le connaissait à peine et que par ailleurs ils avaient statistiquement peu de chances de se croiser sur leur lieu de travail, vu l'imminence de son départ à Genève.

Au fond, observa-t-elle, pendant que la pluie coulait en diagonale sur les vitres du train, elle se trouvait un peu dans la situation de ces conducteurs solitaires qui se confessent à un auto-stoppeur qu'ils ne reverront jamais... Sans compter qu'à moins d'ouvrir la portière et de sauter en marche, l'autre sera bien forcé de les écouter.

– Je n'ouvrirai pas la portière, lui promit-il.

– Mais vous avez naturellement le droit de m'interrompre, si vous trouvez ça barbant.

– Pourquoi ce serait barbant?

– Vous allez voir.

D'abord, pour comprendre comment un jour elle avait pu se retrouver dans un institut de soins psycho-thérapeutiques, il fallait se représenter la jeune femme timide et très peu assurée qu'elle était à vingt-trois ans, lorsque le rectorat l'avait affectée dans un lycée de l'agglomération lyonnaise, où elle devait enseigner l'économie.

Ces premières et, heureusement, dernières années d'enseignement, qui lui semblaient à présent datées d'une autre existence, se seraient sans doute effacées depuis longtemps de son esprit – tant elles avaient été incroyablement fades et ennuyeuses – si elle n'avait eu la mauvaise idée de tomber amoureuse d'un de ses collègues d'anglais, dont elle préférait taire le nom, lui dit-elle.

Elle l'avait repéré entre tous les autres à cause de ce petit sourire ironique qu'il promenait dans la salle des professeurs et qui par moments s'arrêtait sur elle, comme s'il détenait à son sujet des informations secrètes, qu'elle-même ignorait complètement... Jusqu'au jour où, n'y tenant plus, elle avait pris l'initiative de s'approcher de lui pendant la récréation, pour qu'il lui apprenne enfin la raison de son sourire. C'était évidemment le piège. Il n'attendait que cela.

À sa décharge, il fallait dire que, sans être une première communiante, elle était quand même assez ingénue, alors que lui était un homme sûr de soi, provocant et plutôt drôle, devait-elle reconnaître... Elle n'avait donc a priori aucune raison, lui assura-t-elle, de soupçonner chez lui une ombre de perversité.

Pourtant, la relation amoureuse qu'ils avaient nouée au bout de quelque temps, dans le dos de leurs collègues, s'était très rapidement transformée en une espèce de jeu de domination et d'humiliation – toujours à l'avantage de son partenaire, bien entendu – dont, par pudeur, elle préférait lui épargner les détails. Ne serait-ce que pour ne pas raviver sa souffrance.

– Même dix ans après?

– Même dix ans après... Je pense maintenant que son seul et unique plaisir était de me rabaisser pour faire de moi un objet d'expériences.

– C'était apparemment d'étranges d'expériences, remarqua-t-il, en observant le beau visage de Madeleine Serifis, tout froncé par ses réflexions tristes.

Toujours est-il, reprit-elle, que son niveau de souffrance avait dû à un moment donné dépasser son seuil de tolérance, car, dans un réflexe de sauvegarde, elle avait quitté précipitamment le lycée et la région lyonnaise, avant d'entamer une longue période de dépression.

Elle était devenue du jour au lendemain la patiente de la chambre 37, dans cet institut de soins psychothérapeutiques près d'Orléans, qui tenait, lui expliqua-t-elle, de la clinique privée et de la maison de repos pour fonctionnaires, avec ses bâtiments en brique, sa bibliothèque et son grand parc peuplé de daims et de poules faisanes.

Au début, ce qui la troublait le plus, les quelques fois où elle se rendait à la cafétéria de l'établissement, c'était son incapacité à démêler qui était soignant, qui était soigné ou bien simplement visiteur... Avant de se rendre compte – puisque personne ne portait de signe distinctif – que les soignants étaient ceux qui passaient en courant d'air, les soignés ceux qui étaient le plus mutiques, tandis que les visiteurs étaient le plus bavards, parce qu'ils se croyaient peut-être obligés – par peur du silence – de faire la conversation et de rire des rares paroles du malade.

Lequel malade, ajouta Madeleine Serifis, devait donc attendre à chaque fois placidement que son visiteur ait fini de s'esclaffer pour terminer sa phrase.

Tout cela pour dire qu'en réalité elle fuyait la cafétéria et sortait rarement de sa chambre, négligeant les groupes de conversation, les ateliers de peinture ou d'activités théâtrales qui la fatiguaient d'avance, lui avoua-t-elle.

Depuis, avec le recul du temps, elle s'était convaincue que son état avait empiré précisément à cause de cette réclusion volontaire... En effet, quelques semaines plus tard, sans rien avoir vu venir, elle commença à souffrir de troubles auditifs et se mit régulièrement à entendre une sonnerie électrique qui résonnait dans le bâtiment, elle ne savait trop où.

Elle avait beau se douter qu'il s'agissait d'une sonnerie imaginaire, et l'infirmière de l'institut de soins psychothérapeutiques lui certifier qu'il n'y avait aucune sonnerie, hormis celle de l'alarme d'incendie et celle, beaucoup plus discrète, de l'ascenseur, une autre strate de son esprit, dit-elle, continuait de croire mordicus à l'existence de cette sonnerie (qu'elle prenait parfois pour celle du lycée) et à s'interroger sur sa provenance.

– Où est-ce qu'on est ? lui demanda-t-elle soudainement.

– Je crois qu'on arrive à Dijon, dit Homer, en essuyant la vitre embuée avec sa manche.

Son premier réflexe, poursuivit-elle, après un silence, avait été bien sûr de se boucher les oreilles, puis d'écouter de la musique sous un casque, mais cette petite sonnerie stridente semblait avoir le pouvoir de la rattraper n'importe où et n'importe quand… Même lorsqu'elle recevait la visite de ses parents ou de sa sœur aînée, qui avait pourtant sur elle une influence plutôt lénifiante et réconfortante, la sonnerie la faisait tout à coup tressaillir au milieu de leur conversation.

Selon le docteur Jaucotte (qui soit dit en passant portait le même prénom que son collègue d'anglais), elle appartenait dorénavant à la catégorie des entendeurs. La plupart des personnes souffrant d'hallucinations auditives entendent des voix, tandis qu'elle entendait une sonnerie… Voilà tout, lui avait-il déclaré, avec un sourire qui était plus un tic facial qu'autre chose. Comme s'il s'agissait de la maladie la plus banale du monde.

Quant à la cause de son hallucination, elle avait eu beau lui expliquer que cette sonnerie, qui était la réplique exacte de celle du lycée, avait forcément un lien avec son histoire récente, il avait accueilli son interprétation avec une moue sceptique… Pour lui, il ne faisait aucun doute que le trauma était plus profond, plus archaïque, et avait certainement à voir avec son père ou avec un adulte ayant tenté d'abuser d'elle… Mais là-dessus il ne pouvait rien lui dire de plus. Elle était restée bouche bée.

Non seulement elle n'était pas plus avancée, mais il avait réussi à la mettre dans une fureur noire.

De toute façon, précisa Madeleine Serifis, sous une gentillesse et une convivialité de façade, les rapports qu'entretenaient les médecins, ainsi finalement que l'ensemble du personnel traitant de l'institut de soins psychothérapeutiques, avec les patients étaient beaucoup trop équivoques – oscillant sans cesse entre l'écoute et l'autorité brutale, l'empathie et la distance protocolaire – pour ne pas susciter chez des malades bourrés de neuroleptiques une défiance probablement justifiée.

– Vous ne trouvez pas que ça commence à devenir barbant ? lui demanda-t-elle, en s'arrêtant net.

– Absolument pas. Je veux savoir la suite, protesta-t-il.

La suite, continua-t-elle, en s'étirant et en bombant sa jeune poitrine, c'est que cette maudite sonnerie était devenue de plus en plus harcelante et qu'elle tournait carrément à l'idée fixe… Elle vivait les nerfs tendus dans la hantise de ce bruit qui à chaque fois la figeait sur place, parce qu'il arrivait bien sûr par surprise, au moment où elle ne l'attendait plus.

Jusqu'au jour – prodige de la nature ou de l'industrie pharmaceutique – où elle n'entendit plus rien. Et le lendemain non plus.

– Ce qui est incroyable, c'est qu'au lieu de me sentir soulagée, lui dit Madeleine en descendant du train, j'ai été prise de panique. Je me croyais devenue sourde.

– Driiing driiing, fit-il bêtement.

– Ce n'est pas drôle!

– Je sais, s'excusa Homer, en lui proposant son parapluie.

Homer n'ignorait pas, bien entendu, qu'on peut toujours attendre séparément, chacun chez soi, et donner encore du temps au temps, en tablant sur les années pour dénouer prudemment les fils compliqués de l'amour et de l'angoisse... Simplement, à force d'attentes, à force de séparations et de retrouvailles – toujours provisoires –, leur amour courait le risque de dépérir doucement et eux de décliner sans même s'en rendre compte, jusqu'à ce qu'ils forment un jour un couple de solitaires désenchantés.

Aussi décida-t-il subitement cet après-midi-là, qui n'était pas non plus n'importe quel après-midi, au moment de descendre de la voiture, que s'ils étaient encore ensemble à Noël, il épouserait Sybil... Pourquoi à Noël? Il n'y avait même pas réfléchi.

Sans doute, parce que c'était une date facile à retenir et qui lui laissait quelques mois de répit... En tout cas, comme il connaissait sa faiblesse de caractère et que l'expérience lui avait appris à ne pas présumer de ses ressources et à se méfier de ses emballements, il prit sagement le parti de n'en rien dire à la principale intéressée.

La grille en fer du cimetière ouvrait sur une grande allée gravillonnée qui suivait, section après section, le cours rectiligne du temps, depuis les premières concessions du début du siècle, que l'herbe et les plantes grimpantes avaient complètement envahies, jusqu'aux tombes les plus récentes – généralement en marbre gris ou noir – décorées, selon le goût et l'assiduité des familles, de jolis bouquets printaniers ou de fleurs artificielles.

La leur était nue, une simple dalle de pierre sur laquelle était gravé le nom d'Ana Hilmann, avec ses dates : 1946-2002.

– Elle était jeune, s'étonna Sybil. Elle n'avait que cinquante-six ans.

– C'est vrai, dit Homer. Quand elle est tombée malade, elle m'a avoué qu'elle attendait sa tumeur depuis des années... Je n'ai pas compris... Et de fait, au moment de l'opération, les médecins ne sont pas allés plus loin, ils ont refermé et ils l'ont renvoyée chez elle, dit-il, pendant qu'il disposait des tulipes dans le vase qu'il avait apporté.

Homer se tut un instant, gardant pour lui l'image de sa mère hagarde, qui le dévorait des yeux, agrippée aux barreaux de son lit.

Les infirmières qui se relayaient à la maison, reprit-il, afin de lui faire ses piqûres de morphine et l'empêcher d'arracher sa perfusion, avaient beau prétendre qu'elle ne souffrait pas, il restait un peu sceptique... La résignation muette de sa mère, ses spasmes et ses cris rentrés suggéraient plutôt le contraire. Mais il évitait de les contredire, par lâcheté ou par inconséquence.

Après, se rappelait Homer en regardant son bouquet de tulipes, quand il reprenait son train pour rentrer à Paris, il sentait à chaque palpitation de sa conscience le remords de s'être rallié aux boniments des autres.

– Ce qui est étrange, lui avoua-t-il, c'est que dans mon souvenir on est très liés, maman et moi, vraiment très liés, et en même temps presque toujours fâchés... Je crois qu'elle m'aimait trop ou qu'elle m'aimait mal. Et à cause de ça, on a passé notre vie à se manquer... Cela dit, c'était tout de même une femme à part, terriblement instable, et je la soupçonne d'avoir rendu mon père légèrement maboul. Il a d'ailleurs fini par quitter la maison.

Sybil, tout en arrachant le chiendent et les chardons autour de la tombe, l'écoutait sans vouloir intervenir, semblant réfléchir au rôle plus ou moins heureux qu'Ana Hilmann avait joué dans la vie de son fils.

Celui-ci, qui avait également pris la précaution d'apporter une brosse et une éponge, entreprit alors de frotter énergiquement la dalle pour en effacer les traces de lichen.

– Je te verrais tout à fait dans un monastère, remarqua-t-elle, affecté à l'entretien des tombes.

– On se rachète comme on peut.

– Tu n'as pas besoin de te racheter.

– Tu sais, lui confia Homer, encouragé par son regard attentif, j'imagine que depuis que le monde est monde, la plupart des hommes éprouvent le même sentiment de culpabilité devant la souffrance de leur mère : ils ont tant reçu et si peu donné, en réalité... La seule chose qui les console, ajouta-t-il, c'est qu'ils se disent que ce sera bientôt leur tour. Puisque les fils meurent comme les mères, en fin de compte.

Sybil ménagea une pause compatissante, avant de lui répondre qu'elle ne savait pas si on pouvait appeler cela une consolation.

– Peut-être une forme d'autopunition ?

– Peut-être... À propos de ton père, tu ne m'as pas dit ce qu'il était devenu après leur séparation.

– Aux dernières nouvelles, dit Homer en se relevant, il vit encore au Canada, à côté de Toronto. Il s'est mis en ménage avec une jeune Cambodgienne, soi-disant photographe... J'ai dû les voir deux ou trois fois depuis que je suis à Paris et je les ai trouvés pathétiques... Mais chacun voit midi à sa porte, concéda-t-il, avant d'aller se nettoyer les mains au robinet du cimetière.

– On s'en va ? lui demanda-t-elle.

– Oui, j'ai terminé. Je reviendrai un de ces jours... Après tant d'années, je ne me suis toujours pas habitué au fait que ma mère n'existe plus. Tu ne trouves pas ça morbide?

– Non, je ne trouve pas, dit-elle, en remontant l'allée gravillonnée à côté de lui.

Au moment de refermer la grille en fer derrière eux, ils eurent d'un seul coup la sensation de retourner dans le présent... L'air était devenu frais. Des gens rentraient du travail à vélo, tandis que des camions bâchés roulaient en trombe en direction de l'Allemagne.

Ils marchèrent tous les deux, penchés à contrevent, jusqu'à l'endroit où ils avaient laissé la voiture, rangèrent leurs affaires et prirent la route de Strasbourg.

Sybil, qui devait repenser à tout ce qu'il lui avait dit au sujet de sa mère, conduisait vite, sans parler, dans cet état d'hypersensibilité qu'il lui connaissait bien. Elle était probablement au bord des larmes... Lui regardait le compteur, sans rien dire non plus.

Ce silence, qui semblait être la somme de tous leurs silences, heureux ou malheureux, devint à la fin tellement pesant qu'au moment où ils arrivèrent à quelques kilomètres de Strasbourg, il lui demanda la permission de mettre de la musique et régla le son.

– Qu'est-ce que tu as mis?

– Tu vas voir, tu ne connais que ça... Plus c'est fort et plus c'est beau, lui déclara-t-il solennellement en montant encore le son, jusqu'à ce que le souffle de *L'Hymne à la joie* soulève le toit de la voiture et fasse tout exploser derrière eux.

En ce qui concerne le cadre de son enfance, il suffisait de se représenter un hameau, dans une vallée triste au pied des Vosges, lui dit-elle... Et autant qu'elle pouvait s'en souvenir, il n'y avait rien d'autre à des kilomètres à la ronde que des prés, des bois de sapins et des petites maisons d'ouvriers travaillant dans les scieries environnantes. Ses parents habitaient une fermette blanche tout au bout du village dans laquelle ils élevaient de la volaille, en plus de quatre ou cinq vaches laitières. En réalité, ils vivotaient comme tout le monde en ce temps-là.

– Tu veux dire juste avant-guerre, intervint-il, en regardant la tante Noémie, toute rétrécie dans son fauteuil roulant.

Afin de parler plus à leur aise, ils s'étaient installés tous les deux à l'abri du vent sur la terrasse de la clinique, d'où ils apercevaient, de l'autre côté de la route, un stade à l'abandon perdu au milieu des champs, avec sa tribune en bois et ses barrières métalliques entreposées dans l'herbe. Comme partout à cet endroit de la plaine d'Alsace, les plantations de maïs alternaient avec les plantations de tabac à perte de vue.

Rétrospectivement, on pouvait supposer, dit Noémie, avec son phrasé d'ancienne institutrice, que l'imminence de la guerre et la pauvreté générale avaient eu pour conséquence l'endurcissement des gens qui vivaient dans cette vallée... Car les gens étaient vraiment durs, insista-t-elle, avaricieux, presque méchants dans leur misère, à commencer par son beau-père, Raymond Dietrich, qui était une brute finie.

– C'est lui qui t'a élevée ?

– C'est plutôt lui qui nous a roués de coups pendant des années, mon frère et moi. J'étais une toute petite fille de dix ans à peine, mon frère André en avait treize, et comme maman était phtisique et ne quittait plus son lit, il nous tenait à sa merci.

Il faut préciser, lui confia-t-elle, qu'il s'agissait d'un ancien sergent de l'armée de terre, grand chasseur, gros buveur, dont les accès de colère effrayaient tout le voisinage... À telle enseigne que lorsqu'il avait été tué deux ou trois ans plus tard, dans un accident de chasse, personne ne l'avait regretté. Surtout pas son frère et elle.

– Je t'assure que quand il levait son énorme main sur nous, dit-elle, en imitant le geste de son beau-père, il m'arrivait quelquefois de mouiller ma culotte.

– C'était le règne de la terreur, dit Homer, qui fumait appuyé à la rambarde de la terrasse.

– Exactement... Et l'histoire de la chienne Bijou est à l'image de tout ça.

Comme il est courant, le prévint-elle, de nombreux détails de cette histoire ancienne, en incubant dans sa mémoire, avaient été probablement effacés, tandis que d'autres, sans qu'elle sache pourquoi, étaient restés si extraordinairement présents qu'ils continuaient à la réveiller la nuit en sursaut.

Elle se souvenait très bien par exemple de l'instant précis où leur beau-père s'était approché d'eux, alors qu'ils jouaient tranquillement dans le jardin, et leur avait ordonné, comme ça, sans avoir l'air de plaisanter, de trouver une corde et un tabouret et d'aller pendre la chienne à un arbre. Ils étaient devenus blancs.

Il paraît que la vieille Bijou, ce matin-là, s'était soulagée sur le plancher de la cuisine et qu'elle n'en était pas à son coup d'essai... La sanction, même pour leur esprit d'enfants, dit-elle, paraissait tellement disproportionnée par rapport à la cause qu'ils avaient trouvé le courage de protester qu'il n'avait pas le droit de faire ça et qu'ils allaient le dénoncer à leur mère.

– Il était ivre?

– Je ne crois pas... Je me souviens qu'on a essayé de se réfugier dans la maison pour prévenir maman et qu'il nous a attrapés comme des mouches avec sa main.

Pendant ce temps-là la chienne Bijou, qui ne se doutait bien sûr de rien, dormait dans l'herbe du pré, étendue sur le flanc. C'était en effet une chienne d'âge respectable, ventrue et percluse de rhumatismes, que les années n'avaient pas du tout embellie. Mais c'était naturellement le cadet de ses soucis... Elle était restée drôle et friponne et n'aimait rien tant que mordiller les mollets des gens qui portaient une casquette.

– J'imagine, à la manière dont tu en parles, que vous l'aimiez beaucoup, ton frère et toi, et que ce devait être réciproque.

– Elle nous adorait et elle n'aurait pas dû, répondit-elle gravement.

Car le bon cœur et l'humilité des bêtes, lui expliqua-t-elle, les privent de leurs défenses... Lorsqu'ils étaient allés la chercher dans le pré, suivis par leur beau-père, qui ne les lâchait pas d'une semelle, au lieu de s'enfuir, de traverser la route ou de courir se cacher tout au fond de la grange, elle s'était laissé passer la corde au cou, sans rien comprendre. Et ils l'avaient conduite ainsi vers le grand tilleul derrière la maison, son frère André tirant sur la corde et elle portant le tabouret.

Afin de faire court et d'abréger les adieux, Raymond Dietrich s'était saisi de la chienne – qui pour le coup s'était mise à se débattre frénétiquement – et l'avait hissée en un tournemain jusqu'à une grosse branche où ils avaient accroché la corde, les yeux tout brouillés de larmes.

Et quand la chienne Bijou avait été pendue à son gibet, avec ses grandes oreilles noires et son museau blanc, dit-elle, ils avaient couru comme des fous, sans se retourner.

— Je ne sais pas quoi dire, tellement c'est insensé, lui avoua Homer, en pressant ses vieilles mains dans les siennes.

— Moi, je dirais que la vie est quelquefois une saleté sans nom... Mais attends, ce n'est malheureusement pas terminé.

Le temps de faire le tour de la maison pour appeler leur mère au secours, la chienne était à nouveau derrière eux : elle s'était décrochée de la branche.

Elle avançait peureusement dans leur direction, sa corde au cou et ses mamelles traînant par terre, se souvenait-elle, et comme ils restaient tous les deux muets de saisissement, la pauvre bête s'était aplatie dans l'herbe, ses pattes étendues devant elle, et elle les regardait en geignant tout bas.

— Elle se tenait à peu près où tu te tiens, à la même distance... Puis, petit à petit, elle a commencé à ramper vers nous pour venir nous lécher les pieds... Tu te rends compte ? dit-elle, en s'arrêtant pour s'essuyer les yeux : elle nous a léché les pieds !

Pendant que son frère et elle l'embrassaient et la serraient contre eux, en lui demandant mille fois pardon pour tout ce qu'ils lui avaient fait subir, leur beau-père était sorti de la maison en hurlant qu'ils étaient deux imbéciles et qu'ils allaient tout de suite ramener cette chienne et la pendre pour de bon... André, qui était un peu plus grand qu'elle, avait évidemment tenté de se rebiffer, en lui remontrant que c'était monstrueux de demander cela à des enfants et qu'ils ne lui obéiraient plus jamais.

L'instant d'après, lorsqu'elle avait vu le filet de sang qui coulait de la bouche de son frère, elle avait reculé de deux ou trois pas, avant de tomber la tête la première au milieu de la cour.

– Comme ça, dit Noémie, en penchant la tête en avant dans son fauteuil.

Mais il doit y avoir une justice : grâce à cet évanouissement qui avait affolé tout le monde, la chienne n'avait pas été pendue... Ce qui était en fait une maigre consolation, reconnut-elle, puisque quelques jours plus tard leur beau-père l'avait emmenée un matin dans la forêt, et la chienne Bijou n'était jamais revenue.

– Au fond, il avait inventé tous ces supplices à répétition pour vous mettre à sa botte.

– Oui. Il voulait nous montrer qui était le maître à la maison... Mais tu vois, ajouta-t-elle, avec l'indulgence du grand âge, je me dis que Raymond Dietrich était un homme désespéré, sans aucune issue, et je me demande encore aujourd'hui si son accident de chasse était vraiment un accident.

Homer, qui en avait assez entendu au sujet de Raymond Dietrich, ne répondit rien. Il resta un moment accoudé à la rambarde, le regard perdu dans le vide du paysage, avant de se ressouvenir que Sybil l'attendait à l'hôtel.

– Tu sais, lui dit Noémie, pendant qu'il la ramenait dans sa chambre, j'ai retrouvé sous une pile de papiers des photos de ta mère en train de jouer au bord de l'étang, derrière chez nous… Elle est si jolie et si rigolote, dans son petit maillot de bain, que je crois que je n'aurai plus le courage de les regarder, quand je serai rentrée à la maison… À supposer que je rentre un jour à la maison.

– Si tu veux, tu peux me les envoyer par la poste, lui dit Homer, en la soulevant de son fauteuil pour l'aider à se recoucher.

À part le battement d'une porte dans les étages, le silence était complet.

– La pauvre, on l'a opérée de la vésicule ce matin, chuchota-t-elle en lui désignant sa voisine de droite, Mme Schuler, qui dormait, le visage tourné contre le mur.

– Alors, on va se taire, dit-il en arrangeant ses oreillers.

– Oui, on va se taire… De toute façon, tu dois t'en aller, et moi, il faut que je me repose. Je me couche de plus en plus tôt.

– *Silenzio*, lui souffla-t-il, tout bas.

– *Silenzio*, répéta-t-elle, en étouffant un fou rire derrière sa main.